SEKTA
Robert Muchamore

Tłumaczenie Bartłomiej Ulatowski

EGMONT

Redakcja: *Agnieszka Trzeszkowska*
Korekta: *Anna Sidorek*
Projekt typograficzny i łamanie: *Mariusz Brusiewicz*

Wydanie pierwsze (w oprawie prostej), Warszawa 2010
Wydawnictwo Egmont Polska Sp. z o.o.
ul. Dzielna 60, 01-029 Warszawa
tel. 22 838 41 00

www.egmont.pl/ksiazki

ISBN 978-83-237-7458-7

Druk: Zakład Graficzny COLONEL, Kraków

CZYM JEST CHERUB?

CHERUB to komórka brytyjskiego wywiadu zatrudniająca agentów w wieku od dziesięciu do siedemnastu lat. Wszyscy cherubini są sierotami zabranymi z domów dziecka i wyszkolonymi na profesjonalnych szpiegów. Mieszkają w tajnym kampusie ukrytym wśród angielskich wzgórz.

DLACZEGO DZIECI?

Bo nikt nie podejrzewa ich o udział w tajnych operacjach wywiadu, co oznacza, że uchodzi im na sucho znacznie więcej niż dorosłym.

KIM SĄ BOHATEROWIE?

W kampusie CHERUBA mieszka około trzystu dzieci. Głównym bohaterem opowieści jest czternastoletni JAMES ADAMS, ceniony agent, mający na koncie kilka udanych misji. Jego jedenastoletnia siostra LAURA ADAMS także jest agentką CHERUBA, choć o nieco krótszym stażu.

Jakiś czas temu James rozstał się ze swoją dziewczyną KERRY CHANG, mimo to wciąż pozostają w przyjaznych stosunkach. Do kręgu jego najbliższych przyjaciół należą także BRUCE NORRIS, GABRIELA O'BRIAN oraz KYLE BLUEMAN, który niedawno skończył szesnaście lat.

OPERACJE I KOSZULKI

Rangę cherubina można rozpoznać po kolorze koszulki, jaką nosi w kampusie. Pomarańczowe są dla gości. Czerwone noszą dzieci, które mieszkają i uczą się w kampusie, ale są jeszcze zbyt młode, by zostać agentami (minimalny wiek to dziesięć lat). Niebieskie są dla nieszczęśników przechodzących torturę studniowego szkolenia podstawowego. Szara koszulka oznacza agenta uprawnionego do udziału w operacjach. Granatowa – taką nosi James – jest nagrodą za wyjątkową skuteczność podczas jednej akcji. Kto konsekwentnie spisuje się powyżej oczekiwań, kończy karierę w CHERUBIE, nosząc koszulkę czarną, przyznawaną za znakomite osiągnięcia podczas licznych operacji. Byli agenci i kadra noszą koszulki białe.

CO TO JEST HELP EARTH!?

Help Earth! to bogata i świetnie zakonspirowana organizacja terrorystyczna, której celem jest „położenie kresu środowiskowej rzezi dokonywanej na naszej planecie przez globalne korporacje i wspierających je polityków". Od końca 2003 r., kiedy grupa po raz pierwszy dała znać o swoim istnieniu, w przygotowywanych przez nią zamachach zginęło ponad dwieście osób. James Adams udaremnił groźny atak Help Earth! podczas pierwszej misji, którą wykonywał dla CHERUBA.

1. GAZ

Było wpół do ósmej rano, ale James tkwił w *dojo* już od półtorej godziny. Na wyłożonej materacami podłodze ćwiczyło sześć par dzieci w przepoconych kimonach i masywnych ochraniaczach.

Wycieńczony brutalnym dwudziestominutowym sparingiem James pokłonił się partnerującej mu Gabrieli, po czym sięgnął po leżącą nieopodal plastikową butelkę. Odchylił głowę do tyłu i trysnął sobie na podniebienie strugą wysokoenergetycznego napoju glukozowego. Zanim zdążył przełknąć pierwszą porcję płynu, czyjaś ręka grzmotnęła go w plecy. James zatrzepotał rękami i runął na sprężystą podłogę, opluwając sobie podbródek. Panna Takada wcisnęła mu głowę w materac sześćdziesięcioletnią stopą o pożółkłych paznokciach i skórze szorstkiej jak papier ścierny.

– Zasada mereden! – wrzasnęła trenerka Takada.

Jej angielski był fatalny, na szczęście trzymała się stałych zwrotów, które James znał na pamięć.

– Zaszada numer jeden – wyjąkał James, ledwie poruszając ustami zniekształconymi pod naciskiem stopy. – Bądź szujny, atak może nasztąpić z każdej sztrony i w każdej chwili.

– Być czujny, ciągle czujny! – zawołała panna Takada. – Pić szybko, nie gapić się w sufit jakby głupi. Wstawać z moja podłoga. Ty wstydzić moja podłoga.

James podniósł się, przez cały czas zerkając nerwowo na nauczycielkę.

– Ookej! – zawołała panna Takada, klaszcząc głośno, chcąc zwrócić uwagę uczniów. – Ostatnia ćwiczenia! Próba szybkości, małe piłki.

Kilkoro ociekających potem wymęczonych nastolatków znalazło w sobie tylko tyle energii, by jęknąć. Do końca sześciotygodniowego zaawansowanego kursu samoobrony zostało dziesięć dni i wszyscy dobrze wiedzieli, na czym polega próba szybkości. Dwunastu uczniów ustawiało się szóstkami pod przeciwległymi ścianami sali. Panna Takada rzucała między nich dziesięć minipiłek futbolowych i dwie osoby, które nie zdołały dotrzeć do szatni z piłką, musiały obyć się bez śniadania oraz przebiec dwadzieścia okrążeń wokół budynku *dojo*. Była to brutalna gra i nawet grube ochraniacze nie wykluczały niebezpieczeństwa połamania kości.

Takada sięgnęła do siatki z piłkami i rzuciła pierwsze trzy. Dwanaścioro nastolatków rzuciło się na podskakujące na podłodze kule.

James zauważył, że jedna z piłek szczęśliwie toczy się w jego stronę, ale Gabriela była szybsza i staranowała go barkiem. Kiedy gruchnął na podłogę, bodaj po raz setny tego ranka, Gabriela zgarnęła piłkę i popędziła do szatni.

Zdołała odmierzyć trzy długie susy, zanim dopadli ją dwaj chłopcy, którzy zaczynali grę na drugim końcu sali. Pierwszy zaatakował ją bykiem, trafiając w brzuch, a drugi zbił z nóg dwunożnym wślizgiem. Gabriela upadła z jękiem, ale zdołała utrzymać piłkę, przyciskając ją mocno do piersi. Chłopiec, który staranował Gabrielę, szarpnął ją za rękę z zamiarem założenia dźwigni, ale zdecydowana kontra łokciem w twarz odebrała mu wolę walki.

Nie czekając, aż skończy się bitwa o pierwsze trzy piłki, panna Takada cisnęła między uczniów dwie kolejne.

James był wykończony, ale perspektywa biegania wokół *dojo* była wystarczająco silną motywacją, by rzucił się w stronę najbliższej. Tym razem właściwie ocenił sytuację i poderwał piłkę spomiędzy nóg, nie gubiąc kroku. Na widok łukowatego wejścia chłopięcej szatni niespełna piętnaście metrów przed sobą poczuł przypływ nowych sił. Przeskoczył nad czyjąś nogą usiłującą go podciąć, przyspieszył i już prawie czuł smak śniadania w stołówce kampusu, kiedy trzy susy przed progiem jego nadzieja roztrzaskała się o barczystego szesnastolatka znanego jako Mark Fox.

Mark miał pięści wielkości szynki i był o dwadzieścia centymetrów wyższy od Jamesa, który odbiwszy się od wyłożonej materacami ściany, odwrócił się i przyjął postawę obronną. Była to jawna niesprawiedliwość, że musiał zmierzyć się z przeciwnikiem o tyle większym od siebie, jednak zaawansowany kurs samoobrony miał być realistyczny, a prawdziwy świat również nie jest sprawiedliwy.

James spróbował wyobrazić sobie siebie jako dzielnego malca, który daje radę każdemu, niczym w jakimś filmie dla dzieci, ale iluzja nie trwała długo. Mark ruszył na niego jak czołg. Pryskając kropelkami potu, wymierzył mu dwa błyskawiczne ciosy z lewej i prawej, by zakończyć kopnięciem kolanem w żebra. James osunął się na podłogę, pozwalając zwycięzcy wyjąć sobie piłkę z rąk.

– To na razie – rzucił Mark i odszedł w stronę szatni, uśmiechając się pod nosem.

Dzięki ochraniaczom James uniknął poważniejszych obrażeń, ale upadł tak nieszczęśliwie, że wybił sobie kilka palców. Wstał, kiedy tylko zdołał odzyskać oddech, choć grymas bólu wykrzywiał mu twarz.

Sześcioro ćwiczących było już w szatniach, a troje innych właśnie gnało do celu i nikt nie mógł im przeszkodzić. Na placu boju pozostali: James, dwie dziewczyny i jedna piłka, w tej chwili znajdująca się w objęciach Dany Smith.

Dana była piętnastoletnią Australijką, mniej więcej tego samego wzrostu co James, muskularną, jak na dziewczynę, znakomitą lekkoatletką i pływaczką. Gabriela O'Brian niedawno skończyła czternaście lat i była najmłodszą uczestniczką kursu, ale walczyła dzielnie i zdołała zapędzić Danę w róg sali, pozbawiając ją możliwości ucieczki. James ustawił się dwa metry za Gabrielą. Liczył na to, że Dana spróbuje się wymknąć, Gabriela ją powali, a on przechwyci piłkę, podczas gdy dziewczęta będą zajęte sobą. Jednak Dana nie wykazywała chęci wykonania pierwszego ruchu. Panna Takada zaczęła się niecierpliwić – na zewnątrz zebrała się już grupa cherubinów w czerwonych koszulkach czekających na zajęcia karate dla początkujących.

– Macie jedna minuta albo biegniecie wszyscy trzy – powiedziała trenerka, stukając palcem w szkiełko zegarka.

Gabriela cofnęła się o krok, próbując zachęcić Danę do podjęcia próby wyrwania się z pułapki. James także się cofnął i wtedy Dana wykonała swój ruch. Gabriela zaatakowała, ale piętnastolatka na kolanach prześlizgnęła się pod jej wysokim kopnięciem, po drodze ścinając przeciwniczkę z nóg.

James dostrzegł okazję do przechwycenia piłki w momencie, gdy Gabriela upadała, a Dana była jeszcze na kolanach. Rzucił się na Danę, ścisnął ramieniem za szyję, po czym wyłuskał jej piłkę z rąk, ignorując ból palców.

Dana wydała z siebie bojowy okrzyk, wyswobodziła się z duszącego chwytu i powaliła Jamesa na plecy, by w następnej chwili usiąść mu na piersi. Kolanami przygwoździła mu ramiona do maty i zdzieliła pięścią w twarz. Piłka wyśliznęła się ze śliskich od potu palców Jamesa i podskoczywszy dwa razy między jego nogami, potoczyła się po podłodze za Daną.

Gabriela zobaczyła to i nie zwlekając ani chwili, skoczyła. Nim Dana zorientowała się, że James puścił piłkę, czternastolatka z triumfalną miną gnała w stronę szatni. James był wciąż przygwożdżony do podłogi, kiedy panna Takada wykonała okrężny ruch palcem.

– Dobra, wy dwa. Dookoła dwadzieścia razy. Wy znać zasady.

Trenerka wyszła, by powrzeszczeć na rozbrykaną grupę juniorów na zewnątrz. James spojrzał na Danę z rozpaczą w oczach. Muskularne uda zasłaniały mu widok, na ramionach czuł cały ciężar jej ciała.

– Puść – stęknął James. – Już po wszystkim.

Dana odpowiedziała złym uśmiechem.

James nie znał jej zbyt dobrze. Była odludkiem, wciąż w szarej koszulce mimo pięciu lat służby w CHERUBIE, zawsze szorstka wobec młodszych od siebie, którzy tak jak on osiągnęli więcej.

– To dlatego, że jestem granatowy, tak? – powiedział James. – Wiesz, może zabrakło ci szczęścia czy coś, ale nie możesz winić za to mnie.

– To nie to – wyszczerzyła się Dana.

– Przestań... No, puść mnie już. Puszczaj! – zdenerwował się James, bezskutecznie próbując wyśliznąć się spod dziewczyny. – Takada dostanie piany, jak zobaczy, że nie biegamy.

– Pewnie pomaga maluchom w szatni. Mam dość czasu.

– Dość czasu na co?

– Zobaczysz – powiedziała Dana, przesuwając się do przodu tak, by jej pośladki zawisły dokładnie nad głową Jamesa.

James usłyszał basowy bulgot dochodzący zza szortów dziewczyny i poczuł na czole ciepły podmuch.

– Dżiiizas! – wrzasnął, wykrzywiając twarz i miotając głową na boki.

W końcu Dana ze śmiechem odtoczyła się na bok i poderwała na nogi.

– Jesteś bydlę – jęknął James, machając dłonią przed twarzą. – Gnijesz w środku, wiesz? Odpłacę ci za to.

Mimo wszystko nie potrafił oprzeć się rozbawieniu całą sytuacją. Lubił Danę, nawet jeśli czasem zachowywała się dziwacznie.

Dana wzruszyła ramionami.

– Nie myśl, że nie będę spała po nocach.

James powlókł się do wyjścia. W szatni zgarnął swoje adidasy i zaczął zdejmować ochraniacze. Uśmiech na jego ustach z wolna gasł. Przebiegnięcie dwudziestu okrążeń wokół *dojo* zajmowało pół godziny, jeśli było się tak zmęczonym, a na zewnątrz panowało przeraźliwe zimno.

2. CLYDE

Echelon to najnowocześniejszy na świecie system wywiadu elektronicznego. Jest utrzymywany wspólnie przez Agencję Bezpieczeństwa Narodowego Stanów Zjednoczonych (NSA) oraz służby wywiadowcze kilku zaprzyjaźnionych państw, w tym Wielkiej Brytanii i Australii.

Echelon monitoruje przekazy elektroniczne, w tym rozmowy telefoniczne, e-maile i faksy przesyłane przez łącza mikrofalowe, satelity telekomunikacyjne i przewody światłowodowe. Obecnie system analizuje dziewięć miliardów rozmów i wiadomości prywatnych na dobę.

W ciągu godziny pracy system wykrywa i rejestruje około miliona przekazów zawierających słowa kluczowe, takie jak bomba, terrorystyczny, napalm, albo zwroty w rodzaju Help Earth! czy Al-Kaida. Podejrzane przekazy przechodzą przez oprogramowanie do analizy logicznej zdolne określić stan emocjonalny osoby na podstawie brzmienia jej głosu albo kontekstu, w jakim użyto słów kluczowych w e-mailu lub wiadomości tekstowej.

Spośród miliona wiadomości zapisywanych w pamięci systemu w ciągu godziny około dwudziestu tysięcy zostaje oznaczonych przez komputer jako potencjalnie ważne. Oznaczona wiadomość jest czytana przez jednego z dwóch tysięcy pracowników Echelona, którzy bez przerwy pełnią dyżur w stacjach na całym świecie.

*Pod koniec 2005 roku stacja systemu Echelon w połu-
dniowo-wschodniej Azji przechwyciła e-mail przesłany pomiędzy anonimowymi stronami. Wiadomość wspominała
o możliwym ataku Help Earth! w Hongkongu i udziale
w nim niejakiego Clyde'a Xu, szesnastoletniego działacza
na rzecz ochrony środowiska.*

*Zamiast aresztować młodego podejrzanego, postanowio-
no podjąć próbę infiltracji jego otoczenia w nadziei, że
w ten sposób uda się dotrzeć do ważniejszych osób wewnątrz Help Earth!*

(Wyjątek z wprowadzenia do zadania dla Kyle'a Blue-
mana, Kerry Chang i Bruce'a Norrisa).

Hongkong, luty 2006 r.

Wypatrzywszy w tłumie Rebekę Xu czekającą pod słupem
latarni, Kerry Chang pobiegła w jej stronę. Obie trzyna-
stolatki miały na sobie szkolne mundurki: niebieskie bluzy,
białe rajstopy, granatowe spódniczki i sweterki. Wokół kłę-
biły się setki tak samo ubranych dziewcząt. Niektóre wra-
cały do domu same, inne plotkowały w niewielkich grup-
kach, jeszcze inne odważnie przedzierały się przez cztery
pasy chaotycznego ruchu, usiłując dotrzeć do dwupozio-
mowego autobusu czekającego na przystanku po drugiej
stronie ulicy.

– Jak minął dzień? – zapytała Kerry po kantońsku.

Rebeka wzruszyła ramionami.

– W szkole jak to w szkole. Wiesz, jak jest.

Kerry wiedziała to aż za dobrze. Kiedy tajna operacja
ciągnie się w nieskończoność, udawana tożsamość agenta
zaczyna stapiać się z tą prawdziwą. Zaledwie sześć tygodni
nauki w Prince of Wales wystarczyło, by Kerry wpadła
w szkolną rutynę.

Rebeka oderwała się od latarni i ruszyła przed siebie.

– Nie czekamy na Bruce'a? – zdziwiła się Kerry.

– Koza – uśmiechnęła się Rebeka. – Myślałam, że wiesz. Twój brat to rasowy kretyn.

– Przyszywany brat – zaznaczyła Kerry. – Żadnych wspólnych genów, gdyby ktoś pytał. Co znowu nawywijał?

– Och, nic, tylko on i paru jego głupich kolegów dostało głupawki na matmie. Pan Lee się wkurzył i kazał im zostać po lekcjach.

Kerry pokręciła głową.

– Szkoda, że nie jestem w twojej klasie. Ja przez cały dzień nie mam się do kogo odezwać.

Rebeka uśmiechnęła się.

– Wtedy my też ciągle miałybyśmy przechlapane za gadanie.

W klimatyzowanej szkole zawsze panował przyjemny chłód, ale na zewnątrz było słonecznie i w drodze do domu Kerry zrobiło się gorąco. Rozluźniła krawat, a potem zdjęła sweter i przewiązała się nim w pasie. Dziewczęta miały przed sobą kwadrans marszu przez labirynt wysokich budynków, ciasnych uliczek i napowietrznych pasaży w kłębach duszących spalin i miejskich wyziewów.

Rebeka i Kerry mieszkały na dziewiątym piętrze niedawno oddanego do użytku dwudziestopiętrowego bloku. Gmach miał pięciu identycznych kuzynów, z których ostatni wciąż był w budowie. Morskie powietrze Hongkongu i tropikalny klimat nie służyły budynkom, przez co mimo swojej nowości wyciągające się ku niebu balkony wyglądały szaro i obskurnie.

W większości bogatych krajów takie osiedla z ich ciasnymi mieszkankami byłyby przeznaczone dla mniej zamożnej ludności, ale w Hongkongu, jednym z najgęściej zaludnionych miast na świecie, w blokowiskach gnieździła się przeważnie wyższa klasa średnia. Rodzina Rebeki była typowa: tata był stomatologiem, a mama współwłaścicielką sklepu jubilerskiego w ekskluzywnym centrum handlowym.

Drzwi rozsunęły się samoczynnie i dziewczęta weszły do dusznego holu. Siedzący za biurkiem pracownik ochrony powitał je przyjaznym gestem.

– Dużo masz zadane? – zapytała Kerry, zatrzymując się przed drzwiami windy.

– Trochę mam – powiedziała Rebeka. – Możemy odrobić razem albo posiedzieć w necie. Jak chcesz.

– Ekstra – ucieszyła się Kerry. – Ale najpierw skoczę się przebrać. Będę u ciebie za dziesięć minut.

*

Frontowe drzwi ciasnego mieszkanka prowadziły bezpośrednio do kuchni. Kerry weszła do domu z ziewnięciem na ustach, rzuciła plecak na podłogę, a klucze na kuchenny stół. W drzwiach pokoju dziennego pojawiła się głowa młodszej koordynatorki Chloe Blake.

– Hejka, Kerry. Gdzie Bruce?

– W kozie.

– Ach tak... No pięknie. – Chloe wyraźnie zrzedła mina.

– Czy coś się stało?

– Odrabiasz dziś lekcje z Rebeką?

Kerry skinęła głową.

– Jak tylko się przebiorę, to do niej idę. Dlaczego pytasz? Co się dzieje?

– Chodź, coś ci pokażę.

Kerry weszła do pokoju. Szesnastoletni Kyle Blueman grający w tej operacji rolę jej drugiego przyszywanego brata siedział na kanapie ubrany w T-shirt i szorty.

– Nie byłeś w szkole? – zainteresowała się Kerry.

– Clyde zerwał się dziś z angielskiego – wyjaśnił Kyle. – Poszedłem za nim do portu, ale musiałem trzymać dystans i zgubiłem go na jakimś skrzyżowaniu. W centrali w hotelu John przechwycił kilka rozmów przez komórkę, ale to niewiele nam dało. Wiemy tylko, że w porze lunchu Clyde spotkał się z kimś w Arby's w dzielnicy biznesowej.

– Wiadomo z kim? – przerwała Kerry.

– Nie znamy nawet nazwiska – odpowiedział Kyle. – Ale po spotkaniu Clyde wrócił tu, do mieszkania. Mamy to na wideo.

Chloe odchyliła ekran laptopa podłączonego do anteny satelitarnej na balkonie. Kliknęła dwa razy, otwierając plik wideo. Kerry pochyliła się, by lepiej widzieć. Nienaturalnie rozciągnięty obraz pochodził z szerokokątnej kamery, którą cztery tygodnie wcześniej Kyle zamontował w lampie nad łóżkiem Clyde'a Xu.

– Kiedy to się nagrało? – zapytała Kerry.

– Ze dwie godziny temu – powiedziała Chloe.

Na ekranie pojawił się Clyde Xu wchodzący do swojej maleńkiej sypialni. Szesnastolatek usiadł na łóżku, zsunął trampki i zdjął szkolną koszulkę, odsłaniając muskularną pierś.

– Ale ciacho – mruknęła Kerry.

– No nie? – wyszczerzył się Kyle. – Najśliczniejszy mały terrorysta, jakiego widziałem.

Chloe cmoknęła z dezaprobatą.

– Czy moglibyście zapanować na chwilę nad swoimi szalejącymi hormonami i skupić się na zadaniu?

Clyde Xu wyjął ze szkolnego plecaka małą paczuszkę owiniętą w celofan, po czym otworzył szufladę w komódce i wepchnął zawiniątko pod stertę skarpetek.

– Wiecie, co to jest? – zapytała Kerry.

– Nie sposób tego stwierdzić – odpowiedziała Chloe. – Ale nikt nie zrywa się ze szkoły i nie chodzi na spotkania na drugim końcu miasta po coś, co można kupić w Seven-Eleven, prawda? Mogłabyś spróbować się temu przyjrzeć? Zrobić kilka zdjęć?

Kerry zagryzła wargę.

– Nie lepiej poczekać do jutra i wejść tam, kiedy państwo Xu będą w pracy, a dzieci w szkole?

– Tak byłoby łatwiej – przyznała Chloe – ale to oznacza piętnaście, szesnaście godzin zwłoki. A jeśli do tego czasu Clyde zdąży przekazać paczkę komuś innemu? Wiedza o jej zawartości może stanowić różnicę pomiędzy udaremnieniem ataku a śmiercią setek niewinnych ludzi.

– Cóż... – westchnęła Kerry, kręcąc głową. – Nie będzie łatwo bez Bruce'a na czujce. Co za matoł. Musiał się wkopać akurat tego dnia, kiedy jest potrzebny.

Chloe kliknęła ikonę na ekranie, otwierając okno z podglądem na żywo z mieszkania państwa Xu. Kerry i Bruce zdołali rozmieścić kamery i mikrofony we wszystkich pokojach.

– Co my tu mamy... – mruczała koordynatorka, przełączając widoki z sześciu kamer. – Rebeka jest w swoim pokoju, Clyde siedzi przy komputerze w sypialni rodziców. Wiemy, że mama i tata nie wrócą do domu przed siódmą.

Kerry pokiwała głową.

– Jak Clyde przypnie się do internetu, nie można go oderwać od kompa. Rebeka prawie musi się z nim bić, kiedy chce pograć w „Sims".

– Jak myślisz, dałabyś radę bezpiecznie wejść do jego sypialni bez osłony Bruce'a?

Kerry wzruszyła ramionami.

– Pewnie jakoś się wyłgam, jeśli przyłapią mnie w pokoju, ale jak nakryją mnie na grzebaniu w szufladach i robieniu zdjęć, to jesteśmy spaleni.

– Co zrobimy, jeżeli okaże się, że w paczce jest bomba? – zapytał Kyle. – Jeśli tak jest, niewykluczone, że Clyde chce ją podłożyć już wkrótce, choćby za kilka godzin.

– Wątpię, by miał zrobić to dzisiaj – powiedziała Chloe. – Nie zapominaj o drugim spotkaniu.

– Jakim spotkaniu? – zainteresowała się Kerry.

– John dowiedział się o nim z jednej z przechwyconych rozmów telefonicznych – wyjaśniła Chloe. – Clyde umówił się na dziś, na ósmą.

- Gdzie?

– Nie mamy pojęcia gdzie ani z kim, Kerry, ale takie organizacje jak Help Earth! bardzo ostrożnie gospodarują informacjami. Jeden człowiek zajmuje się bombą, ktoś inny zna cel, a zamachowiec dowiaduje się wszystkiego dopiero w ostatniej chwili. Dzięki temu wpadka jednej osoby nie oznacza fiaska całego planu.

Kerry skinęła głową.

– Zatem wszystkie te spotkania oznaczają, że atak ma nastąpić już wkrótce.

– Niemal na pewno w ciągu najbliższych siedemdziesięciu dwóch godzin – przytaknęła Chloe.

– A jeśli zamachowcem wcale nie jest Clyde? – odezwał się Kyle.

– Rozmawialiśmy już o tym – powiedziała Chloe z nutą zniecierpliwienia w głosie. – Xu to bardzo młody człowiek bez żadnej specjalistycznej wiedzy. Dla Help Earth! ma wartość jedynie jako piorunochron, trzeciorzędny podejrzany mogący podjąć ryzyko, na jakie nie chcą się narażać wyżsi rangą.

– No dobra – westchnęła Kerry. – Ukryję radio pod koszulką, a w sypialni Clyde'a włożę słuchawkę do ucha. Wy obserwujcie resztę mieszkania i zawiadomcie mnie, gdyby coś się działo.

Chloe poklepała Kerry po plecach.

– Przebierz się i zmykaj, zanim Rebeka zacznie się zastanawiać, co się z tobą dzieje.

3. PLASTIK

Sypialnię Rebeki stanowiła pozbawiona okien mała sześcienna komórka, dlatego dziewczęta zawsze odrabiały lekcje w pokoju dziennym państwa Xu. Kerry leżała na podłodze wśród książek rozłożonych na dywaniku z owczej skóry. Rebeka wyciągnęła się na skórzanej sofie, jednym okiem oglądając MTV.

– Ooo, Busted – ożywiła się Rebeka, sięgając po pilota, by podkręcić głośność.

Kerry spojrzała na ekran znad ćwiczeń do matematyki i pokręciła głową.

– Nie do wiary, że ciągle ich słuchasz. Są tacy wczorajsi.

– Wczorajsi czy jutrzejsi, Matt Jay ciągle jest seksowny.

Kerry zachichotała.

– Nie tak seksowny jak twój brat.

Rebeka skrzywiła się.

– Kerry, bądź uprzejma zatrzymywać dla siebie swoje chore fantazje na temat mojego brata. Poza tym jego interesuje tylko ochrona delfinów butelkonosych albo sterczenie przed amerykańską ambasadą z jakimś kretyńskim plakatem. Gdyby dać mu dziewczynę, nie wiedziałby, co z nią zrobić.

– Butlonosych – poprawiła Kerry, wstając. – Skoro musisz słuchać tego łomotu, to ja idę do łazienki.

Kerry założyła, że wideoklip Busted będzie trwał co najmniej trzy i pół minuty. Na ten czas Rebeka była przykuta do ekranu, ale należało jeszcze sprawdzić, co robi Clyde. Kerry wyszła z pokoju dziennego, dwoma krokami przemierzyła przedpokój i przeszła przez otwarte drzwi sypialni państwa Xu. Clyde siedział przy biurku między dwiema szafami, bez reszty pochłonięty unicestwianiem demonów w „Doomie III". Głośniki ryczały terkotem karabinu maszynowego.

Kerry stanęła za chłopcem i głośno odchrząknęła.

– Ehem...

– Czego chcesz?

Kerry uśmiechnęła się zalotnie, odgarniając z czoła kosmyk włosów.

– Fajna koszulka, Clyde. Zawsze uważałam, że świetnie w niej wyglądasz.

– Nie mogę spauzować tej gry – burknął Clyde z irytacją i przełączył broń, by zasypać wrogów rakietami. – Gram deadmecza w sieci. Czego chcesz?

– Nie podłączą nam internetu, dopóki tata nie skończy starej pracy i nie przeprowadzi się do nas. Pomyślałam, że może dałbyś mi wysłać maila do koleżanek w Londynie.

– Masz internet w szkolnej bibliotece.

Kerry cofnęła się o krok i udała urażoną.

– W porządku – mruknęła z rezygnacją. – Zrobię to w szkole.

Clyde poczuł ukłucie wyrzutów sumienia i na ułamek sekundy oderwał wzrok od ekranu.

– Słuchaj, po tej grze, dobra? Wytrzymaj te dziesięć minut. Jak skończę, to cię zawołam.

„Doskonale" – pomyślała Kerry, kładąc rękę na ramieniu chłopca.

– Dzięki, Clyde.

Zakręciła piruet na odzianej tylko w skarpetkę stopie i czmychnęła do kuchni, wiedząc, że ma co najmniej dwie minuty na przyjrzenie się tajemniczej paczce. Krótki korytarz doprowadził ją do miniaturowych sypialni Clyde'a i Rebeki. Łazienka znajdowała się naprzeciwko nich.

Kerry zajrzała do łazienki i pociągnęła za sznurek włącznika światła, by stworzyć wrażenie, że jest w środku, po czym, zerknąwszy niespokojnie przez ramię, wślizgnęła się do pokoju Clyde'a. Serce waliło jej jak młotem, kiedy włączała światło, drugą ręką wtłaczając sobie do ucha maleńką słuchawkę z mikrofonem.

– Chloe, słyszysz mnie? – wyszeptała.

– Mam oko na wszystko. Jeśli któreś się ruszy, dowiesz się natychmiast – odpowiedziała Chloe uspokajająco.

– Nic nie pamiętam – poskarżyła się Kerry drżącym głosem. – Która to szuflada?

– Druga od dołu.

Kerry cicho odsunęła szufladę i tak długo szperała pod skarpetkami, aż natrafiła palcami na małe zawiniątko. Zanotowała w pamięci pozycję paczki, po czym wyjęła ją i położyła na blacie komódki.

– No dobra – westchnęła, odsłaniając zawartość.

Rozpoznała ją natychmiast. Identycznego wyposażenia używała podczas szkolenia podstawowego.

– Wygląda na cztery laski plastycznego materiału wybuchowego, prawdopodobnie C4, i dwa zapalniki, nie jestem w stanie określić, jakiego są typu – wyszeptała Kerry.

Substancja wyglądała jak szara plastelina, a dzięki nowoczesnym zapalnikom przemienienie jej w bombę było dziecinnie proste: wystarczyło ugnieść masę w pożądany kształt, przykleić w wybranym miejscu – w samochodzie, pod biurkiem, gdziekolwiek – wetknąć zapalnik i gotowe.

– Ktoś zapłacił grube pieniądze za te zabawki – zauważyła Kerry.

– Pytania i sugestie później, Kerry – powiedziała Chloe, celowo utrzymując spokojny ton głosu. – Zrób zdjęcia i zmykaj stamtąd.

Kcrry wyjęła z kieszeni miniaturowy aparat cyfrowy. Ułożyła na komódce zapalniki, które wyglądały jak maleńkie fajerwerki, i zrobiła zdjęcie. Podczas gdy ładowała się lampa błyskowa, przygotowała do sfotografowania materiał wybuchowy.

Rozległ się dzwonek.

– Cholera – zaklęła Kerry, wpadając w popłoch. – Chloe, kto to jest?

W mieszkaniu pięcioro drzwi dalej Chloe przy laptopie pospiesznie przełączała widoki z kamer, zanim natrafiła na tę, która obserwowała korytarz.

– To Bruce – powiedziała do mikrofonu.

Kerry zrobiła zdjęcie materiału wybuchowego i w stanie graniczącym z paniką zaczęła pakować zawiniątko.

– W co on pogrywa?

– Nie wiem, nie wiem – denerwowała się Chloe. – Pewnie skończył odsiadywać karę i postanowił przyjść prosto do Rebeki.

– Nie uprzedziłaś go, co się dzieje?

– Och... – Chloe zatkało. – Powinnam była zadzwonić, prawda?

Kerry była zła, ale nie miała czasu na kłótnie. Szybko owinęła paczkę folią, wcisnęła ją pod skarpetki i zamknęła szufladę.

– Clyde i Rebeka są w kuchni – powiedziała Chloe.

Kerry próbowała zebrać myśli. Od kuchni dzieliły ją niespełna dwa metry i nie było mowy, by mogła wyjść z sypialni Clyde'a niezauważona. Tymczasem Rebeka otworzyła drzwi.

– Cześć, Beka – wyszczerzył się Bruce. Jego znajomość kantońskiego bardzo się poprawiła w ciągu sześciu tygodni misji. – Pomyślałem, że pewnie odrabiacie lekcje z Kerry. Jest u ciebie?

Rebeka skinęła głową.

– Jak było w kozie?

– E tam, nic wielkiego. – Bruce machnął ręką. – Straciłem tylko pół godziny życia, siedząc z założonymi rękami i gapiąc się na zegar.

Clyde wyraźnie miał sobie za złe, że tak łatwo uległ odruchowi reagowania na dzwonek.

– Robiłem tego gościa, jak chciałem, dopóki nie przylazłeś – poskarżył się z pretensją w głosie. – Cóż, skoro już tu jestem, to pójdę się odlać.

– Nie, tam jest Kerry – zaprotestowała Rebeka.

Jednak zanim dokończyła zdanie, Clyde otworzył drzwi łazienki.

– Raczej nie, chyba że spuściła się razem z wodą – zauważył kwaśno.

Rebeka zrobiła zdumioną minę, a Bruce z przerażeniem uświadomił sobie, że Kerry musiała przeprowadzać jakąś akcję, a on właśnie wszedł jej w paradę.

– Może poszła do domu – powiedział niepewnie.

W sypialni Clyde'a Kerry zrozumiała, że pora uciec się do drastycznych środków. Na początek wyrwała z ucha słuchawkę i ukryła ją pod koszulką.

Rebeka otworzyła drzwi swojej sypialni i zajrzała do środka.

– Kerry...? Tutaj jej nie ma.

Kerry wcisnęła mały palec daleko w głąb nozdrza, wbiła paznokieć w miękką tkankę i mocno szarpnęła. Ból był paraliżujący, ale zdążyła jeszcze zgarnąć garść chusteczek z nocnego stolika i przycisnąć je sobie do twarzy. Drzwi pokoju otworzyły się.

– Co ty tu robisz, do diabła?!

Odwracając się w stronę Clyde'a, Kerry dmuchnęła przez nos, rozpryskując krew na wargach i podbródku. Widok jej twarzy zrobił na chłopaku piorunujące wrażenie.

Rebeka weszła do pokoju za bratem.

– O Boże, Kerry! Co się stało?

Kerry nie musiała niczego udawać; rana, jaką sobie zadała, była krwawa i koszmarnie bolesna.

– To mi się czasem zdarza, krwotoki z nosa. Wyszłam z toalety i zaczęło lecieć na całego. Wbiegłam tu poszukać chusteczek.

Być może, gdyby Rebeka i Clyde zastanowili się nad sytuacją, zdziwiliby się, że zamiast wrócić do łazienki po papier toaletowy albo wziąć z kuchni papierowe ręczniki, Kerry szukała chustek w pokoju, w którym nigdy nie była. Jednak widok zakrwawionej twarzy i malującego się na niej bólu skutecznie blokował tok myśli rodzeństwa.

– Co mamy robić, Kerry? – zapytał Clyde.

– Lepiej wrócę do siebie – powiedziała Kerry bliska płaczu. – Mama jest w domu. Wie, jak powstrzymać krwawienie, robiła to setki razy.

*

Bruce otworzył drzwi mieszkania. Kyle i Chloe oglądali poczynania agentki na ekranie laptopa, ale to nie przygotowało ich na widok krwi cieknącej jej po szyi. Kerry chwiejnym krokiem podeszła do stołu i opadła na krzesło, rzucając Bruce'owi palące spojrzenie.

– Baran! – krzyknęła. – Omal nie rozłożyłeś całej operacji!

– Przepraszam, nie pomyślałem – powiedział Bruce, nerwowo masując sobie szyję.

Bał się spojrzeć Kerry w oczy.

– Ty nigdy nie myślisz!

Chloe postanowiła wkroczyć, by stłumić awanturę w zarodku.

– Kerry, to była moja wina. Powinnam była zadzwonić i zawiadomić Bruce'a.

– To nie ty zostałaś w kozie – odparowała Kerry.

Wyjęła z kieszeni aparat fotograficzny i klepnęła nim w stół. Kyle wyciągnął spod zlewu apteczkę.

– Bruce – powiedział Kyle, próbując zachowywać się dyplomatycznie. – Może pójdziesz do pokoju i prześlesz zdjęcia Johnowi? Ja muszę połatać Kerry.

Bruce i Chloe przeszli do pokoju dziennego. Kyle podał Kerry wilgotną ściereczkę do otarcia twarzy.

– Stara sztuczka z krwotokiem z nosa – powiedział, kiwając głową z uznaniem. – Uczyliśmy się jej na szpiegostwie, ale szczerze mówiąc, zupełnie o niej zapomniałem.

Kerry doceniała troskę Kyle'a, a nawet zdobyła się na słaby uśmiech.

– Coś czuję, że nieprędko użyję jej znowu – powiedziała, odkładając na stół zakrwawioną ściereczkę.

– Dobrze, a teraz odchyl głowę do tyłu. Muszę tam zajrzeć.

Kyle wyjął z apteczki małą latarkę i poświecił Kerry w głąb nosa. Krwotok wyraźnie osłabł, krew zaczęła już tworzyć ciemne skrzepy.

– Pod paznokciami zawsze jest mnóstwo brudu i bakterii, Kerry. Będę musiał odkazić ci nos, żeby nie wdała się jakaś infekcja.

Kerry nie mogła skinąć odchyloną w tył głową, więc poprzestała na wydaniu z siebie cichego: „Aha". Kyle zdjął pokrywkę z pojemnika z aerozolem.

– Możesz poczuć chłód w nosie. Wstrzymaj oddech. Nie chcę, żeby dostało ci się do gardła.

Kerry zacisnęła pięści, kiedy antyseptyczna mgła sparzyła jej wnętrze nosa.

– Już po wszystkim – powiedział Kyle. – Przyniosę trochę lodu z lodówki, zrobimy kompres i będziesz go trzymać na nosie, dopóki krwawienie nie ustanie.

Do kuchni zajrzała Chloe.

– Rozmawiałam z Johnem. Mówi, że musimy za wszelką cenę dowiedzieć się, o czym Clyde Xu będzie rozmawiał na swoim dzisiejszym spotkaniu.

4. SPOTKANIE

Każdy oddech przypominał Kerry o skrzepłej krwi zaklejającej jej nozdrze. Szła szybkim krokiem obok swojego koordynatora misji, przemierzając zatłoczoną ulicę handlową. Powoli zmierzchało. Świetlne rozbłyski setek iluminowanych reklam migotały czerwono-zielonymi refleksami na srebrnych okularach i łysej głowie Johna Jonesa.

– Widzisz go jeszcze? – zapytała Kerry.

Sama widziała tylko plecy i głowy tłoczących się wokół ludzi. John był wystarczająco wysoki, by móc patrzeć ponad tłumem.

– Chyba tak – powiedział John – ale proste czarne włosy raczej nie należą tu do rzadkości.

W ludzkiej masie na chwilę otworzyła się luka i Johnowi mignęła żółta kurtka bejsbolowa podwieszona pod głową, którą obserwował od dobrych dwóch minut. Problem jednak polegał na tym, że Clyde Xu wyszedł z domu w zielonym flyersie.

– Niech to szlag – zaklął John. – To nie on.

– Żartujesz – przestraszyła się Kerry.

Oboje zatrzymali się i pospiesznie skręcili ku witrynie sklepu z tandetną biżuterią. John wyjął z kieszeni telefon i wykręcił numer Chloe.

Młodsza koordynatorka czekała w mieszkaniu wpatrzona w ekran laptopa.

– Zgubiłem Xu – powiedział John. – Odbierasz coś?

MI5 miała kontakty w hongkońskim przemyśle teleko-
munikacyjnym i zdołała zorganizować śledzenie sygnału
komórki Clyde'a Xu bez konieczności informowania chiń-
skich władz o akcji CHERUBA.

– Stąd to wygląda tak, jakby siedział ci na karku – powiedziała Chloe. – Lokalizacja nie jest precyzyjna, ale powinien być mniej niż pięćdziesiąt metrów od was.

– W którą stronę idzie?

– Kręci się w miejscu. Może wstąpił do sklepu czy coś.

– Dzięki, Chloe. Daj znać, jeśli się ruszy.

John zatrzasnął klapkę telefonu i spojrzał na Kerry.

– Widzisz go?

– Jestem za niska, ludzie zasłaniają.

– Chloe mówi, że się zatrzymał.

– Dwadzieścia metrów za nami jest Starbucks – powiedziała Kerry. – Możemy tam zajrzeć.

– Spróbujmy.

Kiedy odwrócili się od gabloty z lichymi zegarkami, by ruszyć w stronę kawiarni, Kerry dostrzegła zieloną kurtkę
i wepchnięte w kieszenie ręce. Mignęły niespełna metr przed
nią. Na szczęście Clyde Xu był pogrążony we własnych my-
ślach i nie spuszczał wzroku z pleców osoby idącej przed nim.

John i Kerry wymienili przestraszone spojrzenia, po
czym wmieszali się w tłum, by podjąć pościg.

– Jakim cudem znaleźliśmy się przed nim? – denerwowała się Kerry.

– Musiał wstąpić po coś do sklepu – odrzekł John, wyciągając szyję, zdecydowany zrobić wszystko, by nie stracić
celu z oczu po raz drugi.

Kerry zerknęła na zegarek. Do ósmej brakowało trzech
minut, co mogło oznaczać, że Clyde się spóźnia albo że
spotkanie ma się odbyć gdzieś w pobliżu.

Para agentów stanęła za swoim celem w grupie ludzi
czekających przy przejściu dla pieszych. Kiedy tylko za-

świeciło się zielone światło, Clyde puścił się biegiem przed szeregiem samochodów, po czym kilkoma susami przesadził chodnik i wparował do noodle baru pod obskurnym białym szyldem. Wnętrze lokalu zasłaniały zaparowane szyby.

Chcąc dać Clyde'owi kilka chwil na usadowienie się w restauracji, John i Kerry przeszli przez ulicę niespiesznym krokiem, po czym przystanęli przy kiosku z gazetami. Kerry kupiła „Hongkong Timesa" i trochę słodyczy, a John zadzwonił do Kyle'a.

– Kyle, gdzie jesteście?

– Widzieliśmy, jak przechodzicie przez ulicę. Bez obaw – odpowiedział Kyle.

– Dobrze – powiedział John. – Trzymajcie się blisko restauracji, ale nie pozwólcie, by Clyde was zobaczył, i nie wykonujcie żadnych ruchów, dopóki nie dam sygnału. Zrozumiałeś?

– Tak jest, szefie – odpowiedział Kyle.

John złożył telefon i spojrzał na Kerry, która właśnie wsuwała do kieszeni spodni tubę miętówek.

– Gotowa?

Kerry oddała Johnowi gazetę i skinęła głową.

– Bardziej nie będę.

– Dobrze. Idź tam i zdobądź Oscara. Dołączę do was za trzy minuty.

Uchylając drzwi baru, Kerry nie miała pojęcia, co zobaczy w środku. Weszła prosto do kuchni mieszczącej się w przedniej części lokalu. Ze stalowych wanienek wypełnionych potrawami z ryżem lub kluskami unosiły się kłęby pary pachnącej sosem sojowym. Zza kontuaru wychynęła świecąca od potu męska twarz.

– Witam. Stolik czy na wynos?

– Stolik – powiedziała sztywno Kerry. – Mój kolega chyba już tu jest.

Mężczyzna machnął ręką w stronę szeregu plastikowych stołów na tyłach restauracji. Kerry minęła krótką kolejkę klientów czekających na dania na wynos. Trochę kręciło jej się w głowie, tak samo od tremy jak od przytłaczającego zgiełku. Lokal był wypełniony w siedemdziesięciu procentach i poziom decybeli nie należał do niskich. Kerry odszukała wzrokiem Clyde'a i z ulgą stwierdziła, że osoba, z którą miał się spotkać, jeszcze się nie zjawiła. Chłopiec siedział przy jednym ze stolików, wachlując się zafoliowanym menu. Podrygująca stopa zdradzała jego zdenerwowanie.

– Hej – powiedziała Kerry, siadając naprzeciwko.

Clyde'owi szczęka opadła tak szybko, że prawie stuknęła o blat.

– Co ty...? Skąd się tu wzięłaś?

– Śledziłam cię – wyznała Kerry.

– Co takiego?!

Kerry zaczęła bełkotać.

– Clyde, ja wiem, że to prawdopodobnie brzmi głupio, ale po prostu musiałam z tobą porozmawiać. Zamierzałam to zrobić już dawno, ale nie miałam odwagi. No bo widzisz, nie mogę przestać o tobie myśleć. Normalnie ani na chwilę. Ja po prostu muszę wiedzieć, czy ty... czy ty mnie lubisz. No, ale wiesz, nie jak koleżankę. Jak dziewczynę.

– Cóż, emm... Kerry, jest mi bardzo miło.

– Och... Teraz tak mi głupio! – zawołała Kerry, wykrzywiając twarz, jakby zamierzała się rozpłakać.

Jednocześnie sięgnęła do kieszeni kurtki i zręcznie odlepiła przezroczystą osłonkę od małego samoprzylepnego mikronadajnika z mikrofonem.

– Czy tobie w ogóle wolno chodzić samej o tej porze? – zapytał Clyde.

– Nie za bardzo – chlipnęła Kerry. – Mogłam się domyślić, że ci się nie podobam.

– Kerry, jesteś bardzo fajną dziewczyną. Założę się, że świetnie byśmy się dogadywali, gdybyśmy byli w tym samym wieku, ale ja mam szesnaście lat, a ty trzynaście! Bądź rozsądna. To po prostu nie może wypalić, prawda?

– Mam prawie czternaście lat – nadąsała się Kerry, przyklejając nadajnik do spodniej strony blatu.

Kiedy minął szok wywołany pojawieniem się Kerry, Clyde zdał sobie sprawę, w jak niezręcznej znajdzie się sytuacji, jeśli osoba, z którą jest umówiony, zastanie go z małolatą szlochającą przy jego stoliku.

– A ja prawie siedemnaście – wysyczał Clyde, łapiąc dziewczynę za nadgarstek i mocno ściskając.

– Umówiłeś się tu z inną dziewczyną, prawda?

– Posłuchaj mnie, Kerry – wycedził Clyde, celując w nią palcem. – Mam ważne spotkanie. Możemy porozmawiać o tym innym razem, a teraz po prostu zniknij mi z oczu.

Kerry nie miała powodu, by przedłużać spotkanie, skoro nadajnik był już na swoim miejscu. Wyrwała rękę z uścisku Clyde'a i zerwała się od stolika z głośnym szlochem. Jakieś kobiety siedzące kilka stolików dalej wśród stert toreb z zakupami zaczęły wyciągać szyje, próbując dostrzec przyczynę zamieszania.

– Przepraszam, Clyde.

Clyde uniósł dłoń i przymknął oczy, dając znak, że nie zamierza tego dłużej słuchać.

– Po prostu odejdź.

Wychodząc z restauracji z twarzą zalaną fałszywymi łzami, Kerry minęła się z Johnem zmierzającym w przeciwnym kierunku. John przecisnął się do strefy stolików i zajął miejsce kilka rzędów za Clyde'em Xu. Następnie rozłożył gazetę, zawiesił na uchu bezprzewodową słuchawkę, wierną kopię jednego z zestawów dołączanych do drogich telefonów komórkowych, i włączył odbiornik. Usłyszał szelest karty dań, którą nerwowo bawił się Clyde.

*

Był prawie kwadrans po ósmej, kiedy masywnie zbudowany Australijczyk z dużą sportową torbą na ramieniu wśliznął się na plastikową ławeczkę naprzeciwko Clyde'a Xu. Sięgnął przez stół, by uścisnąć chłopcu rękę, po czym przemówił po angielsku.

– Jak leci, chłopie? Przepraszam, że musiałeś czekać.

– Nic nie szkodzi.

W głosie Clyde'a dało się wyczuć nerwowe drżenie, jak podczas pierwszej randki albo rozmowy w sprawie pracy.

– Dobra, stary, niczego nie notujemy, więc nadstawiaj uszu – powiedział Australijczyk, zbyt cicho, by ktokolwiek w gwarnej restauracji mógł go usłyszeć, ale dość głośno, by mikrofon ukryty pół metra od jego ust odbierał każde słowo. – Torba jest dla ciebie. W środku znajdziesz przepustkę i kombinezon sprzątacza. Przepustka pochodzi z biurowca Pacific Business Centre w Kowloonie. Prawdziwi sprzątacze pracują tam od jedenastej wieczorem do drugiej rano. Wśliźniesz się tuż po ich przybyciu, jutro po jedenastej. Ochroniarzowi powiesz, że to twój pierwszy wieczór w pracy i że się zgubiłeś. Udawaj zdenerwowanego.

Clyde uśmiechnął się słabo.

– To nie będzie trudne.

Australijczyk odwzajemnił uśmiech.

– Bądź naturalny, synu. Kiedy znajdziesz się w środku, trzymaj się z dala od innych sprzątaczy. Ukryj się i nie wychodź, dopóki nie wyjdą.

– Gdzie mam się ukryć?

– W toaletach, ale nie biurowych, tylko tych przy windach. Obsługuje je inna firma, która pracuje w dzień. O godzinie drugiej użyjesz przepustki, by wejść do biura Viennese Oil na szóstym piętrze. To mała włoska kompania wydobywcza. Na tyłach biura, za podwójnymi drzwiami, znajdziesz apartament prezesa. W łazience obok gabinetu znajdziesz torbę podręczną Samsonite z ciuchami i przyborami toaletowymi. Otworzysz ją i umieścisz bombę na samym dnie. W plastik wetkniesz oba zapalniki – to na wypadek, gdyby jeden nie zadziałał. Żeby je aktywować, trzeba odłamać główkę i połączyć dwa przewody. Kiedy skończysz, wrócisz do toalety i zdejmiesz kombinezon. Potem zejdziesz po schodach na dół i opuścisz budynek wyjściem ewakuacyjnym. Kiedy otworzysz drzwi, włączy się alarm. Ochroniarz ma swoje lata, ale może wezwać gliny, więc na twoim miejscu brałbym nogi za pas, jasne?

Clyde skinął głową.

– Co będzie potem?

– Jesteś nastolatkiem, więc przypuszczam, że wrócisz do domu, zrobisz sobie dobrze i pójdziesz spać.

– Nie, chodzi mi o to, co będzie z bombą. Dlaczego podkładamy ją w torbie zamiast pod biurkiem czy gdzieś?

Australijczyk pokręcił głową.

– Daj spokój, wiesz, jak to działa. Mówimy ci tylko to, co musisz wiedzieć.

Clyde'owi zrobiło się głupio.

– No tak, oczywiście. Przepraszam.

5. POŚCIG

Ukryty za swoją gazetą John przysłuchiwał się rozmowie Clyde'a Xu i Australijczyka z rosnącym niepokojem. Działał dziewięć i pół tysiąca kilometrów od domu, bez wiedzy hongkońskich władz, i mając o kilku ludzi mniej, niż potrzebował do prowadzenia takiej operacji. W Wielkiej Brytanii koordynator z CHERUBA mógł praktycznie w każdej chwili wezwać posiłki: cherubinów, agentów wywiadu lub policjantów. W Hongkongu John musiał polegać na kilku funkcjonariuszach MI5 przykutych do biurek w brytyjskiej ambasadzie, którym nie powierzyłby nawet swojej walizki, a co dopiero sekretów tak tajnej organizacji jak CHERUB.

Zespół Johna od sześciu tygodni rozpracowywał Clyde'a Xu, czekając na chwilę, w której chłopiec doprowadzi ich do kogoś stojącego wyżej w hierarchii Help Earth! Cała ta praca poszłaby na marne, gdyby Australijczyk zniknął w tłumie, zanim zostanie zidentyfikowany. Ktoś musiał za nim pójść. Nie mógł to być John, bo w restauracji siedział naprzeciwko Australijczyka i ten z pewnością by go rozpoznał. Chloe tkwiła w mieszkaniu, śledząc sygnał telefonu Clyde'a, zaś Kerry nie wchodziła w grę ze względu na to, że Australijczyk mógł obserwować restaurację, zanim do niej wszedł, a w takim wypadku na pewno zdążył dokładnie się przyjrzeć dziewczynie. Oznaczało to, że jedynymi osobami, które mogły podjąć pościg, byli Kyle i Bruce. Przed akcją John polecił im ukryć pod ubraniem kamizelki kuloodporne, ale i tak miał wątpliwości, czy powinien posyłać nastolatków za potencjalnie uzbrojonym mężczyzną. Ponadto istniało ryzyko, że chłopcy natkną się na wychodzącego z restauracji Clyde'a i zostaną rozpoznani. Na szczęście ten ostatni problem rozwiązał się sam. Australijczyk rzucił na stół sto hongkońskich dolarów, po czym ruszył do wyjścia, poleciwszy Clyde'owi, by odczekał kilka minut i zapłacił kelnerce. John rozłożył komórkę i wybrał numer Kyle'a.

– Gdzie jesteście? – zapytał ściszonym głosem.

– Czaimy się przy bankomacie, jakieś pięćdziesiąt metrów od baru.

Mózg Johna przekuwał tuziny przeciwstawnych argumentów na decyzję. Kyle wyczuł, że koordynator prowadzi wewnętrzną walkę, i przemówił rzeczowym tonem.

– Daj spokój, John, czekaliśmy na to sześć tygodni. Ja i Bruce damy sobie radę.

John zrobił głęboki wdech. Od czasu pierwszego ataku Help Earth! zabiła już ponad dwieście osób. Teraz nadarzała się wyśmienita okazja uczynienia wyłomu w murze obronnym organizacji, a chłopcy rwali się do działania.

– No dobrze – powiedział wreszcie, nerwowo masując sobie kark. – Wchodźcie, ale bez głupiego ryzykanctwa, dobrze? Wasz cel jest wysoki, około dwóch metrów wzrostu, szerokie ramiona, nos spłaszczony jak u rugbysty, blondyn, ma przedziałek z boku. Nosi elegancki garnitur i prostokątne okulary z pomarańczowymi szkłami.

– Właśnie na niego patrzę – powiedział Kyle. – Wychodzi z baru. Jak daleko się posuwamy?

John nie miał danych, na podstawie których mógłby ocenić, jak bardzo niebezpieczny jest Australijczyk.

– Kyle, zdaję się na twoje doświadczenie i zdrowy rozsądek. Nie jestem w stanie niczego ci powiedzieć.

– Tylko śledzimy czy chcesz, żeby go zdjąć?

– Tak – westchnął John. – Jeśli uznacie, że możecie to zrobić, zdejmijcie go.

John zatrzasnął telefon. Mógł tylko mieć nadzieję, że podjął właściwą decyzję.

*

Kyle wyszczerzył się do Bruce'a, chowając telefon do kieszeni.

– John trzęsie portkami, ale wchodzimy.

Bruce wzruszył ramionami.

– Koordynatorzy zawsze trzęsą portkami. Mają to na liście obowiązków.

– Za to my mamy łatwy cel.

Jasna głowa postawnego Australijczyka była świetnie widoczna na tle ciemnowłosego tłumu, a ponieważ mężczyzna nie znał Kyle'a ani Bruce'a, mogli trzymać się za nim bliżej niż John i Kerry za Clyde'em. Mimo to chłopcy nie mogli być zbyt pewni siebie: dwaj nastoletni Europejczycy włóczący się po zmroku po ulicach Hongkongu zwracali na siebie uwagę.

Po pokonaniu mniej więcej kilometra podskakująca w rytmie kroków blond głowa zanurkowała w wejściu do stacji metra i spłynęła z tłumem wzdłuż schodów do ponuro oświetlonej hali biletowej. Australijczyk musiał mieć kartę podróżną, bo nie zatrzymując się, przeszedł przez elektroniczny kołowrót. Chłopcy jej nie mieli.

– Szit! – zaklął Kyle i rzucił się w stronę automatu biletowego, sięgając do kieszeni po drobne.

Starszy pan przy automacie usiłował nakłonić go do połknięcia dwudziestodolarowego banknotu. To była tortura – patrzeć, jak niebieski papierek na przemian wsuwa się do szczeliny i z niej wysuwa, wprawiając czerwoną diodę powyżej w nerwowe migotanie. Wreszcie maszyna zassała banknot, wydając w zamian papierowy bilet i resztę, która zagrzechotała w metalowej szufladzie na dole.

– Żwawiej, dziadku – wymamrotał niecierpliwie Kyle, patrząc, jak staruszek wygarnia swoje monety. Bruce przepchnął się do maszyny i zaczął ją karmić drobnymi. Kiedy tylko automat wypluł pierwszy bilet, Kyle wyrwał papierek, przemknął przez bramkę i puścił się sprintem po pustych schodach pomiędzy zatłoczonymi eskalatorami. Bruce wystartował piętnaście sekund później, ale kiedy spotkali się na dole, Australijczyka nie było w zasięgu wzroku.

– Co teraz? – zasapał Bruce.

Kłębiący się wokół tłum płynął dwoma strumieniami w kierunku peronów dla pociągów jadących na wschód i zachód.

– Musimy się rozdzielić – rzucił nerwowo Kyle. – Weź kierunek wschodni.

Chłopcy zaczęli torować sobie drogę przez ciżbę, kierując się w dwie przeciwne strony. Stacja była pełna ludzi i Kyle natychmiast utknął w tłumie na schodkach prowadzących do peronu dla jadących na zachód. Ścisk sprawiał, że nie widział niczego poza głową człowieka przed sobą i nawet najzaciekle jsze rozpychanie się nie mogło w niczym pomóc.

Bruce dotarł do swojego peronu bez większych kłopotów, ale odległy łoskot i podmuch powietrza sugerowały, że pociąg przybędzie lada chwila. Jeśli Australijczyk był gdzieś w pobliżu, należało szybko go znaleźć.

Bruce wykręcał głowę, ale nigdzie nie mógł dojrzeć charakterystycznej jasnej głowy. Chcąc zapewnić sobie lepszy widok, przecisnął się do automatu z napojami na końcu peronu, wetknął stopę w otwór korytka, do którego wypadały plastikowe butelki, i dźwignął się w górę, by spojrzeć ponad tłumem. Prawie natychmiast zauważył blond głowę: była pięćdziesiąt metrów dalej, przy krawędzi peronu. W tej samej chwili podmuch rozwiał mu włosy, a tunel rozświetliły dwa reflektory pociągu. Nie było czasu na szukanie Kyle'a. Bruce zeskoczył z automatu, ale stracił równowagę i wpadł na plecy niesympatycznemu pseudopunkowi w pociętych dżinsach. Młodzian odwrócił się z twarzą wykrzywioną gniewnym grymasem.

– Uważaj, gnoju!

Bruce zignorował go i dał nura w potoki wysiadających z pociągu ludzi. Zdołał pokonać zaledwie piętnaście metrów wzdłuż peronu, gdy komunikat ostrzegający o odjeździe zapędził go do wagonu.

W klimatyzowanym wnętrzu pociągu było przyjemniej niż na dusznej stacji. Pociąg ruszył, a Bruce westchnął z ulgą, przywierając do chłodnego słupka. Wolne były tylko miejsca stojące, ale ścisk nie był duży, więc Bruce zaczął przesuwać się do przodu.

– Przepraszam bardzo, zgubiła mi się ciocia... Uwaga... Przepraszam.

Konstrukcja pociągu dawała mu szansę. Wagony tworzyły jedną długą rurę z rozstawionymi co dwadzieścia dwa metry przegubami umożliwiającymi pokonywanie zakrętów. Zanim pociąg zaczął hamować przed następną stacją, Bruce zdążył dotrzeć do przedniego segmentu, nieco mniej zatłoczonego od pozostałych.

Australijczyk siedział na jednej z ławek ustawionych tyłem do okien. Kiedy część pasażerów wstała, by wysiąść, Bruce szybko zajął miejsce między dwiema otyłymi kobietami, niespełna dwadzieścia metrów od śledzonego, wystarczająco blisko, żeby móc go obserwować, ale nie aż tak, by Australijczyk zwrócił na niego uwagę.

Bruce wyjął telefon, by skontaktować się z Kyle'em, ale w tunelu nie było zasięgu. Zrezygnowany wyciągnął gazetę z koszyka za sobą i zajął się lekturą. Tekst nie był angielski, ale choć po sześciu tygodniach w hongkońskiej szkole Bruce doprowadził swój mówiony kantoński do niemal doskonałej płynności, wciąż miał poważne trudności z rozszyfrowywaniem dziwacznych krzaczków chińskiego pisma. Po kilku linijkach zrezygnował i zastygł ze wzrokiem utkwionym w reklamie jakiegoś samochodu.

*

Australijczyk wstał, kiedy pociąg zaczął zwalniać przed piątym przystankiem. Bruce obserwował go kątem oka i nie zauważył niczego, co sugerowałoby, że cel coś podejrzewa. Kiedy pociąg zatrzymał się, ścigany i tropiciel wysiedli osobnymi drzwiami. Bruce siedział bliżej wyjścia, więc na peronie postawił stopę na ławce i udał, że zawiązuje but, czekając, aż Australijczyk znajdzie się przed nim. Zanim podjął pościg, okrył głowę czapką bejsbolową, by choć trochę odmienić swój wygląd.

Na tym końcu linii tunel metra znajdował się zaledwie kilka metrów pod poziomem ulicy. Po przejściu przez bramki blondyn i Bruce musieli pokonać tylko krótkie schody, by dotrzeć do wyjścia. Znaleźli się przy czteropasmowej ulicy otoczonej biurowcami i hotelami. Niebo było już całkowicie czarne, a wieczorna bryza kąsała przenikliwym chłodem. Oprócz kilku barów i restauracji wszystkie sklepy były już zamknięte, a ich witryny zasłonięte na noc metalowymi roletami.

Gdyby Bruce miał na to czas, skontaktowałby się z Chloe, żeby zdać jej relację z przebiegu wypadków, ale zaledwie pięćdziesiąt metrów od stacji Australijczyk zniknął za obrotowymi drzwiami eleganckiego hotelu.

Bruce trzymał się kilka metrów z tyłu. Miejsce wyglądało na drogie i nowoczesne: nastrojowe światło, sztuka abstrakcyjna, łupkowa posadzka i czarne marmurowe kolumny. W barze po jednej stronie rozgrywała się jakaś hałaśliwa scenka – grupa podpitych biznesmenów oglądała wyścigi konne na olbrzymim telewizorze.

Australijczyk ruszył przez hol prosto w stronę windy. Nie mając pojęcia, na którym piętrze wysiądzie jego cel, Bruce mógł tylko stanąć obok niego i czekać. Był spięty, ale jeśli Australijczyk pamiętał go z metra, nie dawał tego po sobie poznać. A może pamiętał, tyle że nic sobie nie robił z towarzystwa trzynastoletniego chłopca.

Ding-dong – zadzwoniła winda i drzwi rozsunęły się, odsłaniając szklaną klatkę z marmurową podłogą. Bruce pozwolił, by wielki blondyn wszedł pierwszy i nacisnął guzik z numerem dziewiętnaście. Kiedy zamknęły się drzwi, sięgnął do tablicy z przyciskami i chrząknął w udanym zakłopotaniu, jakby mówił: „O kurczę, jedziemy na to samo piętro". Bez wątpienia była to najbardziej podejrzana rzecz, jaką do tej pory zrobił, ale Australijczyk nawet nie mrugnął. Podczas gdy winda sunęła bezgłośnie po zewnętrznej ścianie hotelu, obaj pasażerowie patrzyli przez szklane ściany na okoliczne drapacze chmur i panoramę hongkońskiego portu. Przy nabrzeżu cumował właśnie olbrzymi oceaniczny wycieczkowiec rozjarzony mozaiką żółtych świateł.

– Ależ piękna łódeczka – zauważył Australijczyk, kładąc dłonie na obitej skórą poręczy.

Bruce był spięty i nagłe zagajenie wytrąciło go na chwilę z równowagi.

– Em... faktycznie. Ale pewnie wiezie samych grubych staruchów.

Blondyn roześmiał się.

– Zapewne masz rację. Skąd ten akcent? Londyn?

Bruce wzruszył ramionami.

– Moi rodzice są z Walii, ale tata pracuje dla banku i mieszkałem w różnych krajach.

Bruce jeszcze nie skończył mówić, kiedy winda zahamowała i rozsunęły się drzwi.

– Cóż, dobrej nocy, synu. Miłego pobytu.

Bruce wyszedł z kabiny i udał konsternację przed znakiem z numerami pokojów i strzałkami wskazującymi trzy różne kierunki. Tymczasem Australijczyk pomaszerował wzdłuż szeregu wielkich kaktusów i wkroczył do wyłożonego miękką wykładziną korytarza. Niestety, nie uszedł daleko. Bruce wpadł w panikę, widząc, że jego cel zatrzymał się przy drugim pokoju z rzędu i zdążył już otworzyć drzwi.

– Hej, proszę pana! – zawołał Bruce. – Coś pan upuścił.

Mężczyzna obejrzał się, unosząc brwi w zdumieniu. Bruce ruszył w jego stronę szybkim krokiem, wyciągając rękę z pierwszym lepszym skrawkiem papieru, na jaki natrafił w kurtce. Drugą rękę wetknął do kieszeni i wsunął palce w otwory mosiężnego kastetu. Australijczyk był wielki i Bruce nie zamierzał ryzykować.

6. KASTET

Zbliżając się, Bruce zerknął do wnętrza pokoju Australijczyka. Światło było zgaszone, co sugerowało, że mężczyzna jest sam.

– Czy ty mnie śledzisz, dzieciaku?

Mina blondyna wyrażała raczej zaciekawienie niż obawę. Widząc dorosłego, zapewne natychmiast skojarzyłby go z hongkońską policją albo chińskim wywiadem. Jednak na widok chudego trzynastolatka z szopą potarganych włosów na głowie założył po prostu, że to samotny dzieciak, który po krótkiej rozmowie w windzie spodziewa się więcej, niż powinien.

– Nie wiem, na czym polega twój problem, synu, ale nie mam dla ciebie czasu. Naprawdę bardzo mi przykro.

Mężczyzna nie zdążył wykonać żadnego obronnego ruchu, kiedy Bruce zaskoczył go błyskawicznym sierpowym. Cios rozciął Australijczykowi skroń i odrzucił w głąb pokoju. Niestety, nie było to nokautujące uderzenie, na jakie liczył Bruce. Kiedy drzwi pokoju zatrzasnęły się za nim, trzynastolatek poprawił okrężnym kopnięciem w żołądek, ale kiedy zbliżył się, by wymierzyć kolejny cios kastetem, przeciwnik przypuścił kontratak. Bruce uchylił się przed kopnięciem, które tylko musnęło mu żebra. Jednak mężczyzna był dwa razy cięższy od niego i impet uderzenia wbił chłopca w drzwi szafy. Australijczyk otarł usta rękawem marynarki, po czym stanął naprzeciw Bruce'a w postawie zdradzającej znajomość sztuk walki. – Znasz kilka sztuczek, co? – wyszczerzył się nieprzyjemnie. Po twarzy spływała mu strużka krwi. – Kim ty jesteś, najmniejszym bandziorem świata?

– Coś w tym stylu – skrzywił się Bruce, starając się wyglądać na bardziej pewnego siebie, niż był w rzeczywistości.

Skoro stracił przewagę zaskoczenia, zaczął się poważnie obawiać, że nie poradzi sobie ze znacznie większym od siebie przeciwnikiem, który na domiar złego potrafi się bić.

– Proponuję, żebyś grzecznie stąd wyszedł i zapomnimy o całej sprawie – powiedział Australijczyk. – Nie potrzebuję kłopotów, więc nie naślę na ciebie gliniarzy.

Bruce rozważył ofertę, słuchając łomotu własnego serca. Jego przeciwnik był olbrzymi, silny i umiał walczyć. Najważniejsza zasada, jakiej uczy się na kursach sztuk walki, brzmi: „Nigdy nie gryź więcej, niż możesz przełknąć".

– W porządku – powiedział Bruce, ostrożnie wycofując się w stronę drzwi i zdobywając nawet na słaby uśmiech. – Jesteśmy kwita.

Bruce pociągnął ciężkie drzwi, jednym okiem obserwując mężczyznę. Już miał przestąpić próg, kiedy Australijczyk nagle zgiął się wpół i zaczął wymiotować na podłogę. Zrozumiawszy, że cios w głowę zaszkodził przeciwnikowi bardziej, niż się wydawało, Bruce zatrzasnął drzwi, po czym odepchnął się od nich jak od trampoliny i z wybuchową prędkością runął na osłabionego mężczyznę, częstując go potężnym kopnięciem w głowę. Australijczyk padł na sekretarzyk, łapiąc się za zwichniętą szczękę. W następnej chwili spadł nań kolejny cios, który ostatecznie pozbawił go przytomności.

Na widok wymiocin na własnej ręce Bruce'a ogarnęła fala obrzydzenia, ale niemal natychmiast górę wzięło jego profesjonalne przygotowanie. Priorytetem było zabezpieczenie pomieszczenia przed wtargnięciem niepożądanych osób.

Bruce przekręcił klucz w zamku i przesunął ręczną zasuwkę. Niełatwo jest ocenić, jak długo ktoś pozostanie nieprzytomny, dlatego drugim krokiem było unieruchomienie ofiary. Bruce złapał biurkową lampę i wyrwał kabel z gniazdka. Z kieszeni spodni od dresu wyjął narzędzie uniwersalne, którym odciął przewód tuż przy podstawie lampy, by następnie złożyć go na pół i podzielić na dwa odcinki o jednakowej długości.

Nieprzytomny Australijczyk leżał przewieszony przez sekretarzyk. Bruce zdjął kastet i założył jednorazowe rękawice, po czym ściągnął kołdrę z łóżka, by przykryć nią wymiociny na podłodze. Ukląkł przy swojej ofierze i zaczął krępować jej kostki kablem.

Po związaniu mężczyźnie kostek i nadgarstków Bruce zauważył, że nieznajomy ma kłopoty z oddychaniem. Odciągnął w dół jego żuchwę i został nagrodzony strugą wymiocin lejących się z ust Australijczyka. Odwracając głowę od mdlącego zapachu, wepchnął dwa palce do gardła ofiary i zaczął wygarniać ciepłą masę na zewnątrz.

Upewniwszy się, że mężczyzna oddycha swobodnie, Bruce użył całej swojej siły, by przenieść bezwładne ciało na rozpostartą na podłodze kołdrę. Następnie ułożył je w pozycji bocznej ustalonej, żeby Australijczyk nie udławił się własnym językiem lub wymiocinami.

Po zabezpieczeniu pokoju i ofiary Bruce zmienił mokre rękawiczki na świeże, po czym wyłowił telefon z kieszeni kurtki.

– John, to ja.

– Bruce! Gdzie jesteś?

Dopiero gdy stanął z telefonem przy uchu nad wielkim, skrępowanym i nieprzytomnym mężczyzną, Bruce uświadomił sobie w pełni, czego właśnie dokonał. Jak nic musiała w tym być granatowa koszulka.

– Dorwałem go! – zawołał Bruce radośnie, prawie ze śmiechem. – Jestem w Crowne Residence, pokój dziewiętnaście jedenaście, a nasz przerośnięty przyjaciel leży związany u moich stóp.

W głosie Johna słychać było ulgę.

– Dobra robota. Był uzbrojony?

– Nie – powiedział Bruce. – Nie wyglądał na takiego, który lubi strzelać, więc zaryzykowałem.

– Nic ci nie zrobił?

– Nic poza tym, że zarzygał mi całą kurtkę.

– Jasne. Myślisz, że jesteś tam bezpieczny?

– Chyba tak. Nie miałem czasu, żeby się rozejrzeć, ale zdaje się, że w pokoju mieszkał tylko on. To jak, wysyłasz kawalerię?

– Co to za miejsce, w którym jesteś?

– Wypasione – wyszczerzył się Bruce. – Jak nic pięć gwiazdek.

John cmoknął z niezadowoleniem.

– Taki hotel na pewno jest naszpikowany kamerami, a kto wie, czy zarząd nie trzyma z bandziorami. Facet zdążył ci się przyjrzeć, zanim go zdjąłeś?

– Na tyle dobrze, żeby mnie rozpoznać. Jechaliśmy razem windą i trochę się szamotaliśmy, zanim go znokautowałem. Kolo ma rozciętą głowę i chyba zwichniętą szczękę, ale dożyje do czasu, kiedy znajdzie go pokojówka.

– Dobrze, w takim razie chcę, żebyś upozorował rabunek. Zrób zdjęcia, żebyśmy mogli go zidentyfikować, a potem zabierz paszport, pieniądze, dokumenty, zegarek, biżuterię i wszystko, co może być cokolwiek warte. Zapakuj łup do jednej z jego toreb i wyjdź głównym wejściem.

– Wszystko jasne, szefie. Kiedy wchodziłem, przed hotelem widziałem rząd taksówek. Może wrócę taryfą?

– Dobry pomysł – przytaknął John. – Ale nie wracaj prosto do mieszkania. Poproś kierowcę, żeby zawiózł cię do hotelu Great Northern. Spotkamy się w holu.

– Kto tam mieszka?

– Nikt, ale to niedaleko mojej kwatery. Zacieramy ślady.

Bruce skrzywił się, zrozumiawszy, że zadał głupie pytanie.

– No przecież. Jasne.

– Zadzwoń do mnie z taksówki.

Bruce przerwał połączenie. Kiedy schował telefon do kieszeni, przykucnął przy nieprzytomnym mężczyźnie i namacał portfel w wewnętrznej kieszeni jego marynarki. Otworzył go i odczytał nazwisko z karty kredytowej: Barry M. Cox.

*

Było już po dziesiątej, kiedy Bruce wysiadł z taksówki przed wejściem do Great Northern. John odebrał od niego elegancką skórzaną torbę i zaczekał, aż zapłaci kierowcy.

– Reszta dla pana.

– Pójdziemy od razu do mojego hotelu – powiedział John, kiedy taksówka oddaliła się. – To tylko kilkaset metrów. Jak się czujesz?

– Nic mi nie jest, ale jestem wykończony – powiedział Bruce. – Możemy wstąpić gdzieś po jakąś colę czy coś?

– W moim pokoju jest barek – odpowiedział John, ruszając szybkim krokiem. – Musimy się spieszyć, Chloe i Kyle czekają.

– Na co?

– Chloe zabierze do waszego mieszkania wszystkie dokumenty i papiery, jakie ukradłeś Coksowi. Przeskanuje je i prześle mailem do MI5 do analizy. Mówiłeś coś o palmtopie.

Bruce kiwnął głową.

– Tak, wypasiony model. Był w jego marynarce. W taksówce próbowałem coś z niego wyciągnąć, ale jest na hasło.

– Nic dziwnego – zauważył John. – Zarezerwowałem ci bilet na samolot British Airways odlatujący o pierwszej w nocy. Ostatnia odprawa dla klasy biznesowej jest o dwunastej, co daje ci dwie godziny na umycie się, zjedzenie kolacji i dojazd na lotnisko. Chloe przywiozła do mnie twój paszport i ubranie na zmianę. Lot potrwa trzynaście godzin. W Londynie będziesz o siódmej rano czasu uniwersalnego.

– Dlaczego wyjeżdżam?

– Help Earth! zawsze używa silnych szyfrów. Wydobycie jakiejkolwiek użytecznej informacji z tego palmtopa będzie wymagało poważnej mocy obliczeniowej i właśnie dlatego chcę, żeby to urządzonko trafiło do MI5 najszybciej, jak to możliwe. Na lotnisku znajdzie cię oficer, który zabierze komputer. A kurierem będziesz ty, ponieważ im szybciej stąd znikniesz, tym lepiej. Prawie na pewno zostałeś sfilmowany przez kamery nadzoru, kiedy wchodziłeś do hotelu, a potem kiedy wychodziłeś z torbą Coksa. Hongkong czerpie ogromne zyski z turystyki, więc tutejsza policja bardzo poważnie traktuje przestępstwa przeciwko gościom z zagranicy. Będą szukać dzieciaka pasującego do twojego rysopisu.

– Tylko jeżeli się dowiedzą. Cox pewnie wolałby nie mieszać w to policji.

– Jeżeli znajdą go związanego, kierownictwo hotelu ma obowiązek zawiadomienia policji. To, czy Cox wniesie oskarżenie, to zupełnie inna sprawa.

– Wytarłem odciski palców i przeszukiwałem pokój w rękawiczkach, ale ktoś dociekliwy mógłby zebrać próbki mojego DNA.

– Zajmiemy się tym – powiedział John. – Hongkong był brytyjską kolonią od stu pięćdziesięciu lat i MI5 wciąż ma tu spore wpływy. Kiedy sprawa przycichnie, dopilnujemy, żeby dowody łączące cię z rabunkiem w hotelu zniknęły bez śladu.

– Jak myślisz, mogą mnie zgarnąć na lotnisku?

John potrząsnął głową.

– Hotelowa kradzież to za mało, żeby ogłaszać pełny alarm służb bezpieczeństwa.

Para zatrzymała się przy przejściu dla pieszych, czekając na zielone światło.

– A wy co będziecie robić, kiedy odlecę?

– Zastanawiamy się nad różnymi możliwościami – odrzekł John. – Przekazałem do kampusu wszystkie dane, jakie udało się zebrać do tej pory. Mam nadzieję, że za kilka godzin zdobędą wystarczająco dużo informacji, by móc zacząć podejmować decyzje.

7. SPRZĄTANIE

Za kwadrans siódma następnego ranka Kerry obudziła się na dźwięk dzwonka do drzwi. Przetarła oczy i poczłapała do kuchni ubrana tylko w szary podkoszulek i majtki. Na progu kurier w motocyklowym kombinezonie czekał, aż Chloe pokwituje odbiór niedużej, ale grubej koperty.

– Co się dzieje? – ziewnęła Kerry, kiedy Chloe zamknęła drzwi. – Wyglądasz paskudnie.

– Dzięki, Kerry.

– Przepraszam, nie miałam nic złego na myśli.

– Wiem, wiem – uśmiechnęła się Chloe. – Faktycznie wyglądam jak trup. Nie spałam jeszcze ani sekundy, John zresztą też nie.

– Dlaczego? – zdziwiła się Kerry.

Chloe podeszła do szuflady ze sztućcami, wyjęła nóż i rozcięła nim kopertę.

– Zapalniki – rzuciła zagadkowo do Kerry, która nalała sobie szklankę soku pomarańczowego i usiadła przy stole.

Chloe wsunęła dłoń do koperty, oderwała pasek pęcherzykowatej folii ochronnej i wyjęła cztery wałeczki plastycznego materiału wybuchowego, takie same jak te, które poprzedniego popołudnia Kerry widziała w sypialni Clyde'a Xu.

– O drugiej w nocy kampus przesłał nam wyniki analizy zdjęć, które zrobiłaś wczoraj u Clyde'a – wyjaśniła Chloe.

– Zapalniki to specjalny model produkowany w niewielkich

seriach dla CIA. Nigdy przedtem nie wpadły w ręce terrorystów. Skonstruowano je tak, by detonowały ładunek, kiedy ciśnienie powietrza spadnie poniżej określonego poziomu.

Kerry zmarszczyła brwi.

– No ale po co?

– Na dużej wysokości ciśnienie jest niższe niż na ziemi.

– Rozumiem. Czyli jeżeli chcemy pozbyć się alpinisty...

– Albo samolotu – wtrąciła Chloe.

– A, no tak... – Kerry poczuła się jak idiotka, uświadomiwszy sobie, że CIA raczej nie zajmuje się wysadzaniem w powietrze alpinistów.

Chloe wróciła do wyjaśnień.

– Viennese to nieduża włoska kompania naftowa, która właśnie odkryła żyłę złota w postaci zasobnych pól naftowych na Morzu Południowochińskim. Jednak aby móc rozpocząć eksploatację, Viennese potrzebuje wsparcia finansowego oraz doświadczenia większej firmy. Prezesem i właścicielem torby podręcznej, która wkrótce ma się stać bombą, jest niejaki Vincent Pielle. Kilka ostatnich dni Pielle spędził na podpisywaniu kontraktów z prezesami dwóch dużych kompanii naftowych. Wynajął też odrzutowiec z małego lotniska na Nowych Terytoriach i jutro rano wybiera się ze swoimi nowymi wspólnikami i kilkoma członkami zarządu do ekskluzywnego kurortu w Tajlandii na kilkudniowy wypoczynek.

Kerry podniosła głowę i podjęła wątek.

– Tyle że Clyde Xu ma podłożyć w jego torbie bombę, która zrobi dziurę w samolocie, kiedy tylko ten osiągnie określoną wysokość.

– Właśnie, Kerry.

– Skąd to wszystko wiemy?

– Zespół pomocniczy w kampusie dokopał się do informacji o zapalnikach, o odkryciu ropy przez Viennese Oil można poczytać w internecie, a po szczegóły, których nie podawano do wiadomości publicznej, wystarczyło zgłosić się do właściwych ludzi w służbach wywiadowczych. MI5 i CIA zawsze bacznie przyglądały się przemysłowi naftowemu, a tym bardziej teraz, wobec zagrożenia ze strony Help Earth! i sytuacji na Bliskim Wschodzie.

Kerry spojrzała na laski materiału wybuchowego na środku stołu.

– Rozumiem, że to nie jest prawdziwe, a nasze zadanie to odwiedzić mieszkanie Clyde'a i zrobić podmiankę.

– Aha – przytaknęła Chloe.

– Skąd to macie? Wygląda dokładnie tak samo.

– Z przeterminowanej partii tej samej odmiany C4, jaką Clyde Xu ma w swojej szufladzie. Producent dodaje do mieszanki specjalny związek, który sprawia, że po dwóch latach substancja traci właściwości wybuchowe. Dzięki temu terroryści nie mogą gromadzić dużych zapasów. Na szczęście armia przechowuje trochę zepsutego plastiku dla celów szkoleniowych. Nie było czasu na sprowadzanie go z kraju, więc poprosiliśmy Amerykanów, żeby przesłali nam kilka lasek pocztą dyplomatyczną z jednej z ich baz na Filipinach.

– Nie lepiej było dać cynk tutejszej policji?

– Moglibyśmy to zrobić, ale dokonanie podmiany, kiedy państwa Xu nie będzie w domu, nie powinno być trudne. Lepiej, żeby Help Earth! myślała, że bomba nie wybuchła, bo została źle przygotowana. Jeżeli atak udaremni policja, terroryści zorientują się, że ktoś ich szpieguje.

– No dobrze, ale co z napadem na Barry'ego Coksa w pokoju hotelowym? – zapytała Kerry. – To było tuż po spotkaniu z Clyde'em. To przecież śmierdzi na kilometr.

Chloe skinęła głową.

– Na pewno będą coś podejrzewać, ale niczego nie mogą być pewni. Tak czy owak, liczy się to, że zidentyfikowaliśmy ważnego członka Help Earth! Miejmy nadzieję, że wyciągniemy więcej informacji z rzeczy, które Bruce znalazł w pokoju Coksa, ale nawet jeśli nie, MI5 może przeprowadzić szczegółowe dochodzenie i sprawdzić, co pan Barry Cox porabiał przez minionych kilka lat, gdzie jeździł i z kim się zadawał.

Kerry kiwnęła głową i spojrzała na zegar na ścianie.

– Lepiej wezmę prysznic i zacznę szykować się do szkoły. Chloe pokręciła głową z uśmiechem.

– Jak śpiewał Alice Cooper, koniec ze szkołą na zawsze. Kiedy tylko zrobimy podmiankę, pakujemy się i wracamy do domu. John zarezerwował nam bilety na lot do Manchesteru. Startujemy o wpół do czwartej.

*

Kerry wcisnęła dzwonek przy drzwiach państwa Xu. Otworzyła Rebeka, ubrana już w szkolny mundurek. Dziewczyna zachłysnęła się z przerażenia, widząc przyjaciółkę we łzach.

– Kerry, mój Boże! Co się stało?

– To mój tata – zaszlochała Kerry. – Miał straszny wypadek... W Londynie... Podobno jest w bardzo złym stanie.

– Och, Kerry...

Mama Rebeki była w kuchni. Usłyszawszy rozmowę, przydreptała do dziewcząt w swoim eleganckim szarym kostiumie i szpilkach.

– Kerry, kochanie, tak mi przykro.

– Nie wiem, co mam robić. – Kerry pociągnęła nosem, kiedy pani Xu unieruchomiła ją w serdecznym uścisku. – Dziś wieczorem lecimy do Anglii.

– Kiedy wracacie? – zapytała Rebeka.

Kerry wzruszyła ramionami.

– Nie wiadomo. Przyjechaliśmy tu tylko dlatego, że tata miał zacząć nową pracę. Jeżeli jest z nim tak źle, że będzie musiał zrezygnować, być może nie wrócimy już nigdy.

To wystarczyło, by Rebeka także zalała się łzami, a po chwili do dziewcząt dołączyła pani Xu. Na korytarz wystawił głowę zaciekawiony Clyde, ale spojrzawszy na trzy zawodzące kobiety, czym prędzej wycofał się do swojej sypialni.

*

Czterdzieści minut po wybuchu masowej histerii rzeczy Kerry, Kyle'a, Bruce'a i Chloe stały pod drzwiami wejściowymi spakowane do sportowych toreb i plecaków. Puste mieszkanko napawało smutkiem. Kerry przechodziła z pokoju do pokoju, sprawdzając w szafach i pod łóżkami, czy nic tam nie zostało. Z łazienki przeszła do kuchni, gdzie zastała Chloe i Kyle'a pochylonych nad laptopem. Na ekranie wyświetlały się widoki z kamer umieszczonych w mieszkaniu państwa Xu.

– W porządku, Kerry – powiedziała Chloe. – Wszyscy poszli do pracy albo do szkoły. Kyle i ja zamienimy paczki i posprzątamy po was, a ty obserwuj korytarz. Weźmiemy radia, na wypadek gdybyś miała coś pilnego do przekazania.

Kerry zasiadła przed laptopem i położyła sobie na języku miętówkę, patrząc, jak Kyle i Chloe idą wzdłuż korytarza. Weszli do mieszkania rodziny Xu, posługując się nielegalną kopią klucza Rebeki. Chloe od razu skierowała się do sypialni Clyde'a. Wyjęła z szuflady celofanową paczkę, rozwinęła ją i wymieniła cztery laski pełnowartościowego C4 na przeterminowane. Tymczasem Kyle wspinał się na sofy i krzesła, sprawnie demontując kamery i mikrofony ukryte w sprzęcie oświetleniowym. Kerry patrzyła, jak okna na ekranie laptopa po kolei wypełniają się czernią. Zanim para agentów wróciła do siebie, Chloe odłączyła jeszcze kamerę na korytarzu wbudowaną w dzwonek przy ich własnych drzwiach.

Kerry zaczęła odkręcać małe anteny satelitarne na balkonie. Chloe i Kyle weszli do pokoju, niosąc siatki z elektroniką i materiałem wybuchowym. Zapalniki zostały w szufladzie Clyde'a. Chloe otworzyła wielką walizkę i wepchnęła wszystko do środka, uśmiechając się z satysfakcją.

– Muszę pamiętać, żeby oddać to Johnowi. Podróżuje z paszportem dyplomatycznym.

Kerry włożyła dwie anteny satelitarne do swojej torby, a laptop zapakowała do plecaka, który Chloe miała wziąć ze sobą jako bagaż podręczny.

– Gdzie spotykamy się z Johnem? – zapytała Kerry.

– Na lotnisku – odpowiedział Kyle, zerkając na zegarek.

– Mamy cztery godziny do startu, trzynaście do Manchesteru, a potem jeszcze ze dwie, nim przejdziemy odprawę i dojedziemy pociągiem do kampusu.

– No dobra – sapnęła Chloe, zarzucając sobie na ramię największy plecak i łapiąc walizkę. – Wynośmy się stąd. Myślę, że przed blokiem bez problemu złapiemy taksówkę.

– Słynne ostatnie słowa – wyszczerzył się Kyle.

Kerry otworzyła drzwi i zatrzymała się, by po raz ostatni spojrzeć na mieszkanie. Było jej trochę smutno na myśl, że już nigdy nie zobaczy Rebeki, a perspektywa dziewiętnastogodzinnej podróży także nie poprawiała jej nastroju. Z drugiej strony nie mogła się już doczekać spotkania z przyjaciółmi i nadrobienia sześciotygodniowych zaległości w ploteczkach.

8. UPOJENIE

Osiem dni później
James Adams wgramolił się po schodach ewakuacyjnych na ósme piętro głównego budynku kampusu. Miał na sobie bokserki, jedną skarpetkę, ubłoconą bluzę od dresu i czapkę z pomponem w barwach Arsenalu. Trzymając się ściany, dotarł do drzwi sypialni swojej siostry i załomotał w nie pięścią.

– Laura! Wpuść mnie! – zawołał bełkotliwie.

Uderzył jeszcze raz, po czym drzwi otworzyły się, ukazując Laurę w koszuli nocnej ze Scoobym Doo. Dziewczyna założyła ręce na piersi i gniewnie zmarszczyła brwi.

– Co ty wyprawiasz, James? – wyszeptała ze złością. – Jest druga w nocy, do diabła.

– Chodź, siostrzyczko, urządzimy sobie balangę.

– James, nie wybieram się na żadną imprezę. Śmierdzisz jak speluna. Ile musiałeś wypić, żeby się tak nastukać?

– Nie imprezę, Laura – zachichotał James, podnosząc palec. – Ba-lan-gę.

– James, zjeżdżaj do siebie i idź spać. Jeśli ktoś z kadry zobaczy cię w tym stanie, zamordują cię albo wyrzucą.

– Ale ja chcę się bawić – jęknął James. – Jest piątek wieczór. Dostałem świadectwo z ZKS-u, wiesz? Świętowaliśmy na mieście. Byliśmy w centrum handlowym i w nocnym, i w kinie...

– Gdzie jest Gabriela i reszta?

– Cieniasy – prychnął James. – Wszyscy poszli spać.

– James – wycedziła Laura, coraz bardziej rozdrażniona. – Wpakujesz się w przepaskudne kłopoty, a potem Bóg jeden wie, jak długo będę musiała słuchać twojego narzekania. Natychmiast idź do swojego pokoju i kładź się do łóżka.

– Wpuść mnie na minutkę – błagał James, kiwając się przy framudze. – Chciałem tylko powiedzieć, że cię kocham.

Laura uskoczyła z drogi, kiedy jej brat potknął się na progu, usiłując ją uściskać.

– Wiesz co? – wybełkotał James. – Ostatnio normalnie nie mam szans, żeby powiedzieć ci, jak cię kocham. Ta głupia krowa Bethany zawsze jest gdzieś w pobliżu.

– James, od kiedy to mamy zwyczaj biegania za sobą i wyznawania sobie miłości?

Laura włączyła światło i James zauważył, że jej najlepsza przyjaciółka siedzi na łóżku i mierzy go spojrzeniem pełnym obrzydzenia. Trzy inne dziewczyny leżały w śpiworach na podłodze, pomiędzy puszkami po napojach i talerzami z resztkami przekąsek.

– Urządzamy sobie piżamówkę – wyjaśniła Laura.

– W takim razie pozwólcie, że się przyłączę – wyszczerzył się James.

– Nic z tego.

James pomachał Bethany ręką.

– Hej, Bethany.

– Spadaj, James.

James zachichotał.

– To nie było miłe.

– Tak samo jak nazwanie mnie krową.

Dziewczęta w śpiworach usiadły, by mieć lepszy widok na rozgrywające się przy drzwiach przedstawienie. Przez cały czas szeptały do siebie i kręciły głowami. Laura była czerwona ze wstydu.

– Idź już wreszcie spać, James! – zawołała, wypychając brata z pokoju.

– Dobrze, już dobrze, pójdę – pokiwał głową James. – Ale mogę najpierw skorzystać z łazienki? Zaraz mi pęcherz pęknie.

Laura cofnęła się spod drzwi.

– Niech ci będzie. Mam nadzieję, że jesteś zadowolony, że udało ci się obudzić pięć osób. I choć raz w życiu pamiętaj, żeby podnieść deskę.

James nie bez kłopotów przekroczył nogi w śpiworach i wszedł do łazienki. Laura zacisnęła pięści.

– Bracia – sapnęła, zwracając się w stronę przyjaciółek.

– Strasznie was za to przepraszam.

Bethany uśmiechnęła się ze współczuciem.

– Nie musisz mi mówić, jak to jest.

– Ale czapkę ma fajną – zachichotała jedna z dziewczyn na podłodze.

Pozostałe zawtórowały jej śmiechem, ale Laura nie była w nastroju do żartów.

James spuścił wodę i ruszył do drzwi, brnąc przez śpiwory. Po drodze wdepnął w talerz nachos, rozsypując okruchy i rozlewając sos.

– O szit – szepnął, po czym niezdarnie przykucnął, by podjąć próbę zebrania sosu dłońmi.

– James, co ty wyprawiasz? Wcierasz wszystko w dywan – zdenerwowała się Laura. – Ja to zrobię. Po prostu wynoś się stąd.

– Przepraszam – powiedział James, otwierając drzwi. – Dobranoc.

Laura zatrzasnęła drzwi za bratem i gniewnie tupnęła nogą.

– Idiota!

– Nie przejmuj się, Laura – powiedziała Bethany. – To nie twoja wina.

Dwie dziewczyny poszły do łazienki po chusteczki do oczyszczenia wykładziny.

– Wiecie co? – powiedziała Laura, pokazując palec wskazujący i kciuk rozsunięte o kilka milimetrów. – Tyle brakowało, żebym mu przyłożyła.

*

– Dzień dobry, James! – ryknęła radośnie Meryl Spencer, nachylając się nad łóżkiem.

Meryl była Kenijką, byłą mistrzynią sprintu, która pracowała w CHERUBIE jako trenerka lekkoatletyki. Była także opiekunką prowadzącą Jamesa, czyli kimś w rodzaju wychowawczyni i szkolnego pedagoga w jednej osobie.

– Znalazłam na biurku karteczkę – powiedziała Meryl, pokazując żółty papierek. – Wczoraj po południu przeczytałam raport, w którym panna Takada wyraża się o tobie w samych superlatywach, więc napisałam sobie przypominajkę. Napisałam: *Koniecznie odwiedzić Jamesa, pogratulować ukończenia kursu.*

James czuł się tak, jakby głowę uciskał mu tysiąctonowy ciężar. Meryl usiadła na brzegu łóżka.

– Ale sądząc po twoim zachowaniu i woni alkoholu w twoim pokoju, powiedziałabym, że kwestię stosownego uczczenia twojego sukcesu potraktowałeś nieco zbyt poważnie.

James słyszał słowa opiekunki, ale trzymał twarz wciśniętą w poduszkę. Przez głowę przelatywały mu straszliwe wspomnienia z minionego wieczoru: upadek w kinie, bitwa na popcorn, próba dobierania się do Gabrieli zakończona sromotną porażką oraz – najgorsze ze wszystkiego – scena w pokoju siostry. Laura będzie wściekła.

– James, usiądź – powiedziała sztywno Meryl. – Nie zamierzam rozmawiać z twoją potylicą. Przegapiłeś już pierwszą lekcję.

James odwrócił się, nie do końca zaskoczony, że zdołał przespać sygnał budzika. Kiedy się poruszył, poczuł, że jego dłoń przesuwa się po czymś śliskim.

Tylko nie to.

– Proszę pani, ja się pochorowałem – jęknął James ze zgrozą, gwałtownie siadając.

– Wcale się nie dziwię, po tej ilości alkoholu, jaką w siebie wlałeś...

– Nie, nie – zaprzeczył gorączkowo James. – Naprawdę. Chyba zrobiłem coś paskudnego... W łóżku.

Meryl zerwała się na równe nogi. James ostrożnie uniósł brzeg kołdry, zebrał się na odwagę i spojrzał. Kiedy owionął go kwaśny zapach octu, zrozumiał, że siedzi w kałuży salsy.

– O, mój Boże – westchnął, gramoląc się spod kołdry.

Masa ze zmiksowanej papryki i cebuli wypełniała mu bokserki i ściekała po udach.

Meryl nie udało się powstrzymać śmiechu.

– Chyba ktoś ci zrobił kawał, James.

James domyślił się, że był to odwet Laury i Bethany, ale nie miał zamiaru ich wsypać. Meryl zajrzała do łazienki i rzuciła mu ręcznik.

– Lepiej się wytrzyj, zanim wszystko ścieknie na dywan. Umyj się i od razu zanieś pościel do pralni.

– Dobra, tak zrobię – powiedział James, wycierając ręcznikiem nogi.

– Co do ostatniej nocy, na ogół jesteśmy dość pobłażliwi w kwestii tego, czym zajmujecie się w wolnym czasie. Wiemy, że sklepy w mieście zbijają fortunę na sprzedawaniu wam alkoholu i że niektórzy z was palą. Mimo to jesteśmy skłonni przymykać na to oko tak długo, jak długo zachowujecie się rozsądnie.

– Tak, proszę pani – pisnął James nieśmiało.

– Jednak w moim pojęciu powrót do kampusu o pierwszej w nocy, sikanie do fontanny, wszczynanie bójek na poduszki z Daną i Gabrielą, bieganie tam i z powrotem po schodach pożarowych z wrzaskiem: „Kanonierzy, do boju!" i wreszcie budzenie swojej siostry, a przy okazji połowy ósmego piętra, nie pasuje do żadnej przyjętej definicji rozsądku. Zgodzisz się ze mną?

– Tak, proszę pani.

Meryl pomachała mu przed twarzą samoprzylepną karteczką.

– Biorąc pod uwagę, co panna Takada napisała o twoich wynikach oraz to, że rzeczywiście miałeś powód, by świętować, tym razem poprzestanę na ostrzeżeniu. Jeżeli jednak w ciągu najbliższych sześciu miesięcy przyłapię cię na piciu w kampusie lub gdziekolwiek indziej, nie będę miała dla ciebie litości, zrozumiano?

James był mile zaskoczony. Spodziewał się, że Meryl cofnie mu kieszonkowe i każe przez tydzień biegać karne rundki.

– Tak, proszę pani.

– Jak tam głowa? – zapytała Meryl współczująco, kiedy James opadł na brzeg łóżka, starając się nie zwracać uwagi na zapach salsy.

Kac sprawiał, że żołądek skręcał mu się w trąbkę za każdym razem, kiedy pomyślał o sosie.

– Marnie.

– Napiszę ci zwolnienie z porannych lekcji.

– Dobrze się pani czuje? – zapytał James podejrzliwie.

– Jak najbardziej, dlaczego pytasz?

– Jest pani dla mnie miła.

Meryl roześmiała się.

– Może robię się miękka na starość. Jeżeli to cię martwi, mogę cię zaraz posłać na bieżnię. Pięćdziesiąt okrążeń dobrze ci zrobi na kaca.

– Nie, nie, w porządku – wyszczerzył się James.

– Jak się umyjesz, zmień pościel i do lunchu możesz odpoczywać. Powiedziano mi, że po południu masz spotkanie z Johnem Jonesem i nie chcę, żebyś rozmawiał z nim, wyglądając jak śmierć na chorągwi.

James uniósł brwi.

– Coś się szykuje?

– Nie znam szczegółów operacji, ale to duża sprawa – powiedziała Meryl. – Coś związanego z Help Earth! gdzieś na południowej półkuli.

9. ODPRAWA

James wciąż był ospały i wszedł do budynku centrum o kilka minut za późno. John Jones przywiązywał dużą wagę do porządku. Wszystkie papiery w jego przestronnym biurze były poukładane w równiutkich stertach, a wszystkie przedmioty, łącznie z kubkami, opatrzono elektronicznie wydrukowanymi etykietami.

Koordynatora jeszcze nie było. James zdziwił się, widząc w gabinecie Laurę i Danę Smith. Dana była typem chłopczycy preferującej niedbały styl. Paradowała po kampusie w za dużej koszulce CHERUBA, wiszących na biodrach spodniach i wiecznie zabłoconych glanach z rozwiązanymi sznurówkami. Jej wygląd nie zmieniał się zbytnio w czasie wolnym od zajęć, kiedy zmieniała uniform na workowate dżinsy i parę skateboardowych butów, tak znoszonych, że przez rozdarcia na bokach przeświecały skarpetki.

– W porzo? – rzucił James, siadając na krześle obok dziewcząt, naprzeciwko biurka Johna.

Dana skinęła głową.

– Lekki kacyk, ale założę się, że nie taki jak twój. Skułeś się jak świnia.

– Nie przypominaj mi – westchnął James. – Wziąłem paracetamol, ale wciąż czuję się, jakby ktoś puszczał mi w głowie drum'n'bass.

– Dobrze spałeś? – zapytała Laura, uśmiechając się niewinnie. – Jak się czułeś, kiedy wstałeś?

– Wielkie dzięki, spałem jak zabity – powiedział James.

– Rano myślałem, że narobiłem w gatki. Odwróciłem materac, kiedy zmieniałem pościel, ale łóżko i tak capi tym świństwem.

– Co mu zrobiłaś? – zainteresowała się Dana.

Laura uśmiechnęła się.

– Ja i dziewczyny zakradłyśmy się do jego pokoju i wlałyśmy mu w majty wielką puchę salsy. Myślałyśmy, że się obudzi i nas pogoni, ale był tak pijany, że nawet nie zauważył.

Dana uśmiechnęła się pod nosem.

– To było wredne.

– Może, ale to on wparował do mnie o drugiej w nocy, zrobił z siebie kretyna i obudził moje koleżanki. W życiu nie przeżyłam takiego wstydu.

James wiedział, że jest na przegranej pozycji, i nie chciał nakręcać sprawy.

– Jestem wystarczająco dorosły, by przyznać ci rację – powiedział pojednawczo. – Zrobiłem źle, odegrałaś się na mnie i zasłużyłem na to. Nie wyruszajmy na misję bezsensownie skłóceni, dobrze?

– A o cóż to się kłócimy? – zapytał John, który niepostrzeżenie wszedł do gabinetu.

– O nic – powiedzieli szybko James i Laura, odwracając się gwałtownie.

John był w towarzystwie muskularnej kobiety o rudych włosach i piegowatej cerze.

– To dobrze – powiedział John. – Poznajcie zatem Abigail Sanders.

Cherubini wstali, by uścisnąć dłoń Abigail. Ta powitała każdego krótkim: „Hej!", wypowiedzianym z australijskim akcentem.

– Zatem to są moje dzieciaki – powiedziała Abigail. – Wygląda na to, że się nadają.

– Cóż, prawie na pewno twoje – powiedział John, siadając za biurkiem, podczas gdy Abigail zajęła miejsce naprzeciwko, obok Jamesa. – Każdy agent CHERUBA ma prawo odmówić udziału w operacji, a oni nie poznali jeszcze warunków. Jednak na ogół są dosyć chętni. Pracuję tu od osiemnastu miesięcy i nie spotkałem się z przypadkiem, by agent odrzucił zadanie.

John zwrócił się do trojga nastolatków.

– Abigail jest funkcjonariuszką ASIS, czyli australijskich tajnych służb wywiadowczych. Mamy nadzieję, że wasza trójka jest gotowa współpracować z nią podczas tajnej operacji na terenie Australii.

Na wzmiankę o Australii James i Laura uśmiechnęli się szeroko. Ich koleżanka nie przestała wpatrywać się ponuro w swoje buty, ale Dana nie przestałaby wpatrywać się w swoje buty, nawet gdyby w okolicy wybuchła bomba atomowa.

– Jest już wprowadzenie? – zapytała Laura.

John skinął głową, po czym wstał i kilkakrotnie pokręcił gałką dużego sejfu zamontowanego w ścianie. Pociągnął ciężkie drzwi, wyjął kopertę i rozdał młodzieży trzy kopie wprowadzenia do zadania.

TAJNE
WPROWADZENIE DO ZADANIA
DLA JAMESA ADAMSA, LAURY ADAMS I DANY SMITH.
DOKUMENT CHRONIONY ELEKTRONICZNIE. KAŻDA PRÓBA
WYNIESIENIA GO Z CENTRUM PLANOWANIA MISJI SPOWODUJE
URUCHOMIENIE ALARMU.
NIE KOPIOWAĆ, NIE SPORZĄDZAĆ WYPISÓW.

Wstęp – operacja w Hongkongu
Pod koniec 2005 r. system Echelon przechwycił e-mail, którego treść odnosiła się do możliwego zamachu Help Earth! w Hong-

kongu. CIA skontaktowała się z brytyjskimi służbami bezpieczeństwa, które wciąż miały silne powiązania wywiadowcze ze swoją byłą kolonią. Po odnalezieniu wspomnianego w e-mailu młodego ekoaktywisty Clyde'a Xu MI5 postanowiła podjąć próbę infiltracji rodziny Xu przy pomocy trojga agentów CHERUBA. Ich celem miało być dotarcie do kogoś o wyższej pozycji w hierarchii Help Earth! Po sześciu tygodniach cel operacji został osiągnięty. Zespół CHERUBA udaremnił podjętą przez Clyde'a Xu próbę wysadzenia w powietrze samolotu dyspozycyjnego z piętnastoma prezesami kompanii naftowych, oraz wytropił członka Help Earth!, niejakiego Barry'ego Coksa. Po obezwładnieniu mężczyzny w jego pokoju w hotelu agent CHERUBA odebrał mu mienie osobiste, w tym paszport, notatnik oraz kieszonkowy komputer.

Dowody

Odszyfrowanie danych zapisanych w komputerze Coksa i przeanalizowanie przejętych dokumentów zajęło kilka dni. Niestety, dysk komputera zawierał niewiele poza kilkoma zapisanymi partiami programu szachowego. Dokumenty zdradziły wiele szczegółów dotyczących ostatnich podróży Coksa, a także zarejestrowanych wydatków, ale kontrwywiad nie dowiedział się z nich niczego znaczącego oprócz tego, że w ciągu minionego półrocza Cox kilkakrotnie latał między Brisbane a Hongkongiem. Australijska policja nie zdołała dopasować jego odcisków palców ani DNA do żadnego przestępcy zarejestrowanego w jej bazie danych.

Analitycy MI5 wyczerpali niemal wszystkie możliwości i prawie stracili nadzieję, kiedy jeden z nich natrafił na stare pokwitowanie transakcji dokonanej za pomocą karty kredytowej, które zawieruszyło się w portfelu Coksa. Numer karty na kwicie nie pasował do żadnej z kart w portfelu.

Ustalono, że tajemnicza karta kredytowa należała do firmy Lomborg Financial z Brisbane. Pokwitowanie pochodziło sprzed sześciu dni i dotyczyło zapłaty za lunch w restauracji w Brisbane.

Australijska tajna agencja wywiadowcza (ASIS) rozpoczęła dyskretne śledztwo.

Restauracja wciąż miała taśmy CCTV z owego popołudnia. Nagrania zdradziły, że Barry Cox zjadł lunch z Arnosem Lomborgiem, prezesem Lomborg Financial. Po posiłku Lomborg zapłacił swoją kartą kredytową. Cox zostawił napiwek w gotówce i odruchowo schował pokwitowanie do portfela.

Nie mając żadnych innych tropów, ASIS wzięła pod lupę Lomborg Financial, rodzinną firmę maklerską zatrudniającą trzydzieści osób i mającą mniej niż tuzin dużych klientów. Najważniejszym z nich jest bogata i tajemnicza sekta religijna o nazwie Wybrańcy.

Badając powiązania firmy, ASIS odkryła, że Lomborg Financial kupuje udziały i zawiera kontrakty terminowe poprzez innych maklerów w celu ukrycia własnych poczynań. Okazało się także, że portfel inwestycyjny Wybrańców wzrósł o ponad tysiąc procent w ciągu zaledwie czterech lat. Szalone tempo zysków sugerowało, że sekta dysponuje zdobywaną w nielegalny sposób wiedzą o przyszłych zachowaniach rynku.

Wkrótce wyszło na jaw, że strategia inwestycyjna Wybrańców wykazuje zastanawiającą zbieżność z działalnością Help Earth! Na przykład 27 października 2004 r. sekta zawarła kontrakt terminowy na zakup czterech milionów baryłek wenezuelskiej ropy naftowej. Trzy dni później Help Earth! zniszczyła ropociąg biegnący z Wenezueli do Brazylii. Cena wenezuelskiej ropy wzrosła o sześć procent, a Wybrańcy zarobili ponad dziesięć milionów dolarów, zainwestowawszy niespełna milion. Odkryto także, że ponad trzysta milionów dolarów ze swoich zysków sekta przelała na zagraniczne konta bankowe. Najbardziej prawdopodobnym wyjaśnieniem tego jest założenie, że Wybrańcy finansują Help Earth!

W każdej operacji wywiadowczej kluczową kwestią jest zebranie jak największej ilości informacji, zanim cel zorientuje się, że jest obiektem dochodzenia. Zgromadzono już wystarczająco dużo dowodów, by postawić Lomborg Financial i Wybrańców przed sądem za oszustwa oraz pranie brudnych pieniędzy. Jednak w ASIS i MI5 panuje przekonanie, że jakikolwiek gwałtowny ruch na tym etapie byłby równoznaczny z zaprzepaszczeniem szansy na dotarcie do samego serca Help Earth!, a być może nawet na rozbicie całej organizacji.

Jak dotąd ASIS opracowała kilka wariantów planu infiltracji struktur Wybrańców. Uważa się, że pseudorodzina sformowana między innymi z agentów CHERUBA miałaby największą szansę na przeniknięcie do sekty w sposób niewzbudzający podejrzeń.

Historia Wybrańców w pigułce

W 1961 r. Joel Regan porzucił swoją umiarkowanie dochodową pracę akwizytora automatów z przekąskami i napojami, by kupić opuszczony budynek kościoła na peryferiach Brisbane i zacząć głosić własną wersję Ewangelii. Regan twierdził, że otrzymał wiadomość od Boga, który zdradził mu, że wojna jądrowa jest nieunikniona, i polecił wybudować arkę w australijskim interiorze. Wierni wyznawcy Regana mieli wyjść z niej jako jedyni ocaleni z wojny i odbudować cywilizację w postaci chrześcijańskiego raju.

Większość obserwatorów spodziewała się, że naiwne nauki oparte na mieszance tradycyjnych cnót chrześcijańskich i apokaliptycznych przepowiedni trzydziestoośmiolatka nie wzbudzą niczyjego zainteresowania. Nie wzięli jednak pod uwagę doświadczenia Regana jako handlowca ani wyszkolenia, jakie zdobył jako oficer wywiadowczy w australijskiej armii.

Okoliczni mieszkańcy, którzy przychodzili na spotkania sekty dla zabawy, często byli nagabywani przez atrakcyjne osoby płci przeciwnej, które namawiały ich do przychodzenia na zebrania regularnie. Wielu ulegało namowom. Ponadto Regan udostępnił swój kościół lokalnym wspólnotom, w tym kołu samotnych i rozwiedzionych matek, wdów wojennych oraz rozmaitym grupom samopomocy. Członkami owych grup często byli ludzie samotni i nieszczęśliwi, którzy przyjmowali zaproszenia do udziału w nabożeństwach sekty i znajdowali pocieszenie w ich życzliwej atmosferze, którą Regan nazywał Oceanem Miłości.

Jednak gdy tylko nowy członek Kościoła poczuł się bezpieczny w objęciach Oceanu Miłości, do głosu dochodził mroczny aspekt działalności Regana. Za pomocą mieszanki tradycyjnych akwizytorskich sztuczek i bardziej wyrafinowanych technik perswazyjnych, których nauczył się w czasach służby w wywiadzie wojskowym, Regan nakłaniał wiernych do udziału w grupowych sesjach terapeutycznych, podczas których przeżywali ponownie najbardziej wstrząsające i dramatyczne chwile swojego życia.

Sesje konstruowano tak, by dawały efekt znany powszechnie jako pranie mózgu. Regan uwypuklał kontrast między okropnościami świata zewnętrznego a bezpiecznym i przyjaznym światem ludzi zwanych Wybrańcami. Zaledwie trzy lub cztery intensywne sesje wystarczały, by u osób podatnych na manipulację spowodować radykalne zmiany w poglądach i zachowaniu. Ludzie ci tracili zaufanie do najbliższych przyjaciół i członków rodziny, coraz więcej czasu poświęcając na udział w praktykach religijnych Wybrańców.

Podczas kolejnych sesji Regan zaczynał podkreślać bardziej nietypowe elementy swojej religii, a w szczególności potrzebę zbudowania tak zwanej arki na pustkowiach australijskiego interioru. Miała to być całkowicie samowystarczalna twierdza, która pozwoliłaby wiernym przetrwać lata chaosu po wojnie jądrowej.

Budowa arki musiała pochłonąć morze pieniędzy. Zwerbowanych wyznawców kultu Regana nakłaniano, by przeprowadzili się do spartańskich pomieszczeń przylegających do kościoła, przekazali cały swój majątek na budowę arki i służyli jako apostołowie sekty.

Wybrańcy dzisiaj

Dwie godziny lotu od Brisbane znajduje się jedna z najbardziej ekscentrycznych i spektakularnych budowli na naszej planecie. Czterdzieści cztery lata po rozpoczęciu budowy arka Wybrańców jest niezwykłym, wartym pięć miliardów dolarów kompleksem łączącym wysokie mury i zabudowania mieszkalne w stylu więziennym z wysoką na sto pięćdziesiąt metrów świątynią, lotniskiem, nowoczesnymi biurami, budynkami szkolnymi oraz luksusową sześćdziesięciopokojową rezydencją będącą oficjalnym domem osiemdziesięciodwuletniego Joela Regana. Regan jest obecnie najbogatszym i najbardziej kontrowersyjnym człowiekiem w Australii.

Sekta Wybrańców liczy obecnie trzynaście i pół tysiąca pełnoprawnych członków, żyjących w dwudziestu trzech rozrzuconych po świecie komunach. Kolejnych siedemnaście tysięcy osób regularnie uczęszcza na spotkania Wybrańców i ich grup terapeutycznych. W Nevadzie budowana jest druga arka, trzecia zaś ma powstać w Japonii.

Sekta inwestuje w rolnictwo, opiekę medyczną i technikę informacyjną. Jest też największym na świecie dostawcą automatów sprzedających napoje i przekąski i usług serwisowych. Gdyby Wybrańcy byli firmą, a nie fundacją religijną, byłaby to dziesiąta co do wielkości korporacja w Australii.

Operacja CHERUBA i ASIS

Podstawowym celem wspólnej operacji CHERUBA i ASIS jest infiltracja arki i próba wykrycia powiązań Wybrańców z organizacją Help Earth! Zakłada się, że akcja potrwa od dwóch do sześciu miesięcy i przebiegać będzie w czterech głównych etapach.

(1) Wstąpienie do sekty

Udając rozwódkę z dziećmi, Abigail Sanders wraz z trojgiem agentów CHERUBA wprowadzi się do bogatej dzielnicy na przedmieściach Brisbane znanej jako obszar intensywnej działalności werbunkowej Wybrańców. Wszyscy czterej agenci dołożą starań, by przyłączyć się do wyznawców kultu, co nie powinno być trudne, jako że sekta nieustannie poluje na nowych rekrutów, zwłaszcza tych z pieniędzmi.

(2) Integracja

Oczekuje się, że agenci przejdą sesje przygotowawcze, zostaną pełnoprawnymi członkami sekty i zamieszkają w komunie. Należy zauważyć, że człowiek, który poznał zasady działania technik psychomanipulacji, jest w stanie oprzeć się im bez większych trudności. Nie ma mowy, by agent, który przed misją przestudiował stosowane przez sektę metody wpływania na umysł, przypadkowo uległ praniu mózgu.

(3) Przeniesienie do arki

Podczas gdy główną funkcją arki jest zapewnienie Wybrańcom schronienia na wypadek apokalipsy, na co dzień obiekt służy jako ośrodek działalności gospodarczej oraz centrum edukacyjne. Dorośli, jeżeli nie należą do personelu administracyjnego ani do elit sekty, na ogół odwiedzają arkę tylko przy okazji krótkich seminariów religijnych oraz uroczystości, takich jak śluby i chrzty. Znacznie większą szansę na zostanie stałymi mieszkańcami arki mają młodsi członkowie sekty.

Większość młodych Wybrańców uczęszcza do zwykłej szkoły publicznej albo należącej do ich komuny. Spośród nich za pomocą testów odławia się dziesięć procent najbystrzejszych dzieci w wieku od jedenastu lat wzwyż, które przenosi się do jednej z pięciu specjalnych szkół z internatem, które Wybrańcy prowadzą w różnych miejscach świata. Australijskie dzieci trafiają do szkoły mieszczącej się w arce.

Wspomniane szkoły mają na celu kształcenie członków Korpusu Elity Wybrańców, który, jak twierdzi Joel Regan, będzie rządził światem po apokalipsie. W szkołach obowiązuje specyficzny program nauczania, zaś absolwenci mogą spodziewać się szybkiego awansu i często osiągają wysoką pozycję w szeregach sekty w wieku zaledwie dwudziestu kilku lat.

Wszyscy agenci CHERUBA są inteligentni, dlatego oczekuje się, że cherubini biorący udział w misji spełnią wymagania rekrutacyjne elitarnej szkoły.

(4) Odkrycie powiązań z Help Earth!

Obecnie ASIS nie ma pewności co do charakteru i głębokości powiązań pomiędzy Wybrańcami a Help Earth! Obie organizacje może łączyć układ czysto finansowy, w którym sekta wykorzystuje swoje ogromne środki do finansowania zamachów terrorystycznych, ale nie można także wykluczyć, że organizacja terrorystyczna jest częścią sekty i że to Wybrańcy aktywnie planują oraz przeprowadzają zamachy, działając pod szyldem Help Earth!

Według byłych członków sekty, którzy mieszkali w arce, na terenie obiektu w każdej chwili przebywa około tysiąca Wybrańców uczęszczających na kursy i biorących udział w uroczystościach religijnych. Jednak stała społeczność arki składa się z Joela Regana, kilku najbliższych członków jego rodziny, stu dwudziestu prominentnych członków sekty i pracowników oraz około stu pięćdziesięciu uczniów szkoły Wybrańców.

Społeczność arki jest zwarta i hermetyczna, ale dorośli z najbliższego otoczenia Joela Regana znani są z intryganctwa, plotkarstwa i zawiści. Dzieci uczęszczające do miejscowej szkoły wykonują rozmaite prace na terenie arki, a wielu starszych uczniów zatrudnia się na niższych stanowiskach administracyjnych.

Choć ASIS i CHERUB miały zaledwie tydzień na przygotowanie planu operacji, wstępne oceny sugerują, że agenci CHERUBA, którym uda się dostać do szkoły w arce i którzy zrobią dobry użytek ze swoich umiejętności wywiadowczych, będą mieli duże szanse na zdobycie informacji dotyczących powiązań pomiędzy Wybrańcami a Help Earth!

KOMISJA ETYKI JEDNOGŁOŚNIE ZATWIERDZIŁA PLAN OPERACJI, ZALECA SIĘ JEDNAK, BY WSZYSCY KANDYDACI NA UCZESTNIKÓW MISJI STARANNIE ROZWAŻYLI, CO NASTĘPUJE:

(1) Operację zaklasyfikowano jako wysoce ryzykowną. Agenci mogą być zmuszeni do pracy w odległej lokalizacji bez bezpośredniego wsparcia ze strony koordynatorów misji.

(2) Sekta stosuje tradycyjne metody wychowawcze, nie stroniąc od wymierzania dzieciom kar cielesnych.

(3) Z powodu szczególnej lokalizacji arki Wybrańców agenci mogą natrafić na poważne trudności przy ewentualnej próbie szybkiego wycofania się z operacji.

(4) Udział w operacji oznacza długą rozłąkę z rodzeństwem i przyjaciółmi.

10. PRZELOT

Dana urodziła się w Australii i trafiła do CHERUBA z domu dziecka w Melbourne, ale James i Laura nigdy tam nie byli, a czekająca ich podróż miała być najdłuższą w ich życiu. Pierwszy etap, do Singapuru, miał trwać trzynaście godzin. Potem czekała ich sześciogodzinna przerwa przed ośmiogodzinnym lotem do Brisbane.

Mieli wylecieć w niedzielny poranek, z Johnem, jego asystentką Chloe i Abigail Sanders z ASIS. Kiedy po kampusie rozeszła się wieść, że James i Laura wyjeżdżają na sześć miesięcy, garstka przyjaciół postanowiła wybrać się z nimi na Heathrow, by pożegnać się jak należy. Garstka składała się z Kyle'a, Bruce'a, Kerry, Calluma, Connora, Bethany i czterech innych koleżanek Laury. Minibus odwożący dzieci na lotnisko trząsł się od ich bezładnej paplaniny i tylko Dana wetknęła sobie w uszy słuchawki iPoda i zagłębiła się w lekturze wyświechtanego egzemplarza *Władcy Pierścieni*. Nie miała żadnych bliskich przyjaciół, ale choć Jamesowi czasem było jej żal, ona sama sprawiała wrażenie, jakby nic sobie z tego nie robiła.

Na szczęście wszystkie miejsca w klasie ekonomicznej były już zarezerwowane i CHERUB musiał się szarpnąć na bilety w klasie biznesowej. Po krótkim oczekiwaniu przy stanowisku odprawy szóstka podróżnych weszła na wyższe piętro i dołączyła do pozostałych w samoobsługowej restauracji.

James wziął sobie talerz z angielskim śniadaniem i sokiem pomarańczowym. Już miał ruszyć w stronę kolegów, kiedy zauważył Kerry siedzącą samotnie przy sąsiednim stoliku i przywołującą go gestem.

– No hej – powiedział James, przysiadając się do niej. – Co tu robisz sama?

Kerry spojrzała w głąb swojego kubka z herbatą.

– Dużo o tobie myślałam, kiedy byłam w Hongkongu. Chciałam ci coś powiedzieć, kiedy wrócę, ale nie miałam okazji.

James uśmiechnął się niepewnie.

– Co chciałaś mi powiedzieć?

– No wiesz, odkąd zerwaliśmy ze sobą we wrześniu, nieraz się całowaliśmy i w sumie ani ty, ani ja nie związaliśmy się na poważnie z nikim innym...

– Zbyt często dostawałem kosza – wyszczerzył się James.

Kerry uśmiechnęła się krzywo.

– Gabriela coś wspominała.

– Eee, cóż... Akurat tego epizodu nie traktowałbym poważnie. Byłem tak pijany...

– Mam jej to przekazać? – zapytała Kerry tonem niewiniątka.

– Broń Boże! Skopałaby mi tyłek. No, ale do rzeczy, o czym my tu właściwie rozmawiamy?

– Kiedy wrócisz... Chciałabym, żebyśmy dali sobie jeszcze jedną szansę.

James uśmiechnął się. Właśnie usłyszał coś, o czym marzył od pięciu miesięcy. Szkoda tylko, że chwila nie była najlepsza.

– Jeżeli będziesz w kampusie – zaznaczył. – Mogą cię wysłać na misję.

– Wiem – westchnęła Kerry, w zadumie mieszając herbatę. – I nie mam zamiaru odrzucać ciekawych misji, nawet dla ciebie.

– Jak o tym pomyśleć, to kariera cherubina nie trwa zbyt długo – powiedział James, kiwając głową ze zrozumieniem.
– Rozmawiałem o tym z Kyle'em, zanim polecieliście do Hongkongu. On ma już szesnaście lat. Jeszcze rok, półtora i do widzenia.

Kerry uśmiechnęła się.
– Zauważ, że Kyle to kurczak. Gdyby nie ten młodzieńczy zarost, wyglądałby młodziej od ciebie.

Kerry uniosła głowę, układając twarz w słodką, proszącą minkę, którą James bez trudu rozpoznał jako grymas: „Pocałuj mnie". Przy sąsiednim stoliku siedziało ponad tuzin cherubinów i dorosłych, nie było zatem mowy o jakiejkolwiek prywatności, ale James uświadomił sobie, że na następną okazję być może przyjdzie mu czekać wiele miesięcy.

Pochylili się ku sobie. Zaczęło się od standardowego pocałunku, ale trochę ich poniosło i James skończył z rękami za głową Kerry i dołem koszulki rozmazującym po talerzu płynne żółtko jaja. Trzeba było zmasowanego ostrzału bułkami i grudkami masła, żeby rozdzielić zdyszaną zakochaną parę.

– Do hotelu! – krzyczał Kyle.

Laura przycisnęła brodę do piersi i przemówiła grubym głosem, parodiując Jamesa:
– Nie wiem, czemu wciąż zakładasz, że coś do niej czuję. Jesteśmy po prostu dobrymi przyjaciółmi.

James i Kerry uśmiechnęli się przepraszająco do kolegów, a potem spojrzeli na siebie.
– No więc... postaram się być w kontakcie – powiedział James. – Wiesz, e-maile i tak dalej.

Kerry podniosła kubek do twarzy tak, że widać było tylko jej błyszczące oczy.
– Dobrze.

*

Po sześciu tygodniach wstawania o świcie na trening poprzedzający cały dzień lekcji James był obolały, osłabiony i niewyspany. Zwykle z trudem zasypiał w samolocie, ale w tym były specjalne rozkładane na płasko fotele, a troskliwa załoga przynosiła poduszkę i kołdrę, kiedy tylko ktoś zaczynał przejawiać ochotę na drzemkę.

Obudziwszy się, James pograł trochę w najnowsze gry, przekąsił co nieco, pogawędził z Abigail na temat australijskiego stylu życia, po czym wziął się do zabranych przez Johna książek o sektach i technikach psychomanipulacji. Wyglądały na ciężką lekturę, ale James znalazł w nich kilka fascynujących informacji i nawet trochę się wciągnął.

Do tej pory nie poświęcał sektom większej uwagi, ale zawsze uważał, że trzeba być nieźle walniętym, żeby do jakiejś wstąpić. Według książek prawda wyglądała inaczej. Ludzie wstępujący do sekt byli na ogół rozważni i inteligentni. Wywodzili się z zupełnie normalnych środowisk, choć na ogół werbowano ich w takim momencie życia, w którym byli samotni, zagubieni w przerastającej ich rzeczywistości. Typowymi ofiarami sekty byli ludzie świeżo po rozwodzie, utracie pracy, studenci, którzy po raz pierwszy zamieszkali z dala od rodzinnego domu, oraz niedawno owdowiali ludzie w podeszłym wieku.

Według jednej z książek na całym świecie działało siedem tysięcy sekt skupiających łącznie ponad pięć milionów członków. Były wśród nich zarówno grupy żyjące w skrajnej nędzy, składające się z kilku tuzinów wiernych, którzy mieszkali w namiotach i żywili się resztkami wygrzebanymi ze śmietników, jak i wielkie korporacje o wielomilionowym budżecie, mające własne sieci telewizyjne i serie produktów handlowych.

Laura, która siedziała obok brata, także zainteresowała się książkami. Wkrótce zaczęli odczytywać sobie na głos co bardziej smakowite fragmenty, zwłaszcza te makabryczne, o sektach mordujących polityków i porywających sędziów, a przede wszystkim o zbiorowych samobójstwach.

– O, tutaj – powiedziała Laura. – Posłuchaj tego: *Zanotowano ponad siedemdziesiąt przypadków zbiorowego samobójstwa. Do najtragiczniejszego doszło w sekcie o nazwie Świątynia Ludu, której przywódca znany jako Jim Jones nakazał wiernym zażycie cyjanku. Zginęło ponad dziewięćset osób. Niemowlętom i małym dzieciom truciznę podano dożylnie.* A niżej napisano: *Kulty oparte na apokaliptycznej wizji przeważnie są najbardziej destrukcyjne.*

James uśmiechnął się krzywo.

– Tak, dzięki, od razu mi lepiej.

*

Na półkuli południowej luty to środek lata i Australia powitała Jamesa trzydziestoośmiostopniowym upałem tego szczególnego parnego rodzaju, który sprawia, że koszula przykleja się do pleców trzy kroki za progiem klimatyzowanego pomieszczenia.

John i Chloe oddalili się, by zameldować się w hotelu w mieście. Abigail i cherubini pojechali taksówką. Brisbane było nowoczesne i czyste, ale na trasie z lotniska prowadzono roboty drogowe i podróżni spędzili trzy kwadranse w korku.

Podczas gdy sunęli z żółwią prędkością przez jedyny czynny pas ruchu, niebo pociemniało i wielkie krople wody zaczęły bębnić o blaszany dach. Za wieżowcami w centrum miasta eksplodowała błyskawica. Wydostawszy się z zatoru, żółta toyota pomknęła obwodnicą sto dwadzieścia kilometrów na godzinę, by zakończyć kurs na przedmieściach, dziesięć kilometrów od centrum.

Wjechali do ekskluzywnego osiedla domów jednorodzinnych. Z równiutko skoszonymi trawnikami, niedawno posadzonymi drzewami i czarnym od deszczu asfaltem miało w sobie martwą schludność miasteczka z klocków lego. Zanim taksówka zatrzymała się na wyłożonym kostką podjeździe przed onieśmielająco wielkim domem, słońce znów wyszło zza chmur, a popołudniowy deszcz wracał do nieba drżącą od gorąca mgłą.

James wtaszczył do środka plecak i dwie walizki. Rzucił je na parkiet w przestronnym holu i powiódł wzrokiem w górę, wzdłuż dwóch łukowatych wstęg schodów, kończąc na gigantycznej betonowej kopule i zwisającym z niej żyrandolu.

– Ożeż w mordę – rozpromienił się. – Jesteśmy dziani.

Abigail uśmiechnęła się, zatrzymując za nim i stawiając na podłodze swoje walizki.

– Oczywiście, że jesteśmy dziani, James. Jeśli jest coś, co może przyprawić Wybrańców o ślinotok, to perspektywa zwerbowania Abigail Prince: bogatej rozwódki, która po krwawej walce sądowej ze swoim mężem milionerem powróciła do rodzinnego Queensland.

– Z trojgiem słodkich dzieciaczków w pakiecie – dodał James.

Laura i Dana weszły do domu i wszyscy stali przez chwilę w milczeniu, rozglądając się po ogromnym holu. Nawet Dana pozwoliła sobie na cichy gwizd podziwu.

– Nie widziałam tego domu wcześniej – powiedziała Abigail. – Wszystko zaaranżowano, kiedy byłam w Anglii. Podobno pokoje są już dla nas przygotowane, ale nie wiem, który jest czyj.

James i Laura puścili się biegiem po schodach, żeby obejrzeć górę. Na piętrze było sześć sypialni i James znalazł swoją już przy drugiej próbie. Na ogół dobytek cherubina na misji ograniczał się do rzeczy, które przed wyjazdem zapakował do plecaka, ale ponieważ ta operacja miała trwać wyjątkowo długo, a plan zakładał, że Prince'owie z czasem przeniosą się do Wybrańców, James potrzebował wszystkiego, co powinien mieć bogaty australijski chłopiec.

ASIS nie szczędziła wysiłków przy tworzeniu materialnej historii Jamesa Prince'a. Miał szuflady i szafy pełne ubrań – w większości chemicznie spreparowanych tak, by wyglądały na używane – a w pokoju wszystko, co powinno się w nim znaleźć: od przyborów do pisania, przez deskę surfingową, po komputer, a nawet kilka rozpadających się gier planszowych i pluszaków, z których jego alter ego musiało już dawno wyrosnąć.

James włączył klimatyzację i zaczął przeglądać ciuchy, by zdecydować, w co się ubierze po kąpieli.

11. AKLIMATYZACJA

Trzydzieści pięć godzin spędzonych w samolotach i na lotniskach w połączeniu z dziesięciogodzinną zmianą czasu musiało skończyć się koszmarnie. James spędził noc, rzucając się na łóżku, by wreszcie zrezygnować z prób zaśnięcia i spędzić pierwsze godziny poniedziałkowego poranka, grając na swojej konsoli.

Kiedy wreszcie wzeszło słońce, James był otumaniony i bolała go głowa. Założył pierwsze lepsze szorty i dla orzeźwienia przepłynął kilka długości piętnastometrowego basenu.

Poranek upłynął na rutynowych czynnościach związanych z przeprowadzką do nowego domu. James skosił czterdzieści arów zaniedbanego trawnika za pomocą samobieżnej kosiarki, podczas gdy Dana dzwoniła do miejscowych firm, próbując zorganizować regularne czyszczenie i konserwację basenu oraz ściągnąć hydraulika, który naprawiłby zepsuty kran w łazience jednej z sypialni. Abigail i Laura pojechały do Big Fresh na zakupy spożywcze.

Po lunchu wszyscy wybrali się na wycieczkę do przyszłej szkoły Laury, Dany i Jamesa oddalonej o trzy kilometry od domu. Wyrastała pośrodku ogromnej łąki. W parterowych budynkach mieściły się cztery długie szeregi klas z drzwiami wychodzącymi na kryty pasaż otaczający całą szkołę. Goście odbyli krótkie wprowadzające spotkanie z zastępcą dyrektora, po czym Abigail zostawiła pięćset australijskich dolarów w sklepie z mundurkami.

W drodze do domu zatrzymali się w Targecie i kupili rower dla Laury – coś, co przeoczono w ASIS – po czym udali się na obiad do eleganckiej meksykańskiej restauracji nad brzegiem rzeki Brisbane. Posiłek zjedli w osobnym pokoju dla VIP-ów, którego okna wychodziły na przystań pełną luksusowych jachtów, motorówek i łodzi. Czekali tam na nich John i Chloe, a także profesor Miriam Longford z Uniwersytetu Brisbane. James natychmiast skojarzył jej nazwisko z książką, którą czytał w samolocie. Longford pomagała setkom byłych Wybrańców, u których przeżycia w sekcie pozostawiły silny uraz psychiczny. Niedawno uwikłała się w spór prawny z Wybrańcami dotyczący książki, którą o nich napisała.

Choć Longford współpracowała z ASIS i policją Queensland, sporządzając dla nich profile psychologiczne, zaprzysiężono ją i poinformowano o istnieniu CHERUBA dopiero przed kilkoma godzinami. Pani profesor była zafascynowana psychologicznymi aspektami zatrudniania dzieci w tajnych operacjach wywiadowczych.

Posiłek ciągnął się przez deser, kawę i trzy dodatkowe kolejki napojów. Longford odpowiedziała na tuziny pytań i sama zadała ich drugie tyle. Opuszczając lokal, cherubini czuli, że rozumieją mechanizmy funkcjonowania Wybrańców znacznie lepiej niż po lekturze jakichkolwiek książek.

Było już ciemno, kiedy Abigail zawiozła ich do domu luksusowym mercedesem E-Class. James z ulgą zauważył, że nareszcie chce mu się spać, ale perspektywa spędzenia następnego dnia w szkole skutecznie psuła mu humor.

*

Mundurek szkolny nie był taki zły: koszulka polo z tarczą szkoły na piersi, granatowe bojówki do kolan, a buty i skarpetki można było nosić, jakie tylko się chciało. Abigail, która za studenckich czasów, zanim wstąpiła do

ASIS, pracowała w kuchni pięciogwiazdkowego hotelu, na dobry początek dnia uraczyła swoich podopiecznych obłędnym angielskim śniadaniem z owocami i francuskimi tostami na przystawkę. Na lunch zapakowała im bułeczki o fantazyjnym kształcie, własnej roboty sałatkę ze świeżych owoców i ciasto drożdżowe z piekarni, którą Laura wypatrzyła w drodze z supermarketu.

Za dwadzieścia dziewiąta troje cherubinów wsiadło na rowery i wyruszyło do szkoły. Im bliżej byli celu, tym więcej otaczało ich rowerzystów, aż wreszcie wjechali w gwarny tłum dzieci zeskakujących ze swoich pojazdów i odprowadzających je pod wiatę, gdzie rowery przypinało się do rozstawionych co kilka metrów poręczy.

– Na razie – powiedział James do swojej prawdziwej i udawanej siostry, kierując się do sali rejestracyjnej wskazanej mu poprzedniego dnia przez wicedyrektora.

Poruszał się powoli, uważając, by nie zrobić niewłaściwego wrażenia na swoich nowych kolegach. Do tej pory misje Jamesa wymagały na ogół bratania się z towarzystwem o podobnym temperamencie i swobodnym stosunku do dyscypliny. Tym razem musiał okiełznać swoje naturalne skłonności do łobuzowania i zgrywania twardziela. Miał wyglądać na onieśmielonego i zgaszonego; miał być chłopcem, który dopiero co przeżył rozwód rodziców i wbrew swojej woli musiał przeprowadzić się do nowego domu.

Nawet na najmłodszych członkach sekty spoczywał obowiązek polowania na potencjalnych rekrutów i celem, dla którego James miał odgrywać rolę wyobcowanego dziecka, było przyciągnięcie uwagi ponad siedemdziesięciu uczniów North Park High School, którzy mieszkali w pobliskiej komunie Wybrańców.

Na jedną klasę przypadało średnio dwoje członków sekty. Niestety, ASIS miała na zaplanowanie operacji zbyt mało czasu, by zdążyć sprawdzić, czy w grupach Jamesa, Laury i Dany są jacyś Wybrańcy.

James wstąpił z rozświetlonego słońcem pasażu do mrocznego wnętrza klasy. Celowo wybrał sobie miejsce w najdalszym kącie, skąd mógł obserwować swoich nowych kolegów. Wszyscy uczniowie nosili mundurki, ale James wiedział, że Joel Regan nie miał w zwyczaju trwonić pieniędzy na markowe ciuchy dla swoich podopiecznych z komun na całym świecie. Potoczył wzrokiem po rzędach ławek. Najnowsze najki, markowe plecaki, wymyślne zegarki i biżuteria stanowiły nieomylny znak, że ich właściciel nie należy do sekty.

Dopiero po kilku minutach James wypatrzył kogoś, kto go zainteresował: w jednej z pierwszych ławek, w strefie dla grzecznych dzieci, siedzieli chłopiec i dziewczyna. Ona miała kształtne ciało i ładną buzię, ale jej długie włosy były upięte w surowy kok, mundurek wyglądał na odziedziczony po kimś innym, a na stopach miała proste płócienne tenisówki i różowe skarpetki. Siedzący obok niej chłopiec był masywnej postury, miał ciemne plamy potu na koszulce, głowę ostrzyżoną na zapałkę, pokrytą trądzikiem przeświecającym przez włosy, oraz zwykłe trampki z podeszwami odrywającymi się na piętach.

Pierwszą lekcją była historia. Zanim się zaczęła, Jamesowi udało się zająć miejsce w sąsiedztwie spoconego chłopca. Nauczycielką była młoda kobieta o kwadratowej szczęce i męskich ramionach. Jej umiejętność panowania nad klasą pozostawiała wiele do życzenia i grupa chłopców bezczelnie to wykorzystywała, omawiając bójkę, do której doszło tego ranka przed szkołą, a także wydarzenia, jakie miały miejsce na plaży w miniony piątkowy wieczór. Kiedy dyskusja nabrała rumieńców, dwaj chłopcy wstali ze swoich miejsc, by przykucnąć przy ławkach kolegów. Nauczycielka straciła cierpliwość.

– Chłopcy, na miejsca!

Spacerowy krok i miny, z jakimi chłopcy wrócili do swojej ławki, nie pozostawiały wątpliwości, że niewiele sobie robią z gniewu nauczycielki. Pięć sekund po tym, jak wróciła do pisania na tablicy, jeden z nich cisnął w jej stronę wielką kulę przeżutego papieru, która rozpłaszczyła się na zwijanym ekranie projektora.

– No dobrze – powiedziała nauczycielka, odkładając kredę. – Kto to rzucił?

Dziewczyna siedząca tuż za Jamesem podniosła rękę, z trudem zachowując powagę.

– Proszę pani, to chyba wleciało przez okno.

– Przestań się wydurniać – żachnęła się nauczycielka.

Z tyłu klasy trwała radosna wrzawa, a James skręcał się w sobie. Chciał przyłączyć się i pośmiać z innymi, chciał dowiedzieć się wszystkiego o bójce, chciał zagadać z dziewczyną o niesamowitych nogach, która siedziała za nim, a tymczasem musiał schować pragnienia w kieszeń i być nieco wyobcowanym Jamesem Prince'em, smutnym chłopcem. To była tortura – jak mieszkać w cukierni i jeść tylko brukselkę.

W miarę upływu czasu ciemne plamy pod pachami kolesia w sąsiedniej ławce powiększały się powoli, ale on sam nie wypowiedział ani jednego słowa. Kiedy skończyła się lekcja, James klepnął go w plecy.

– Przepraszam bardzo – powiedział grzecznie.

Zaczepił chłopca, ale odpowiedziała dziewczyna.

– O co chodzi? – zapytała, uśmiechając się lekko i przekrzywiając głowę.

Mamusiowata maniera w jej zachowaniu sprawiała, że wyglądała na znacznie więcej niż czternaście lat.

– Eee, o następną lekcję – powiedział James z zakłopotaniem. – W planie mam napisane W-szesnaście. Wiesz, gdzie to jest?

– W oznacza blok zachodni – wyjaśniła dziewczyna. – Trzeba pójść chodnikiem do końca klas, a potem w lewo. Ja mam zajęcia gdzie indziej, ale to po drodze, więc jeśli chcesz, możesz pójść z nami.

James uśmiechnął się, ale nie zwykłym szelmowskim wyszczerzem Jamesa Adamsa, tylko niepewnym grymasem Jamesa Prince'a.

– Jestem Ruth, a to jest mój brat Adam – powiedziała dziewczyna, kiedy szli zalanym słońcem pasażem wzdłuż szeregu klas. – A ty skąd jesteś?

– Z Sydney – odrzekł James – ale ostatnich kilka lat spędziłem w Londynie.

– Och, ale super. Złapałeś ich akcent, wiesz?

– To dlatego jesteś taki blady – powiedział Adam, zacinając się przy b.

James nie uważał się za bladego, ale rzeczywiście wyglądał biało wśród dzieci, które dorastały w słońcu prażącym okrągły rok. Podczas gdy szedł obok swoich nowych kolegów, jeden z chłopców, którzy dokazywali na historii, wyprzedził go, szturchając łokciem w plecy.

– Uwaga na świrów, nowy! – zawołał.

W tej samej chwili drugi chłopak minął Ruth z drugiej strony i sztucznie odkaszlnął.

– Przygłupy!

Chłopcy odbiegli bardzo zadowoleni z siebie.

– O co im chodziło? – zapytał James.

– Naśmiewają się z nas z powodu naszej wiary – powiedziała Ruth. – Ale my nie przejmujemy się słowami diabłów.

12. POCZĄTKI

Im bardziej operacja nabierała rozpędu, tym większa była szansa na zrobienie czegoś w sprawie Help Earth!, zanim dojdzie do kolejnego ataku. Jednak nie można było przyspieszać biegu wydarzeń. Nienaturalne zainteresowanie sprawami sekty wzbudziłoby podejrzenia i spowolniło każdy następny etap misji, a być może nawet zniweczyło szansę na przeniknięcie do arki i wewnętrznego kręgu Wybrańców. W ciągu następnych dwóch dni James rozmawiał z Ruth i Adamem tylko parę razy. Kiedy zadał kilka pytań na temat komuny, Ruth ochoczo udzieliła mu wyjaśnień, a nawet wręczyła mu jedną z broszur wprowadzających, których cały plik nosiła w plecaku: *Dziesięć mitów i dziesięć prawd o Wybrańcach i ich stylu życia*. James przyjął broszurę i przeczytał ją, ale nie próbował komentować.

*

James był średniego wzrostu jak na swój wiek, ale z natury był krępy, a programy treningowe CHERUBA nadały mu wygląd chłopca, z którym lepiej nie zadzierać. Mimo iż grał nieśmiałego i zagubionego, nikt nie miał odwagi go zaczepiać.

Dana toczyła sporadyczne utarczki z chłopcami próbującymi zrobić na niej wrażenie, ale miała za sobą wieloletnie doświadczenie w tłumaczeniu amantom, gdzie mogą sobie wsadzić pomysł spędzenia wieczoru na plaży.

Najgorzej miała Laura. Pomiędzy CHERUBEM i ASIS doszło do nieporozumienia w kwestii jej wieku, przez co jedenastolatka trafiła do klasy dwunasto- i trzynastolatków. Zanim zorientowano się w pomyłce, prace nad tworzeniem fałszywej tożsamości rodziny Prince'ów zostały zakończone. Naprawianie błędu mogłoby opóźnić rozpoczęcie operacji nawet o cały tydzień.

Laura była wystarczająco bystra, by poradzić sobie z materiałem szkolnym, ale była drobniejsza od większości swoich nowych koleżanek i kolegów, co w połączeniu z bladą skórą i angielskim akcentem czyniło z niej obiekt słownych napaści oraz zapewniło przydomek Dżemojadka. Głównymi oprawczyniami były dziewczyny o imionach Melanie i Chrissie, obie wyglądające na więcej niż trzynaście lat, z pośladkami i piersiami próbującymi rozerwać materiał mundurków. W piątkowy ranek dopadły Laurę, kiedy szła ze schowka na rowery do klasy: szły za nią, co chwila popychając ją tak mocno, że gubiła krok.

– Odwalcie się! – rzuciła z furią Laura.

– Odwalcie się! – powtórzyły drwiąco.

W czasie rejestracji siedziały w różnych miejscach klasy, ale przed matematyką Melanie i Chrissie usiadły w ławce za Laurą. Podczas gdy nauczyciel rozdawał podpisane zeszyty ćwiczeń, Laura wyjęła piórnik i włożyła sobie do ust ciągutkę.

– Poczęstujesz mnie jedną? Proszę – powiedziała Melanie rozbrajająco słodkim głosem.

Laura z ociąganiem podsunęła jej torebkę z cukierkami, ale zamiast wziąć jednego, Melanie zgarnęła całą paczkę. Poczęstowała się, a resztę podała Chrissie.

– Hej! – zaprotestowała Laura.

Melanie odpowiedziała miną z serii: „No i co mi zrobisz, cieniaro?", a Chrissie rzuciła cukierki grupie chłopców.

– Łapcie, Dżemojadka rozdaje cuksy.

Chłopcy złapali paczkę i podawali sobie z rąk do rąk, dopóki nie opróżnili jej całkowicie. Nauczyciel zauważył to, kiedy podszedł do tablicy.

– Przepraszam bardzo, ale kto wam pozwolił jeść na lekcji?

– To Laury, proszę pana – powiedziała Melanie.

Nauczyciel zacmokał z dezaprobatą.

– Lauro, wiem, że jesteś tu od niedawna. Przyjmij do wiadomości, że w tej szkole nie pozwalamy jeść w klasie.

Kiedy tylko nauczyciel odwrócił się do tablicy, Melanie wyszczerzyła zęby w złośliwym uśmiechu i pokazała Laurze środkowy palec.

– Suka – syknęła Laura.

– Rozpłacz się, dżemojadzie.

– Wklepać ci twarz do głowy?

Melanie zarechotała nieprzyjemnie.

– Ty? Nie dosięgniesz mi nawet do cycków.

Laura kipiała gniewem. Starała się pamiętać, że jest wyszkoloną agentką CHERUBA i że odgrywana przez nią postać, czyli Laura Prince, powinna być cicha i zalękniona, ale było niewiarygodnie trudno znosić tego rodzaju zniewagi codziennie przez kilka godzin bez przerwy.

Próbowała przywołać pozytywne myśli: o tym, że operacja, jeżeli się powiedzie, może uczynić z niej jedną z najmłodszych czarnych koszulek w historii CHERUBA i że jeszcze będzie się z tego śmiała razem z Bethany i koleżankami, kiedy to wszystko nareszcie się skończy.

– Ziemia do Laury, czy mnie słyszysz? – zapytał drwiąco nauczyciel. – Bardzo cię proszę, przestań gapić się w ławkę i zajmij się rysowaniem wykresów.

Laura złapała ołówek i napisała temat lekcji na górze czystej strony zeszytu. Kiedy była w połowie kreślenia kołowych wykresów obrazujących statystyki wynotowane na tablicy, poczuła bolesne ukłucie w ramię. Zbyt wstrząśnięta, by wydać jakikolwiek odgłos, patrzyła, jak po skórze spływa jej kropla krwi. Melanie dźgnęła ją ostrzem cyrkla.

Do tej pory musiała znosić tylko drwiny i okazjonalne szturchnięcia, jednak dźgnięcie było zapowiedzią eskalacji wrogich zachowań. Laura powstrzymała chęć wybuchnięcia i zaczęła ocierać krew chusteczką.

– No i co teraz zrobisz, fajfokloku jeden?

Laura uśmiechnęła się krzywo. Bolała ją ręka, ale zacisnęła zęby i wróciła do rysowania wykresu.

„Skup się na misji".

– Dżemojaaadkaa – wyszeptała śpiewnie Melanie, machając prowokacyjnie cyrklem.

Ręka z cyrklem wystrzeliła do przodu, ale tym razem Laura była gotowa. Zerwała się, przewracając krzesło i łapiąc Melanie za nadgarstek. Mocnym szarpnięciem wyrwała ją z ławki, a wolną ręką wymierzyła fachowy cios. Pięść wylądowała Melanie na ustach z tak wielką siłą, by posłać ją z powrotem do tyłu, prosto na kolana Chrissie.

– Zadowolone?! – krzyknęła Laura, zaciskając pięści i odwracając się do zszokowanej Chrissie z wyzywającą miną.

Przez klasę przeszła fala ochów przeplatanych zdumionymi: „O ja cię". Zalana krwią Melanie zaczęła głośno zawodzić. Nauczyciel przebiegł między ławkami i wparował między dziewczęta, pchnięciem usadzając Laurę na jej krześle.

– Na miłość boską, co się tutaj dzieje?! – zawołał matematyk.

– Mam dość jej głupich zagrywek! – krzyknęła Laura. – Dręczy mnie, odkąd tu jestem, i nie zamierzam znosić tego dłużej!

Ukryła głowę w ramionach i zaczęła szlochać. Trochę udawała, wiedząc, że dziewczynka, która wpada w poważne kłopoty w pierwszym tygodniu w nowej szkole, powinna być wstrząśnięta, ale częściowo jej żal był szczery. Pozwoliła wytrącić się z roli i bała się, że zaszkodzi tym misji.

*

Zastępca dyrektora spojrzał nad biurkiem na Laurę.

– Powiadasz zatem, że Melanie dźgnęła cię cyrklem i że ciągle cię dręczy. Dobrze, ale czemu nie powiedziałaś o tym wychowawcy? Twoja gwałtowna reakcja była absolutnie nieodpowiednia.

– Wiem, proszę pana – powiedziała lękliwie Laura.

– Rana Melanie wymagała założenia aż czterech szwów na dolnej wardze. W normalnych okolicznościach twoje zachowanie pociągnęłoby za sobą natychmiastowe wydalenie ze szkoły. Jednakże po krwi na twojej bluzce widzę, że zostałaś brutalnie sprowokowana, zaś w swojej poprzedniej szkole Melanie i Chrissie były znane z tego rodzaju wybryków. Myślę, że przyda ci się rozmowa z jednym z naszych szkolnych doradców.

Laura skinęła głową.

– No dobrze. – Wicedyrektor uśmiechnął się ciepło. – To może zakończymy na tym ten pierwszy trudny tydzień, a w poniedziałek spróbujemy od nowa?

Laura skinęła po raz drugi.

– Dziękuję panu.

– A tak z ciekawości, gdzie nauczyłaś się tak bić?

– Od taty – skłamała Laura. – Na studiach był mistrzem karate. Trenował całą naszą trójkę, kiedy byliśmy mali.

13. ZAPROSZENIE

Laura miała spędzić resztę dnia, siedząc w ławce na korytarzu, w którym mieściły się wejścia do gabinetów kierownictwa szkoły. Trochę się obawiała reakcji Abigail i Johna na wiadomość o tym, co zrobiła, ale im dłużej o tym myślała, tym bardziej była przekonana, że nie wyrządziła misji większej szkody.

Podczas przerwy na lunch postanowiła poszukać Jamesa i Dany w ich zwykłym miejscu spotkań. Po drodze wpadła na pół tuzina kolegów z klasy. Nagle okazało się, że wszyscy są po jej stronie.

– Ta tłusta beka już dawno się o to prosiła, Laura.

– Nauczysz mnie paru ciosów?

– Mały tygrysek – wyszczerzył się jeden z chłopców. – Sam chętnie bym się z tobą potarmosił.

Pozostali zarechotali obleśnie, a Laura uśmiechnęła się do nich, choć w głębi duszy czuła niesmak. Żaden z nich nie stanął w jej obronie, kiedy była tylko zahukaną nową uczennicą, ale kiedy układ sił się zmienił, wszyscy postanowili się jej podlizać. Nie mogła oprzeć się pokusie, by zmierzyć wzrokiem chłopca, który nazwał ją tygryskiem.

– Smakowały ci moje cukierki?

Dzieciakowi natychmiast zrzedła mina. Wiedział, że starcie z mniejszą dziewczyną, która umie się bić, nie może prowadzić do niczego dobrego.

91

– Laura, no co ty? To były żarty. Nie miałem pojęcia, że te dwie tak strasznie po tobie jeżdżą.

– Coś ci powiem, synku – powiedziała Laura, uwypuklając swój londyński akcent. – Przyniesiesz mi paczkę cukierków w poniedziałek, to zapomnę o sprawie, dobra?

– Jasne, jasne. – Chłopak podniósł dłoń w obronnym geście. – Nie martw się, przyniosę na pewno.

Laura oddaliła się, słysząc za sobą komentarze kolegów chłopca.

– O stary, mam nadzieję, że zapomnisz. Chcę zobaczyć, jak ta mała spuszcza ci manto.

Skierowała się do ustronnego miejsca, gdzie zwykle spotykała się z Jamesem i Daną. Wszyscy troje usiedli na trawie i dobrali się do zabójczych kanapek Abigail.

– Ojej, ojej, ojej – pokręcił głową James. – Słyszałem, co nabroiłaś. A podobno to ja jestem ten agresywny.

Laura wycelowała w brata kanapką.

– Zamknij się, James. Nie jestem w nastroju.

– Jaką dostałaś karę? – zapytała Dana.

– Prawie żadną. – Laura wzruszyła ramionami. – Mam tylko napisać przeprosiny i zostać po lekcjach na rozmowę z jakimś durnym doradcą.

*

Doradcą okazała się szesnastoletnia blondynka z włosami do ramion, nieco przy kości, choć nie można było jej nazwać grubą. Po czterech dniach w North Park Laura potrafiła rozpoznać Wybrańca na pierwszy rzut oka.

Wskazówek było wiele, nie tylko znoszone mundurki i niemarkowe akcesoria. Było coś charakterystycznego w języku ich ciała: sprężystość kroku i ten wygląd kogoś odrobinę szczęśliwszego, niż ma prawo być jakikolwiek uczeń włóczący się po korytarzach szkoły.

– Cześć – powiedziała dziewczyna, wyciągając rękę do Laury. – Ty pewnie jesteś Laura Prince. Ja mam na imię Mary.

Laura spędziła większość dnia w ławce przy gabinecie wicedyrektora i była zadowolona, że to już koniec męki.

– A więc jak to działa? – zapytała, podczas gdy Mary prowadziła ją do opustoszałej klasy.

– Wyznaczono mnie na twojego doradcę – wyjaśniła Mary. – Gdybyś miała jakiekolwiek kłopoty w szkole lub w domu i chciała porozmawiać o tym w zaufaniu, zawsze jestem gotowa cię wysłuchać.

– W zaufaniu to znaczy, że nie możesz powiedzieć nauczycielom o tym, co ci mówiłam?

– Oczywiście – powiedziała Mary, nie przestając się uśmiechać.

– A gdybym powiedziała, że kogoś zabiłam?

Blondynka zaśmiała się.

– Wtedy także. A co, zabiłaś kogoś?

Laura uśmiechnęła się krzywo.

– Nie przypominam sobie.

– Dobry początek.

Mary zatrzymała się przy drzwiach klasy, otworzyła je i wpuściła Laurę do środka.

– Klapnij sobie – powiedziała. – Mam tu trochę napojów i ciastka, jeśli masz ochotę.

Mary przyniosła sprite'a dla Laury i pepsi dla siebie. Dziewczęta usiadły naprzeciw siebie po dwóch stronach ławki.

– Niestety, są ciepłe – powiedziała Mary. – Nie ma tu lodówki.

Laura otworzyła puszkę i pociągnęła jeden łyk.

– No dobrze, zaczynajmy – powiedziała Mary. – Powiedz mi, jak trafiłaś do North Park High?

*

Szkoła nie była klimatyzowana, więc po powrocie do domu dzieci kierowały się prosto pod prysznic. Kiedy Laura wróciła z sesji u doradcy, James i Dana z mokrymi włosami siedzieli na dywanie w salonie i oglądali wiadomości. Na ekranie telewizora wykonane ze śmigłowca ujęcia pokazywały zbiornikowiec o wyporności stu siedemdziesięciu tysięcy ton przełamujący się na pół na Oceanie Indyjskim.

– Co się dzieje? – zapytała Laura, zdyszana po rowerowej przejażdżce w skwarze.

James obejrzał się na siostrę.

– To był nowiutki statek, prosto z japońskiej stoczni. Podobno staranowała go motorówka wyładowana materiałami wybuchowymi.

– Płynął bez ładunku – dodała Dana. – Cała załoga uratowała się w szalupach. Podejrzewają, że motorówka była zdalnie sterowana.

Laura wytrzeszczyła oczy.

– Help Earth!?

– Na razie nikt się nie przyznał, no ale kto inny mógł to zrobić? – zapytał retorycznie James.

– No dobra – powiedziała Laura, z niechęcią odwracając wzrok od telewizora. – Muszę iść i porozmawiać z Abigail.

– Już ją trochę urabiałem w sprawie tego, co się stało w szkole – powiedział James. – Mówi, że to w porządku, jeśli się bronisz, dopóki bicie ludzi nie wejdzie ci w nawyk.

Laura potrząsnęła głową.

– Nie o to chodzi. Szkolny doradca, z którym musiałam rozmawiać, to po prostu uczennica ze starszej klasy, a w dodatku jedna z nich.

Dana obejrzała się na Laurę i uniosła brwi.

– Co? To skandal. Jak szkoła może pozwolić, żeby banda fanatycznych dzieciaków doradzała normalnym uczniom?

James zawołał w stronę kuchni:

– Abigail, lepiej chodź i posłuchaj!

Abigail weszła do salonu w fartuchu upstrzonym kropkami mąki.

– Mam nadzieję, że lubicie pulpety cielęce – powiedziała z uśmiechem.

James wyszczerzył się radośnie i poklepał po brzuchu.

– Chcesz nas utuczyć, Abigail.

– Po co mnie zawołaliście?

Laura opowiedziała o Mary. Abigail nie była zaskoczona.

– Tak się robi, czytałam o tym w gazetach. Tacy doradcy powiernicy dobrze wpływają na relacje między młodszymi i starszymi uczniami, a poza tym pomagają im w radzeniu sobie z łobuzerką i innymi problemami.

James skinął głową.

– Niektóre szkoły u nas też tak robią, ale w życiu bym nie pomyślał, że ktoś może pozwolić, żeby Wybrańcy zostawali doradcami i normalnie w szkole werbowali dzieciaki do sekty.

– Nie mają wyboru – powiedziała Abigail. – Gdyby dzieci Wybrańców nie dopuszczano do funkcji doradcy, sekta narobiłaby dymu i posłała do boju armię prawników oskarżających szkoły o dyskryminację wyznaniową.

James spojrzał na siostrę.

– No a ta cała Mary, czy próbowała cię zwerbować?

– Troszeczkę. – Laura pokiwała głową. – Nie naciskała za bardzo, ale wypytała mnie o przeszłość, o was i o tatę, który nas zostawił i mieszka w Anglii. A potem zapytała, czy mam tu jakichś przyjaciół. Powiedziałam, że nie, a wtedy ona: „Bo widzisz, gdybyś chciała, to w soboty w naszej komunie są fajne spotkania kółka młodzieżowego". Udałam, że trochę mnie to zaciekawiło, a ona powiedziała, że ludzie spotykają się tam dla rozrywki, no wiecie, żeby poznać nowych kolegów czy coś, pograć w różne gry, pośpiewać... Normalnie jak u skautów.

Abigail skinęła głową.

– Obiecałaś, że przyjdziesz?

– Nie, bo pomyślałam, że może być trochę za wcześnie i że pewnie wolałabyś, żebym się wstrzymała. Powiedziałam tylko, że pomyślę. Mary zapisała mi adres i telefon. Powiedziała, żeby w razie czego najpierw zadzwonić i uprzedzić, ile osób przyjeżdża.

– Zaprosiła nas wszystkich? – zdziwił się James.

– Tak, Abigail też.

James spojrzał na Abigail.

– To jak, idziemy czy nie?

Australijka potarła policzek umączoną dłonią.

– Cóż, zakładaliśmy, że pierwszy kontakt z grupą nawiążemy po nieco dłuższym czasie, ale to taka cudownie niewymuszona sposobność. Skontaktuję się z Johnem i zapytam, co o tym myśli, ale nie sądzę, by pokazanie się tam mogło nam zaszkodzić.

14. RAZEM

W sobotni poranek Abigail podwiozła dzieci do centrum Brisbane, by spędziły dzień, buszując po sklepach i zwiedzając swoje nowe rodzinne miasto. Odebrała ich późnym popołudniem i uraczyła kolejnym boskim obiadem przed wieczorną wycieczką do komuny. Dana została w domu, żeby rodzina nie wzbudziła podejrzeń nadmierną skwapliwością w przyjmowaniu zaproszeń sekty.

Oryginalny kościół Wybrańców w Brisbane i baraki pierwszej komuny przemieniono w muzeum Wybrańców. Obecnie komuna zajmowała budynki upadłego centrum handlowego, w którym podświetlane reklamy zastąpiono krzyżami i religijnymi sloganami. Na parkingu zaprojektowanym dla tysięcy pojazdów stała najwyżej setka aut. Abigail podjechała przed główne wejście.

Kiedy wysiadali z samochodu, James wyszczerzył się do Laury.

– Dzisiejsza superoferta specjalna: obłąkana, wykręcająca mózg religia za jedyne dwanaście dziewięćdziesiąt dziewięć.

Laura uśmiechnęła się, ale Abigail zgasiła Jamesa gniewnym spojrzeniem.

– Cicho, James. Trzymaj się roli i pamiętaj, żeby nazywać mnie mamą.

– W porzo, mamusiu.

Automatyczne drzwi rozsunęły się, przepuszczając trójkę Wybrańców. James rozpoznał Ruth, Laura rozpoznała Mary, ale przodem szedł szeroko uśmiechnięty brodaty mężczyzna w średnim wieku, w okularach w prostokątnych oprawkach i sztruksowej kurtce.

– Witam, witam, jestem Elliot Moss – powiedział brodacz, szczerząc się do Abigail. – To fantastycznie, że znalazłaś czas, by nas odwiedzić.

Abigail odwzajemniła uśmiech.

– Cóż, właściwie to miałam tylko podrzucić dzieciaki na kółko młodzieżowe.

– Och... – Elliot posmutniał. – A nie mogłabyś wpaść na chwilę? Mamy kawę i wyśmienite ciasto. Jaką lubisz kawę?

– Mocną i czarną – powiedziała Abigail.

– Wobec tego nasza cię zachwyci. Pochodzi z plantacji Wybrańców w Nikaragui. Wysyłamy ją do najlepszych sklepów i kawiarni na całym świecie i dbamy o to, by plantatorzy godziwie na niej zarabiali.

Abigail z westchnieniem zerknęła na zegarek i wcisnęła przycisk breloczka, zamykając samochód.

– No dobrze, na chwilkę mogę wstąpić.

– To świetnie – rozpromienił się Elliot i okręcił na pięcie, by wprowadzić gości do niegdysiejszego centrum handlowego.

Ruth podeszła do Jamesa, a Mary do Laury. Cała grupa przeszła przez automatyczne drzwi pod wielkim napisem: „Każda szczera dusza JEST tu mile widziana". Zaniedbany główny hol raził archaicznym wzornictwem z lat siedemdziesiątych: pomarańczową terakotą, boazerią z ciemnego drewna i barwionymi szybami gablot. W powietrzu wisiał zatęchły zapaszek – efekt zbyt hojnego szafowania płynem do posadzek i złej klimatyzacji.

Elliot wpuścił gości do byłego sklepu średniej wielkości, w którym zorganizowano recepcję oraz multimedialną wystawę o Wybrańcach. Ekspozycja dotyczyła głównie chrześcijańskich wierzeń, pracy charytatywnej i skromnych początków sekty, nie było za to nawiązań do arki za pięć miliardów australijskich dolarów ani wzmianek o przepowiadanej przez Joela Regana apokalipsie jądrowej.

Na jednym końcu wystawy lektor o grzmiącym głosie opowiadał historię Regana i jego przemiany ze skromnego wiejskiego chłopca w światowej sławy duchowego przywódcę. Jednocześnie na olbrzymim monitorze można było obejrzeć archiwalne ujęcia pokazujące Regana ściskającego dłoń Billowi Clintonowi, Elvisowi Presleyowi i papieżowi. Zaraz po nich na ekranie pojawiła się uśmiechnięta Afrykanka niosąca worki z ziarnem opatrzone znakiem Wybrańców, a następnie wnętrze warsztatu naprawiającego automaty do sprzedaży napojów i przekąsek, w którym pracowali wyłącznie niepełnosprawni.

– Każdego roku Wybrańcy przekazują ponad dwieście milionów dolarów na pomoc najbardziej potrzebującym ludziom na świecie.

Mary wręczyła Jamesowi i Laurze tabliczki z wpiętymi kwestionariuszami do wypełnienia, po czym wyjęła aparat cyfrowy i zrobiła im po jednym zdjęciu.

– To tylko formalność – wyjaśniła. – W razie gdyby podczas zajęć w grupach przydarzył się wam jakiś wypadek czy coś.

Kwestionariusz prosił Jamesa o wpisanie podstawowych danych osobowych, takich jak imię i nazwisko, data urodzenia, numer telefonu domowego oraz adres. James czytał już, że życzliwe przyjęcie i wyciąganie od ofiary informacji osobistych to klasyczny scenariusz wstępnego etapu procesu werbunkowego sekty.

Elliot podał Abigail znacznie dłuższy kwestionariusz, otrzymując w zamian zaskoczone spojrzenie.

– Co to ma znaczyć? – zapytała Australijka, przerzucając sześć stron z pytaniami.

– Zbieramy podstawowe dane kontaktowe, na wypadek gdyby w jednym z naszych kół młodzieżowych doszło do jakiejś nagłej sytuacji z udziałem dziecka – wyjaśnił Elliot. – Reszta kwestionariusza to ankieta. Chcemy mieć lepsze pojęcie o tym, kto korzysta z naszego ośrodka. Tego nie musisz wypełniać, ale bylibyśmy bardzo wdzięczni, gdybyś zechciała nam pomóc.

– No cóż...

– Coś ci powiem, Abigail – powiedział Elliot wesoło. – Żeby przyjemniej ci się pisało, uraczę cię filiżanką naszej fantastycznej kawy i kawałkiem ciasta.

Abigail uśmiechnęła się.

– To bardzo miło z twojej strony, Elliot.

Odchodząc po ciasto, brodacz odebrał kwestionariusze od Jamesa i Laury, po czym zwrócił się do Ruth:

– Może teraz zabierzesz swoich przyjaciół do świetlicy?

Ruth wyprowadziła Jamesa i Laurę z recepcji. Poszli wzdłuż głównego holu, mijając pomieszczenia sklepowe przekształcone w biura i magazyny.

Świetlicą okazała się wielka przestrzeń, dawniej stanowiąca parter domu towarowego, a teraz przerobiona na przestronną salę gimnastyczną wyłożoną gumową wykładziną. Na wyposażenie składał się prosty sprzęt sportowy, taki jak bramki, tablice do koszykówki i słupki do krykieta. Na tylnej ścianie wisiał transparent z ręcznie wymalowanym napisem: „Witajcie w Oceanie Miłości".

W świetlicy bawiło się około pięćdziesięciorga dzieci, a sądząc po ilości niemodnego obuwia, trzy czwarte z nich stanowili Wybrańcy. Niektórzy grali w siatkówkę, inni w piłkę nożną albo krykieta w treningowych siatkach. Grupa najmłodszych ćwiczyła żabie skoki pod okiem kilku nastolatków. Panujące w sali spokój i porządek zaskoczyły Jamesa, tym bardziej że nigdzie w pobliżu nie zauważył żadnych dorosłych.

– No to co chcecie robić? – zapytała Ruth. Laurze błysnęło oko na widok wielkiej trampoliny i Mary natychmiast poprowadziła ją w jej stronę. James zauważył przygnębionego chłopca siedzącego samotnie w kącie sali. Wskazał go palcem.

– Czy to nie Terry z naszej klasy? Nie sądziłem, że do was należy.

Ruth uśmiechnęła się.

– Jego tata przychodzi do nas na zajęcia terapeutyczne.

– Nie wygląda na zadowolonego z tego, że tu jest.

– To diabeł – powiedziała Ruth.

James zmarszczył brwi.

– Dlaczego ciągle nazywasz ludzi diabłami?

Ruth znów się uśmiechnęła; właściwie wydawała się uśmiechać bez przerwy.

– My, Wybrańcy, wierzymy, że na świecie toczy się walka między aniołami i diabłami. Wybrańcy są aniołami. Każdy, kto nie jest Wybrańcem, to diabeł.

– Czyli ja jestem diabłem.

– Nie, dopóki tkwi w tobie potencjał przemiany w anioła.

James wzruszył ramionami.

– Szczerze mówiąc, ja chyba nawet nie wierzę w Boga.

– A zatem żal mi ciebie – odparła sucho Ruth.

– Czy to czyni mnie diabłem?

Ruth powoli pokręciła głową. Miała czternaście lat, tyle samo co James, ale bijąca od niej powaga dodawała jej lat.

– James, jeżeli interesuje cię nasza wiara, dam ci książkę do poczytania. Możesz nawet porozmawiać z jednym z naszych przewodników, jeśli oczywiście mama ci pozwoli, ale teraz mamy sobotni wieczór, a w sobotnie wieczory zapraszamy naszych przyjaciół do świetlicy, by grać i bawić się. Obowiązuje tylko jedna zasada: każdy musi się przyłączyć.

– A Terry?

– To diabeł. Dla nas w ogóle go tu nie ma. A zatem w co chciałbyś pograć?

James rozejrzał się, przelotnie zerknął na Laurę wzlatującą na kilka metrów nad olbrzymim batutem i zatrzymał wzrok na grupie bosych dziewcząt grających w siatkówkę. Było wśród nich kilka brzydul, ale większość wyglądała apetycznie.

Ruth podążyła za wzrokiem Jamesa.

– Siatkówka. To naprawdę dobry pomysł, James.

Podeszli do dziewcząt.

– Hej, posłuchajcie, to jest James! – zawołała Ruth takim tonem, jakby oznajmiała coś szalenie ekscytującego. – Jest u nas pierwszy raz.

Wszystkie dziewczyny na boisku prócz jednej należały do Wybrańców. Usłyszawszy wołanie, przerwały grę i szczerząc się w rozkosznych w ich mniemaniu uśmiechach, zaczęły ustawiać się w kolejce, by uścisnąć dłoń nowemu koledze.

– Grałeś już kiedyś w siatkówkę? – zapytała ładna ruda dziewczyna o imieniu Ewa.

– Raz czy dwa – odparł James – ale nie tak na poważnie.

– To dobrze – powiedziała Ewa. – Bo my tu nie gramy na poważnie, a na boisku wolno mówić tylko pozytywne rzeczy.

– Że co?

– Po prostu rób to co my – zaśmiała się Ewa, rzucając Jamesowi piłkę. – Masz, zagrywaj.

James zważył piłkę w dłoni i zaserwował wysokim leniwym lobem. Drużyna przeciwna nie miała kłopotów z odbiorem.

– Ładnie – rzuciła Ewa, cofając się, by wystawić piłkę do zbicia.

James skoczył i machnął ręką, haniebnie chybiając.

– Szlag!

Natychmiast otoczyły go trzy dziewczyny z przyklejonym do ust firmowym uśmiechem Wybrańców.

– James – powiedziała słodko Ewa, grożąc mu palcem. – Idzie ci wspaniale, ale pamiętaj, że możesz mówić tylko pozytywne rzeczy.

Ruth, która dla równowagi przyłączyła się do drugiej drużyny, uśmiechała się do niego przez siatkę.

– Ona ma rację, James. Negatywne myśli są dla diabłów.

James nie mógł się nie roześmiać.

– Wiecie co, dziewczyny? Jesteście nieźle pokręcone. Cudownie, pozytywnie pokręcone.

Ewa zaśmiała się i po przyjacielsku pomasowała mu ramię.

– I tak trzymaj, James. Chcesz jeszcze raz zaserwować?

*

James tkwił w świetlicy już od dwóch godzin, grając z dziewczętami w siatkówkę, piłkę nożną i skacząc na trampolinie. O dziewiątej zjawiła się para dorosłych, którzy zgasili większość świateł. Wszyscy obecni ustawili się w dwóch kręgach: zmęczone maluchy utworzyły wewnętrzny, a starsze dzieci i nastolatki zewnętrzny. Doradca Laury Mary weszła do wewnętrznego kręgu z gitarą.

Instynkt Jamesa podpowiadał mu, że siedzenie z bandą rozśpiewanych religijnych oszołomów to totalny przypał, ale słodkie dziewczęta, które od dwóch godzin śmiały się do niego, zagadywały, klepały po plecach i przytulały, wciągnęły go do kręgu, a on nie potrafił zareagować inaczej, jak tylko poddając się i śmiejąc razem z nimi. Czuł się naprawdę dobrze. Kiedy usiedli ze skrzyżowanymi nogami na podłodze, Ewa uśmiechnęła się, złapała go za rękę i przysunęła tak blisko, że jej stopa dotykała jego kolana.

Mary uderzyła w struny. James spodziewał się, że usłyszy jakiś ponury hymn, ale szesnastolatka zagrała kilka akordów i dziarsko zaśpiewała:

– Ugi bugi bugi u!

– Ugi bugi bugi u! – odpowiedział jej wrzaskliwie chór głosów.

Następna zwrotka brzmiała:

– La de la de la de la!

I znów sala odpowiedziała chórem. Przyśpiewki trwały całe dziesięć minut i James odurzony bliskością dwóch obejmujących go roześmianych dziewczyn mimo woli poddał się bezmyślnej wesołości zabawy. Kiedy spojrzał na Laurę, nie mógł oprzeć się wrażeniu, że i ona świetnie się bawi.

Na koniec Mary zagrała dłuższą i znacznie dramatyczniejszą wersję skandowanej piosenki, zwiększając tempo z każdą zwrotką, by zakończyć mocnym akordem, przy którym nagle rozbłysły wszystkie światła.

– Jesteście aniołami?! – wrzasnęła na cały głos.

Wszystkie dzieciaki, zwłaszcza te małe w wewnętrznym kręgu, podskoczyły i odpowiedziały entuzjastycznie:

– Jesteśmy aniołami!

– Małe aniołki idą do łóżek! – zawołała Mary.

Maluchy rozbiegły się wśród śmiechów i radosnego pokrzykiwania. Niektóre opuszczały salę same, inne podchodziły do rodziców, którzy zebrali się w świetlicy, kiedy światła były przygaszone. Ci byli w większości członkami komuny i także kierowali się w stronę nieczynnego eskalatora prowadzącego na górę do pomieszczeń mieszkalnych.

James wciąż się uśmiechał, kiedy Mary przywołała gestem jego i Laurę.

– Fajnie było? – zapytała. – Cieszycie się, że do nas przyjechaliście?

Było już wpół do dziesiątej. James ociekał potem i słaniał się na nogach ze zmęczenia, ale był w szampańskim nastroju.

– No – pokiwał głową z zapałem. – Supersprawa.

Laura też się uśmiechała. Grupa dorosłych na końcu sali rozstąpiła się, przepuszczając Abigail.

– Cześć, dzieciaki!

– Hej, mamo – powiedział James. – Gdzie byłaś?

– W końcu zostałam tutaj i rozmawiałam z Elliotem. Myślę, czy nie zapisać się na jeden z kursów dla samotnych rodziców.

– Mam ogromną nadzieję, że jeszcze nas odwiedzicie – wyznała Mary. – Jesteście taką miłą rodziną.

Tuż obok Mary wyrósł Elliot dźwigający wypchaną torbę.

– Odprowadzę was do samochodu – oznajmił, wręczając torbę Abigail. – A to są książki i płyty, o których ci mówiłem. Dorzuciłem też torebkę naszej nikaraguańskiej kawy i kilka kawałków ciasta dla dzieci.

Abigail zerknęła do torby.

– Ile ci jestem winna za to wszystko?

– Nie ma o czym mówić – powiedział Elliot. – Tylko obiecaj mi, że zadzwonisz, jeżeli kiedykolwiek zechcesz o czymś porozmawiać.

James, Laura i Abigail ruszyli w stronę wyjścia odprowadzani przez Elliota, Ewę, Ruth, Mary oraz dwie młodsze dziewczyny, z którymi zaprzyjaźniła się Laura. Grupa przeszła przez automatyczne drzwi i rozstawiła się wokół samochodu.

Choć było już ciemno, wciąż panował nieznośny upał. Abigail sięgnęła w głąb rozpalonego auta, by włączyć silnik i klimatyzację. Na razie nie wsiadali, czekając, aż wnętrze trochę się schłodzi.

Ewa uśmiechnęła się do Jamesa.

– Odwiedzisz nas jeszcze, prawda?

– Jasne. – James z zapałem pokiwał głową. – W następną sobotę.

– Może nawet wcześniej – powiedział Elliot. – Mama może was zabrać ze sobą w środę, kiedy przyjedzie na spotkanie grupy samotnych rodziców.

– Byłoby miło – uśmiechnęła się Laura. – Moglibyśmy przyprowadzić naszą starszą siostrę.

Wybrańcy wrócili do budynku, machając gościom na pożegnanie. Abigail zasiadła za kierownicą, a James i Laura przypięli się na tylnym siedzeniu.

– Było nieźle – westchnęła Laura.

– Mam wrażenie, że sytuacja rozwija się pomyślnie – powiedziała Abigail.

James uświadomił sobie nagle, że przez cały wieczór bawił się i śpiewał z Wybrańcami i od ponad godziny ani razu nie pomyślał o misji. Spojrzał z niepokojem na siostrę.

– A ja mam wrażenie, że bawiliśmy się trochę za dobrze.

– Co? – zdziwiła się Laura, ocierając pot z czoła rękawem koszulki.

– Ja naprawdę chciałbym tam wrócić. Mnóstwo wesołych dziewczyn, obejmowały mnie, słuchały, co mam do powiedzenia, nikt się na nic nie wkurzał... To było naprawdę miłe.

Laura zrozumiała, do czego zmierza jej brat.

– Wiemy, jak to działa, czytaliśmy książki i w ogóle, a jednak daliśmy się wciągnąć.

Abigail spojrzała między przednimi fotelami na swoich pasażerów.

– Czy wy próbujecie powiedzieć to, co myślę, że chcecie powiedzieć?

James przetarł oczy i spojrzał na Abigail zawstydzony.

– Zupełnie jakby ktoś rzucił na mnie urok.

15. KONTEKST

Abigail bardzo zaniepokoiła łatwość, z jaką dzieci straciły zdolność obiektywnego myślenia i pozwoliły uwieść się Wybrańcom w ciągu kilku godzin od wejścia do komuny. Sama także świetnie się bawiła podczas wieczoru z czarującym Elliotem. Zadzwoniła do Johna w niedzielę z samego rana i poprosiła Miriam Longford o radę. Miriam szykowała rodzinny lunch, ale zgodziła się porozmawiać z Abigail i dziećmi pod warunkiem, że przyjadą do jej domu w pobliżu miasteczka uniwersyteckiego po drugiej stronie miasta.

Na podjeździe powitał ich rudy seter, który chlasnął ciepłym ozorem dłoń Jamesa, kiedy ten gramolił się z auta. Ogród był pełen rozbrykanych dzieciaków ganiających się po trawniku i chlapiących w brodziku. Miriam poprowadziła Abigail i troje cherubinów do dusznego podwójnego garażu. Samochody zostały wyprowadzone, a ich miejsce zajmował krąg składanych krzeseł. Nie było to idealne miejsce do rozmowy, ale przynajmniej zapewniało prywatność w domu wypełnionym krewnymi.

Abigail opowiedziała, co wydarzyło się w ciągu minionych czterdziestu ośmiu godzin, zaczynając od wybuchu Laury i jej rozmowy z Mary, a kończąc na sobotniej wizycie w komunie.

– No dobrze – uśmiechnęła się Miriam. – To zrozumiałe, że niepokoi was ten przypływ pozytywnych uczuć, jakiego doświadczyliście wczoraj wieczorem, ale moim zdaniem wyjdzie wam to na dobre, ponieważ w ten sposób otrzymaliście ostrzeżenie. Doświadczyliście na własnej skórze, jak przemożny może być wpływ technik manipulacyjnych na osobę, która opuści gardę. Żadne książki nie przekażą wam tego dobitniej. Kluczem jest tu siła kontekstu społecznego, czyli mówiąc prościej, wpływu otoczenia. Słyszeliście kiedyś o eksperymencie windowym?

Wszyscy potrząsnęli głowami, więc Miriam zaczęła wyjaśniać.

– Osoba, która wsiada do windy, zawsze staje przodem do drzwi, żeby widzieć, co się dzieje, i wiedzieć, kiedy wysiąść. Jednak co się stanie, jeśli osoba ta odkryje, że w windzie jest już kilka osób i wszystkie stoją twarzą do ściany?

– Och, faktycznie, było coś takiego – przypomniała sobie Abigail. – Jeżeli wszyscy w windzie stoją tyłem do drzwi, wsiadający pasażer zwykle zrobi to samo.

– No właśnie – skinęła głową Miriam. – Ludzie myślą, że mają wolną wolę, ale w rzeczywistości tkwi w nas niezwykle silna tendencja do zachowywania się tak jak wszyscy wokół nas.

– Jak presja rówieśników w szkole – zauważyła Laura.

Miriam kiwnęła głową.

– To bardzo dobry przykład, Lauro. Gdyby wszyscy twoi koledzy ze szkoły palili papierosy, istniałoby duże prawdopodobieństwo, że ty też zaczęłabyś palić. Widziałam tę salę gimnastyczną, w której byliście wczoraj. Pamiętacie transparent na ścianie?

– Witajcie w Oceanie Miłości – mruknął James.

– Tak jest i obawiam się, że ty i Laura przypadkowo umoczyliście nogę w tym oceanie. Przypuszczam, że Wybrańcy poprosili, abyście uprzedzili ich o wizycie.

Abigail skinęła głową.

– Aha.

– To po to, żeby zdążyli zorganizować komitet powitalny. Kiedy tylko przyjechaliście, przywitały was przyjazne dusze, po jednej dla każdego. Potem zaprowadzili was do środka, rozdzielili i zalali falą ciepła i sympatii. Zaproponowano wam gry sportowe, bo to wyczerpuje fizycznie. Jednak przez cały ten czas, kiedy traciliście siły w grze, miłe słowa i dotyk nakręcały was emocjonalnie.

– Nie wolno nam było mówić nic negatywnego – przypomniał James.

Miriam pokiwała głową.

– To się nazywa zatrzymywanie myśli. Zmuszając się do myślenia i wypowiadania tylko tego, co pozytywne, można poprawić sobie samopoczucie i nastawienie do świata. Ponieważ od wszystkich wokół słyszeliście same dobre rzeczy, czuliście się gorsi i poczucie winy zmuszało was do wyparcia z głowy złych myśli. Pozytywne nastawienie wzmacniał miły kontakt fizyczny, przytulanki, a nawet okazjonalny pocałunek. Po dwóch godzinach oboje byliście wycieńczeni, ale euforycznie szczęśliwi i pozbawieni zahamowań. Dokładnie taki stan jest najbardziej pożądany u osoby, której próbuje się coś sprzedać, czy jest to używany samochód, czy dożywotnie członkostwo w sekcie religijnej.

James i Laura pokiwali głowami.

– Teraz to widzę, kiedy to powiedziałaś – powiedział James. – Ale wtedy nie czułem, żeby działo się ze mną coś szczególnego.

– To normalne – odrzekła Miriam. – Kiedy słyszymy takie określenia jak pranie mózgu czy techniki perswazyjne, wyobrażamy sobie człowieka z lufą u skroni albo przywiązanego do krzesła i zmuszanego do oglądania filmów z powiekami podpartymi zapałkami. W rzeczywistości tego rodzaju brutalne metody wywołują jedynie strach i uprzedzenie. Techniki wykorzystywane przez sekty są subtelniejsze, a przez to o wiele bardziej skuteczne.

Abigail wyglądała na przestraszoną.

– Pytanie brzmi: czy możemy bezpiecznie posłać w to środowisko dzieci? Laura i James czytali książki o technikach manipulacji, rozmawiali o nich z tobą, a mimo to wyszli stamtąd jak para wyszczerzonych zombi.

– Hm. – Miriam zmarszczyła brwi i zamyśliła się na chwilę. – Wszystkie badania jednoznacznie wskazują, że osoby, które zrozumiały działanie technik manipulacji, nie są na nie podatne.

– Ale my przecież wszystko zrozumieliśmy – powiedział James.

– Nie. – Miriam potrząsnęła głową. – Czytaliście o manipulacji i słuchaliście moich wyjaśnień, ale zrozumieć to znaczy umieć odnieść swoją wiedzę do rzeczywistości. Poszedłeś tam z opuszczoną gardą i dałeś się zmanipulować garstce ślicznych dziewcząt powtarzających ci, jaki z ciebie świetny facet.

Zawstydzony James wbił wzrok w nagi beton pomiędzy swoimi najkami.

– Przepraszamy – powiedziała Laura. – Daliśmy straszną plamę.

– Nie wygłupiaj się, kochanie – uśmiechnęła się Miriam. – Wielu starszych i bardziej doświadczonych od was uważało się za zbyt bystrych, by wpaść w szpony sekty. Mam nadzieję, że wszyscy potraktujecie to jako ważną lekcję. Jeżeli będziecie działać rozważnie, krytycznie patrząc na motywy stojące za czynami i słowami otaczających was ludzi, ryzyko jest niemal zerowe. Wpadnijcie jutro po szkole do mojego gabinetu na uniwersytecie, to nauczę was kilku prostych technik ułatwiających zachowanie zdolności krytycznego myślenia. Pomogą wam obronić się przed hipnozą i próbami doprowadzenia do stanu, w którym łatwo będzie wami manipulować.

*

Elliot zadzwonił do Abigail w poniedziałkowy wieczór i przez ponad godzinę rozmawiał z nią o życiu i religii. We wtorek Abigail zadzwoniła do komuny, by potwierdzić, że następnego dnia przyjeżdża na spotkanie grupy samotnych rodziców i zabiera ze sobą całą rodzinę.

Na parkingu przywitali ich Elliot, Mary, Ewa oraz młodsza dziewczynka o imieniu Natasza, z którą Laura zaprzyjaźniła się w sobotę. James uścisnął Ewę i odwzajemnił pocałunek w policzek, ale tym razem z pełną świadomością, że jej uczucie jest pozorowane i ma zachęcić go do wstąpienia wraz z rodziną w szeregi Wybrańców.

Laura, James i Dana zostali niezwłocznie rozdzieleni i poprowadzeni w różne strony przez swoich opiekunów. Świetlicę zajęła grupa starszych kobiet z kursu muzyki i tańca, więc Ewa zabrała Jamesa na górę, do sklepu z wymyślnie zdobioną witryną. Zanim centrum handlowe upadło, musiał się tu mieścić zakład jubilerski.

Wnętrze było wypełnione pufami i gąbkowymi sześcianami, a na ścianie wisiał duży telewizor. Grupa rozpartych na poduszkach nastolatków oglądała program o budowie drugiej arki Wybrańców w Nevadzie.

James uśmiechnął się.

– Macie nawet własną telewizję.

– Programy są na taśmach. Przywożone są z arki raz w tygodniu – wyjaśniła Ewa. – To mieszanka filmów i programów z normalnej telewizji oraz programów dokumentalnych i serwisów informacyjnych, które robimy sami.

– To chyba trochę nudne – zauważył James. – Nie możecie przełączyć na coś innego?

– Nie – powiedziała Ewa z urażoną miną. – Nie życzymy sobie podszeptów diabłów w naszym domu. Poza tym telewizor zaraz będzie wyłączony, bo zaczynamy powitanie.

Ruszyli w poszukiwaniu miejsca. James kroczył niepewnie wśród nóg i stosów sprężystych poduch, odwzajemniając przyjazne uśmiechy i ściskając wyciągnięte ku niemu ręce. Kilka minut później do sali weszła kobieta po czterdziestce, ubrana w białą togę. Zanim usiadła na środku pomieszczenia, przedstawiła się Jamesowi jako Lydia.

– Witaj, James! – zawołała takim tonem, jakby całe życie czekała na to spotkanie.

Dwa tuziny nastolatków wsparły te słowa oklaskami, a potem chórem powtórzyły powitanie. Kiedy zgiełk ucichł, Lydia spojrzała Jamesowi głęboko w oczy i uśmiechnęła się.

– James – powiedziała – w sobotę odwiedziłeś nas tutaj po raz pierwszy. Czy dobrze się bawiłeś?

James skinął głową.

– Tak, było miło.

– Widziałeś wystawę na parterze. Widziałeś, ile dobrego robimy dla środowiska naturalnego i ubogich ludzi na całym świecie.

James ponownie kiwnął głową, choć tak naprawdę niewiele z tego pamiętał.

– Ale powiedziano mi, że nie wierzysz w Boga.

James był zaskoczony, że ta luźno rzucona uwaga została zapamiętana i przekazana dalej. Zastanawiał się, co jeszcze z tego, co powiedział, wróci, by go prześladować.

– Cóż... – zaczął niepewnie.

– Nic nie szkodzi, James. – Uśmiechnęła się Lydia. – Może pewnego dnia poczujesz coś innego. Widać, że jesteś miłym i wrażliwym chłopcem. Rozumiemy, że przeprowadziłeś się do obcego miasta, gdzie nie znasz zbyt wielu ludzi. Mam jednak nadzieję, że znalazłeś wśród nas przyjaciół.

James skinął głową.

– Wszyscy jesteście bardzo mili. Niesamowicie mili.

James czuł wewnętrzny chłód, ponieważ wiedział, że Lydia próbuje nim manipulować. Wciąż nie mógł sobie darować, że tak łatwo zintegrował się z grupą cztery wieczory wcześniej. Gdyby to było jego normalne życie, a nie tajna misja, siedziałby teraz zachwycony, szczerząc się do Wybrańców, podczas gdy oni przejmowaliby kontrolę nad jego życiem.

– Czy wszyscy uważają, że James może zostać aniołem? – zapytała Lydia.

– Taaak! – wrzasnął chór nastolatków, kończąc okrzyk eksplozją wiwatów i oklasków.

James uśmiechnął się mile połechtany, ale natychmiast zdał sobie sprawę z opanowującego go uczucia i użył jednej z technik, których nauczyła go Miriam. Aby nie utonąć w potopie przyjemnych emocji, musiał pomyśleć o czymś fizycznie odpychającym. James przywołał wizję wilgotnego, ociekającego rzadkim majonezem sera na kanapce, którą dziesięć miesięcy wcześniej dostał w amerykańskim więzieniu. Samo wspomnienie zapachu przyprawiało go o mdłości.

– James, czy chciałbyś dowiedzieć się czegoś więcej o Wybrańcach i pracy, jaką wykonują dla dobra naszej planety? – zapytała Lydia.

Skinął niepewnie głową.

– Wszyscy bardzo pragniemy, byś został naszym przyjacielem i poznał nas bliżej, James. Nie chcemy cię zmuszać do niczego, na co nie masz ochoty. Chcielibyśmy jednak ofiarować ci ten naszyjnik jako znak naszej przyjaźni.

Lydia wstała i z obszernej kieszeni z przodu togi wydobyła naszyjnik z rzemyka. Następnie podeszła do Jamesa i stanęła nad nim.

– Jamesie Prince, czy przyjmujesz od nas ten naszyjnik jako symbol naszej przyjaźni?

– No pewnie – powiedział James, kiwając głową i szczerząc się, jakby naprawdę był zachwycony.

Uniósł się na kolanach i pozwolił, by Lydia założyła mu rzemyk na szyję. Gdy to zrobiła, nakazała mu gestem, by

113

powstał, po czym wzięła go w ramiona i mocno uściskała. Tymczasem za Lydią ustawiła się kolejka klaszczących dzieci, które, gdy kobieta wreszcie odstąpiła od Jamesa, kolejno zaczęły go przytulać, powtarzając przy tym to samo zdanie:

– Witaj w Oceanie Miłości.

Po tym formalnym powitaniu Jamesa otoczył tłumek roześmianych dziewcząt i chłopców zapraszających go na grilla, rozmaite uroczystości i weekendowy wyjazd na akcję charytatywną. Kiedy entuzjazm przygasł i większość grupy opuściła salę, James znalazł się ponownie w towarzystwie Ewy.

– Czy to nie było super? – uśmiechnęła się szeroko. – Tak się cieszę, że przyjąłeś naszyjnik. To pierwszy krok na drodze do zostania aniołem.

– No nie wiem. – James przymrużył oko. – Nie obraź się, fajna z was banda i w ogóle, tylko to wszystko jest trochę dziwaczne.

Ewa zignorowała uwagę.

– Po szkole zwykle odwiedzam dom seniora – powiedziała wesoło. – Jak chcesz, to jutro możesz iść ze mną.

– Po co? – zdziwił się James.

Ewa przechyliła głowę na bok i uraczyła Jamesa specjalnym uśmiechem.

– Oczywiście nie musisz iść, jeśli nie masz ochoty. Po prostu chciałam ci pokazać, jak pracujemy dla miejscowej społeczności.

16. STARCY

Tego wieczoru Laura otrzymała taki sam rzemyk, jaki dostał jej brat, podczas identycznej ceremonii, z tą różnicą, że klaszczące dzieci były w jej wieku. Abigail wyszła ze spotkania, trzymając Elliota za rękę, i wyglądała na zachwyconą. Niosła nową porcję literatury Wybrańców, a także zestaw płyt CD i DVD za dwieście dwadzieścia dziewięć dolarów zapakowanych w błyszczące pomarańczowe pudełko z napisem: „Przeżyj życie! – zrewolucjonizuj swój styl życia poprzez nauki Joela Regana i jego Ocean Miłości". Aby werbunek do sekty wyglądał bardziej realistycznie, Danę poproszono, by przyjęła bardziej sceptyczne podejście. Spędziła więc wieczór z siedemnastoletnim opiekunem, zadając mu bezlitośnie podchwytliwe pytania o każdy aspekt życia Wybrańców: od negatywnych stron życia w komunie po dociekanie, jakim cudem tak żarliwy chrześcijanin jak Joel Regan mógł spłodzić trzydzieścioro potomków z ponad tuzinem młodych kobiet. Torturowanie młodzieńca sprawiło jej sporą frajdę.

*

Było już po północy, kiedy rodzina Prince'ów nareszcie wróciła do domu. Następnego dnia James przemazał się przez szkołę, ziewając i trąc załzawione oczy. Po lekcjach odpiął rower i powlókł się przez boisko na spotkanie z Ewą przy tylnej bramie.

Przejechali dziesięć kilometrów w skwierczącym popołudniowym upale. Celem podróży był ośrodek, którego oficjalna nazwa brzmiała Dom Opieki nad Osobami Starszymi w North Park. Przed wejściem czekała biała furgonetka, a w niej Elliot.

– James! – ucieszył się, wysiadając z samochodu.

Podszedł do Jamesa, złapał go za wilgotny kołnierz koszulki, dyskretnie sprawdzając, czy wciąż ma na szyi rzemyk, po czym zgniótł chłopca w entuzjastycznym uścisku. Następnie cofnął się o krok i wyjął z kieszeni malowany drewniany koralik.

– Każdy paciorek symbolizuje pozytywny krok – oznajmił uroczyście. – Niech to popołudnie będzie twoim pierwszym wkładem w wysiłek naszej społeczności.

– Myślałem, że Ewa ma mnie tylko oprowadzić – zdziwił się James, uznawszy, że najlepiej będzie udać podejrzliwość.

– Jestem pewien, że świetnie wam pójdzie – powiedział Elliot, celowo ignorując uwagę Jamesa.

James zdjął rzemyk, ale miał za krótkie paznokcie, by rozsupłać węzeł i założyć koralik. Przekazał naszyjnik Ewie, a sam poszedł z Elliotem za furgonetkę. Spod otwartej klapy buchnęło klimatyzowane powietrze i oczom Jamesa ukazał się regał wypełniony wielkimi plastikowymi tacami. Zawartość każdej z nich była taka sama: plik lokalnych gazet, słodycze, papierosy, małe bukieciki kwiatów, napoje i kupony loteryjne.

Elliot zestawił dwie tace na asfalt, po czym wszedł do furgonetki i podał Jamesowi dwa składane wózki. Rozłożyli je i na każdym postawili po jednej tacy.

– O co tu chodzi? – zapytał James.

Elliot uśmiechnął się i poklepał go po ramieniu.

– Muszę obskoczyć jeszcze sześć domów starców. Ewa ci wszystko wytłumaczy.

Kiedy Elliot odjechał, Ewa założyła Jamesowi na szyję rzemyk z koralikiem.

– O co chodzi z tymi wózkami? – zapytał James. – Myślałem, że chcesz mi tylko coś pokazać.

– Och... – zmartwiła się Ewa. – A ja powiedziałam Elliotowi, że chcesz nam pomóc jako wolontariusz. Będzie na mnie zły.

James udał zdziwionego.

– Czemu? To zwykłe nieporozumienie.

– Tak, ale o Wybrańcach krążą różne mity, że niby ściągamy ludzi siłą i zmuszamy ich do robienia różnych rzeczy – wyjaśniła zmartwiona Ewa. – Oczywiście wcale tak nie jest, bo u nas każdy zawsze ma wybór, ale Elliot jest bardzo drażliwy na tym punkcie. Wścieknie się, jeśli pomyśli, że cię namawiałam.

James zrozumiał, że to pułapka: najpierw Elliot daje mu koralik i ignoruje pytanie, a potem Ewa mówi, że będzie miała kłopoty, jeśli James nie zrobi tego, czego się od niego oczekuje.

– Pójdę do środka i zadzwonię do niego – westchnęła Ewa. – O rany, ale mi teraz głupio.

James uśmiechnął się i powiedział to, co Ewa chciała usłyszeć:

– Dobra, zrobię to. Po prostu mnie zaskoczyłaś.

Ewa pisnęła z radości i rzuciła się swojemu wybawcy na szyję.

– Dziękuję ci, James, jesteś fantastyczny.

– Nie ma za co – odpowiedział James, wykorzystując okazję, by ukradkiem zerknąć Ewie za dekolt. – Co dokładnie mamy robić z tym towarem?

– To proste: chodzimy po ośrodku, pukamy do pokojów staruszków i pytamy, czy chcą coś kupić.

Dom opieki mieścił się w parterowym budynku. Pensjonariusze, w większości kobiety, mieszkali w pokojach z balkonami i własnymi łazienkami. Ośrodek był nowoczesny i nie robił złego wrażenia, ale wydawał się wymarły, a długie korytarze i popiskujące pod butami podłogi kojarzyły się Jamesowi ze szpitalem.

Recepcjonistka zabrzęczała elektrycznym zamkiem, wpuszczając ich na korytarz. Kilka pierwszych pokojów James odwiedził razem z Ewą, żeby podpatrzeć jej techniki sprzedaży. Ewa poświęcała co najmniej trzy minuty na rozmowę z każdym z pensjonariuszy, w większości ludzi w bardzo podeszłym wieku, przykutych do łóżka lub mocno zniedołężniałych. Podczas pogawędki wymieniała banalne nowiny ze szkoły i komuny na informacje o rozmówcy.

Niemal każdy coś kupował, zwykle jakiś drobiazg, czekoladowy batonik albo gazetę, ale były też prośby do Elliota – który odwiedzał każdego z pensjonariuszy co tydzień – by przywiózł coś na specjalne zamówienie. Pewien starszy pan poprosił o miesięcznik wędkarski, a dziarska staruszka zażyczyła sobie konkretnej marki papieru toaletowego, ponieważ, jak się wyraziła: „Po tym szajsie, który tu dają, tyłek jest czerwony jak rzodkiewka".

Po odwiedzeniu kilkorga staruszków Ewa odesłała Jamesa do innej części ośrodka. Spędził tam prawie godzinę, wędrując od pokoju do pokoju i prowadząc z grubsza takie same rozmowy, które nieodmiennie zaczynały się od pytania: „A gdzie Ewa?", a kończyły kilkudolarową transakcją handlową. James zauważył, że ceny artykułów są dwukrotnie wyższe niż w sklepie.

W przedostatnim pokoju natknął się na nową mieszkankę ośrodka. Tabliczka na drzwiach zdradzała jej nazwisko: Emily Wildman. Kobieta siedziała na rogu łóżka z miną osoby zagubionej i bezradnej. Widać było, że płakała. Część jej rzeczy wciąż była zapakowana w kartony, a zaciągnięte zasłony pogłębiały przygnębiający nastrój.

– Witam – powiedział James, wtaczając wózek przez próg.

– Ktoś ty, jakiś głupawy skaut? – zapytała kobieta gwałtownie.

James wyrecytował formułkę, jakiej nauczyła go Ewa, wyjaśniając, że jest wolontariuszem rozwożącym artykuły po domu seniora i że zyski ze sprzedaży są przeznaczane na projekty rozwojowe w krajach Trzeciego Świata. Ewa nie sprecyzowała, jakie to projekty, ale według książki Miriam Longford większość zysków z akcji dobroczynnych Wybrańców przeznaczano na pokrycie kosztów administracyjnych i pieniądze trafiały do szkatuły organizacji.

– Czy ty masz matkę? – zapytała zaczepnie Emily.

James pomyślał o Abigail i skinął głową, ale pytanie ukłuło go – jego prawdziwa mama nie żyła.

– Kiedy będzie stara i niedołężna, sprzedasz jej dom i zmusisz do mieszkania w takim miejscu?

James uśmiechnął się.

– Macie tu wielki taras i ogród, a wszyscy, których tu spotkałem, wydają się całkiem mili.

– Śmierdzi starością i sikami – odburknęła Emily.

James nie zdołał się nie roześmiać.

– Nie no, aż tak strasznie nie śmierdzi.

– Jeśli mogą cię podkurować, wysyłają do szpitala, jeżeli nie, wysyłają tutaj, żebyś zdechł.

Drobniutka Emily wyglądała, jakby ledwie miała siłę wstać, ale James czuł się onieśmielony, kiedy wycofywał się wraz z wózkiem w stronę drzwi.

– Cóż, mam nadzieję, że wszystko się ułoży. Z czasem się pani przyzwyczai.

– Zaczekaj – powiedziała Emily. – Wezmę jedną turecką. Ostatnio nie jadam zbyt dużo, ale skubnęłabym trochę czekolady.

– Trzy dolary.

Słysząc cenę, Emily zmarszczyła brwi. Po chwili milczenia uśmiechnęła się i machnęła ręką.

– Chrzanić to. Wolę, żeby dostali je Afrykanie niż ten bałwan, mój syn.

James uśmiechnął się, wyciągając rękę po trzy jednodolarowe monety, ale czuł się podle, kiedy wyprowadził wózek na korytarz i skierował ku ostatnim drzwiom. Wszystko w tym miejscu przypominało mu, że on także kiedyś zestarzeje się i umrze.

17. INTEGRACJA

Dziesięć dni po swojej pierwszej wizycie u Wybrańców Abigail i cherubini spędzali już większość wolnego czasu albo w komunie, albo angażując się w działalność sekty. Abigail rozpoczęła coś, co Elliot nazwał „osobistą podróżą po Oceanie Miłości". W ciągu dnia słuchała płyt Wybrańców i oglądała filmy, wieczory spędzała w komunie, na zajęciach dla samotnych rodziców albo osobistych sesjach terapeutycznych z Elliotem. Wciągnęła się również w zbieranie funduszy na cele dobroczynne i kwestowała z puszką w centrum miasta. W te nieliczne wieczory, kiedy nie pojawiała się w komunie, Elliot zwykle telefonował do niej i naciągał na przydługą rozmowę albo składał jej niezapowiedzianą wizytę.

Dana grała rolę krnąbrnej rekrutki. Nieszczęsnego siedemnastoletniego opiekuna, którego z lubością zapędzała w kozi róg trudnymi pytaniami, zastąpiono kobietą w średnim wieku ulepioną z twardszej gliny. Elliot zasugerował zapisanie Dany na intensywny program terapeutyczny, który miał jej pomóc w poradzeniu sobie z problemami z postawą emocjonalną i wrogością. Abigail zgodziła się i pokryła koszty terapii, wypisując czek na siedemset osiemdziesiąt dolarów.

Sesje były nastawione na poprawienie samooceny Dany z jednoczesnym subtelnym wprowadzaniem jej w świat wiary Wybrańców i przedstawianiem korzyści płynących z ich stylu życia. Jej sceptycyzm był chwytem mającym nadać procesowi integracji rodziny z sektą pozory naturalności, ale nie mógł hamować postępów operacji, dlatego Dana pozwoliła się przekonać i otrzymała rzemienny naszyjnik zaledwie tydzień po pozostałych.

Laura poznała w komunie wiele dzieci w swoim wieku. Młodzi sekciarze nie posiedli jeszcze manipulacyjnych talentów swoich starszych kolegów, dzięki czemu stosunkowo łatwo broniła się przed indoktrynacją. Podczas gdy Abigail i Dana męczyły się na sesjach terapeutycznych, ona buszowała po byłym centrum handlowym.

Wizytę zaczynała zwykle od spotkania z koleżankami w świetlicy albo pomieszczeniach mieszkalnych na górze i włączenia się w cokolwiek, co właśnie robiły. Zajęcia były rozmaite: od gier, przez odrabianie lekcji, po udział w jednym z licznych krótkich nabożeństw, jakie odprawiano co wieczór. Niektóre z zabaw sprawiały Laurze frajdę, zwłaszcza gry sportowe i radośnie rozklaskane ceremonie ze śpiewem i tańcami. Teraz, po nauczce pierwszej wizyty w komunie, zawsze pamiętała, by stosować techniki samokontroli, których nauczyła ją Miriam: wspomnienie zapachu kosza na brudną bieliznę Jamesa skutecznie powstrzymywało falę euforii.

Ponieważ integracja Jamesa zdawała się postępować gładko, nie zaproponowano mu udziału w osobistych sesjach terapeutycznych tak jak Abigail i Danie, ale Ewa i Ruth trzymały go pod ścisłym nadzorem, posuwając się nawet do czekania pod drzwiami, kiedy wychodził do toalety. Zachęcały go do udziału w nabożeństwach i słuchania wykładów o naukach i życiu Joela Regana. Codziennie po szkole James odwiedzał dom seniora, a po obchodzie często jechał z Ewą prosto do komuny, nawet nie wstępując do domu.

*

Koordynatorzy operacji John Jones i Chloe Blake stacjonowali w hotelu w centrum Brisbane. Ich udział w misji miał być niewielki do czasu pełnej integracji rodziny Prince'ów z sektą, więc wykorzystali wolny czas na przeprowadzenie małego wywiadu. Jedną z ciekawostek, jakich się doszukali, była informacja, że Dom Opieki nad Osobami Starszymi w North Park należy do Wybrańców i jest przez nich prowadzony.

W miarę kolejnych obchodów James przyzwyczajał się do towarzystwa staruszków. Pensjonariusze o słabym wzroku często prosili go, by odczytywał im listy. Wysłuchiwał niekończących się utyskiwań na nękające ich schorzenia i na nieuprzejmy personel ośrodka. Wiele osób skarżyło się, że musiały zapłacić za kuracje i wyjazdy, w których nie wzięły udziału. Pościel nie była zbyt często zmieniana, w rurach warczało, woda nigdy nie była gorąca, a klimatyzacja nie działała jak należy. James nie potrafił określić, ile skarg było rzeczywiście uzasadnionych, a ile wynikało po prostu z tego, że mieszkańcy ośrodka nie mieli zbyt wiele do roboty poza oglądaniem telewizji i wyszukiwaniem powodów do biadolenia.

Ewa zachęcała Jamesa do nawiązywania bliższego kontaktu z pensjonariuszami. Wkrótce zorientował się, że staruszkowie czekają na jego krótką popołudniową wizytę i często szykują się do niej, kładąc na widoku coś, o czym pragnęli pomówić: wycięty z gazety artykuł, wojenne odznaczenia męża albo fotografię z czasów młodości. James czuł się nieswojo, oglądając pożółkłe zdjęcia nastoletnich panien i szerokopiersnych żołnierzy przemienionych przez czas w zasuszonych staruszków dreptczących chwiejnie wokół swoich łóżek.

James najwięcej czasu spędzał u Emily, zwykle od dziesięciu aż do piętnastu minut, częściowo dlatego, że przypominała mu jego własną babcię, lecz przede wszystkim dlatego, że była pełna życia w porównaniu z innymi miesz-kańcami domu i często pijana.

Wychylając kolejne szklanki wódki z mlekiem, Emily snuła ciąg wybornych anegdot o swoim synu, którego na-zywała przeważnie bałwanem albo półgłówkiem i który roztrwonił ponoć znaczną część rodzinnej fortuny, zakła-dając i doprowadzając do bankructwa tanie linie lotnicze, a potem sieć supermarketów dla majsterkowiczów. Emily użalała się, że ciągnie na ostatnich kilku milionach. James-owi szczególnie spodobała się opowieść o tym, jak pół-główek niechcący przybił się do płyty gipsowej podczas de-monstracji elektronarzędzi w jednym ze swoich sklepów. Publicznie upokorzony zaatakował następnie śmiejącego się mężczyznę, który okazał się bokserskim mistrzem kraju w wadze muszej.

W piątek, trzynaście dni po swojej pierwszej wizycie w komunie, James zastał Emily na słuchaniu kazań Joela Regana dobywających się z głośników nowiutkiej mini-wieży.

– Elliot dał mi tę płytę, kiedy przywiózł nowe ręczniki i dywaniki łazienkowe – wyjaśniła staruszka, uprzedzając pytanie. – Mam nadzieję, że nie poczujesz się urażony, James; wiem, że jesteś jednym z nich, ale dla mnie to stek głupot.

*

James wrócił z domu opieki o szóstej. Poszedł prosto pod prysznic, a potem zszedł do jadalni, gdzie Laura wła-śnie kończyła nakrywać do stołu. Kolacja była prawie go-towa, ale James nie potrafił ukryć rozczarowania, kiedy Abigail wniosła tace z lekko przypalonymi supermarketo-wymi cannelloni.

– O matko – jęknął James. – Poziom twojej kuchni osiąg-nął dno.

Abigail uśmiechnęła się.

– Nie mam czasu, James. Większą część ranka spędzam z Elliotem, a dziś po południu przez trzy godziny pakowałam kupony promocyjne do kopert.

– Po co? – zapytał James, patrząc na Danę, która w tej chwili weszła do jadalni i usiadła obok niego.

Abigail wzruszyła ramionami.

– To kolejne źródło dochodów Regana: produkcja materiałów marketingowych dla dużych firm. Elliot powiedział, że mają za mało ludzi, i ubłagał mnie, żebym przyszła im pomóc.

– Nienawidzę Elliota – skrzywiła się Laura. – To śliski gnojek.

James zerwał się, by pomóc Abigail w nakładaniu jedzenia. Dana pokiwała głową.

– Zauważyłaś, że zawsze wydaje się przebywać w trzech miejscach naraz?

– Elliot? Mary twierdzi, że sypia tylko cztery godziny na dobę – powiedziała Abigail. – Podobno był jednym z najważniejszych ludzi w arce, dopóki nie podpadł Pajęczycy. Liczy na to, że wróci do łask, jeśli uczyni komunę w Brisbane najbardziej dochodową na świecie.

James zmarszczył brwi.

– Jaka znowu Pajęczyca?

Dana i Laura przemówiły jednocześnie i jednakowo wzgardliwym tonem.

– Najstarsza córka Regana.

– Ach... No tak.

– Czy ty niczego nie wiesz? – skrzywiła się Laura. – Ona jest jak Zła Czarownica z Zachodu. Joel Regan ma osiemdziesiąt dwa lata. Wszyscy mówią, że teraz to Pajęczyca pociąga za wszystkie sznurki.

James usiadł i dźgnął widelcem swoje cannelloni z kurczakiem. W tej samej chwili Abigail chrząknęła głośno i znacząco.

– James, ile razy mam ci powtarzać, żebyś nie siadał do stołu w samych spodenkach?

James uniósł brwi.

– Przecież jestem czysty. Dopiero co się umyłem i spryskałem dezodora...

– Nie obchodzi mnie to – ucięła Abigail. – Nie mam zamiaru siedzieć przy stole z facetem w samych gaciach. Idź i włóż coś na siebie.

James nie był w nastroju do walki z obsesją Abigail.

– Dobra, dobra – powiedział, unosząc ręce. – Nie wiem, w czym masz problem, ale...

– Jak ci się nie podoba, sam sobie rób obiady – odparowała Abigail.

– Wyluzuj, mamusiu, bo ci korek wyskoczy. Idę po koszulkę.

Sapiąc ze złości, James pobiegł na górę, żeby się ubrać. Po trzech tygodniach misji kombinacja szkoły, prac domowych, domu starców i coraz większej ilości czasu spędzanego w komunie zaczynała dawać mu się we znaki.

Kiedy wrócił, opadł na krzesło, patrząc spode łba na Abigail. Laura cmoknęła z pogardą, nie mogąc oprzeć się pokusie wbicia szpili bratu.

– Och, James, jesteś taki dziecinny.

– Laura, mam głęboko gdzieś, co o mnie myślisz – wycedził James.

– Język! – wrzasnęła Abigail, waląc dłonią w stół.

– Chryste! – jęknęła Dana. – Możecie się wreszcie zamknąć? Chciałabym raz w życiu zjeść kolację, nie musząc słuchać, jak sobie dogryzacie.

James wepchnął sobie w usta porcję pasty z kurczakiem, a Abigail zaczęła chichotać.

– Co? – zdziwiła się Laura.

Abigail pociągnęła nosem.

– Zabawne. Zaczynamy się kłócić jak prawdziwa rodzina.

Cherubini uśmiechnęli się.

– Przepraszam was – powiedział James. – Nie chciałem nikogo urazić. Jestem trochę zestresowany i tyle.

– Przeprosiny przyjęte – skinęła głową Abigail. – Niestety, należy się spodziewać, że odtąd będzie nam jeszcze trudniej. Dziś rano odwiedził mnie Elliot. Powiedział, że nasz wkład w działalność Wybrańców jest szalenie cenny, i zaproponował, żebyśmy przenieśli się do komuny na okres próbny.

James i Laura uśmiechnęli się do siebie. Nawet Dana pozwoliła sobie na pełne satysfakcji kiwnięcie głową.

– Oczywiście przyjęłaś propozycję? – zapytał James.

– Z oporami. Powiedziałam, że to chyba trochę za wcześnie i że nie mam pewności, czy jestem gotowa na tego rodzaju zaangażowanie. Mimo to jakoś zdołał mnie przekonać – powiedziała kpiąco Abigail.

Laura roześmiała się.

– Założę się, że bardzo dokładnie obejrzał dom i policzył, ile jest wart.

– Na pewno – pokiwała głową Abigail. – Nie będzie zachwycony, kiedy odkryje, że tylko go wynajmujemy.

18. PRZEPROWADZKA

Przenosiny do komuny były zgodne z planem operacji, ale tak naprawdę James nie miał się z czego cieszyć. Do tej pory był w stanie wykroić trochę czasu dla siebie, nawet jeśli był to tylko długi prysznic i godzinka przy Playstation po powrocie z domu seniora. Po przeprowadzce do Wybrańców miał być skazany na ich psychologiczne gierki przez dwadzieścia cztery godziny na dobę i siedem dni w tygodniu.

Dwie białe furgonetki zajechały przed dom w sobotę wczesnym rankiem. Wysiedli z nich dwaj Wybrańcy w średnim wieku, którzy od razu zabrali się do noszenia toreb z ubraniami i rzeczy spakowanych już poprzedniego dnia. Wzięli także komputer i wielkoekranowy telewizor, który Abigail zgodziła się podarować sali wystawowej w komunie.

Rodzina Prince'ów wsiadła do mercedesa i ruszyła za furgonetkami po pustych o tej porze ulicach. James był zaskoczony, widząc, że przy wejściu byłego centrum handlowego nie wita go Ewa, tylko Paul – chłopiec, którego widywał w szkole i w komunie, ale z którym nie zamienił dotąd ani słowa.

Paul miał trzynaście lat, ale pucołowate policzki nadawały mu wygląd młodszego, niż był w rzeczywistości. Złapał torbę z rzeczami Jamesa i zaprowadził go do środka.

Chłopcy wspięli się po nieczynnych schodach ruchomych na drugie piętro budynku. James nigdy przedtem nie był tak wysoko. Dotarli do niewielkiej sali z barem oddzielonej szklanymi ścianami od tarasu na dachu, dawniej służącego jako restauracja. Pod ścianami leżały szeregi materaców. W sali było duszno, w powietrzu unosił się zapaszek potu i bąków ponad dwudziestu chłopców śpiących tu każdej nocy. Paul wskazał palcem rząd szafek za barem.

– Wszystkie rzeczy chowamy tam.

Większość drzwiczek była otwarta, a z półek zwieszały się fragmenty wepchniętych byle jak ubrań. Podszedłszy bliżej, James zorientował się, że przestrzeń na rzeczy jest wspólna, podzielona na sekcje, z których każda zawiera inny rodzaj odzieży.

– Jak rozpoznajecie, co jest czyje?

Paul wzruszył ramionami.

– Tu nie ma czegoś takiego jak własność, James. Dzielimy się wszystkim oprócz takich rzeczy jak buty i szczoteczki do zębów. To byłoby niehigieniczne.

James miał opory przed włożeniem swoich markowych ciuchów i trzytygodniowego mundurka szkolnego pomiędzy wyblakłe szmaty w szafkach. Nie miał jednak wyboru i mógł pocieszać się jedynie tym, że przezornie nie wziął ze sobą zegarka ani Playstation.

– Zapomniałem o twoim prezencie powitalnym – powiedział Paul, sięgając do tylnej kieszeni szortów po cienką broszurkę zatytułowaną *Podręcznik Wybrańca*. Do okładki przyklejona była mała celofanowa torebka zawierająca biały koralik.

James zrobił, co w jego mocy, by wyglądać na zachwyconego.

– Dzięki, stary.

– Gratulacje! – zawołał radośnie Paul. – Od tej chwili jesteś aniołem, chłopie.

James czytał już *Podręcznik Wybrańca*. Książeczka zawierała podstawowe założenia ideologiczne sekty Joela Regana. Pierwsze wydanie pojawiło się w tysiąc dziewięćset sześćdziesiątym trzecim roku i z biegiem lat było poprawiane tuzin razy, przy czym w każdym kolejnym wydaniu przyczyna i data apokalipsy były coraz bardziej niejasne. Podręcznik wykładał teorie Regana dotyczące aniołów, diabłów i zbliżającego się kataklizmu jądrowego, który miał zetrzeć ludzkość z powierzchni ziemi. Regan twierdził, że zagłada będzie dziełem szatana oraz że otrzymał zlecenie od Boga, który polecił mu zbudować arkę oraz ocalić garstkę ludzi poprzez przemienienie ich w anioły. Szatan nienawidzi Wybrańców, ponieważ Bóg wybrał ich, by zniweczyli jego plany unicestwienia ludzkości.

Według książki Wybrańcy mogli czuć się bezpiecznie, jedynie żyjąc i modląc się w komunach, gdzie Bóg może ich obserwować. Powinni unikać nadmiernych kontaktów ze światem zewnętrznym, a zwłaszcza z mediami: telewizją, radiem i gazetami. Bezczynność i zwątpienie otwiera diabłom drogę do komun, a każdy, kto opuścił Wybrańców, odwrócił się od Boga, wcześniej rozgniewawszy szatana. Porzucić sektę albo kontaktować się z tym, kto się tego dopuścił, oznaczało wydać się na śmierć w męczarniach oraz skazać na wieczność w najgłębszych czeluściach piekieł.

W swojej książce o Wybrańcach Miriam Longford zauważyła, że Regan stosuje metodę zastraszania członków sekty, jednocześnie nie dając im czasu na samodzielne myślenie i rozważenie przyczyn swojego oddania dla kultu:

Wybrańcy mieszkający w komunach żyją według ustalonego harmonogramu ułożonego tak, by uniemożliwić im wysypianie się oraz wymusić nieustanną aktywność w czasie czuwania. Ich dieta jest bogata w cukier i inne stymulatory, takie jak kofeina. Kombinacja owych czynników wywołuje rodzaj transu, jaki jeden z byłych Wybrańców na-

zwał „życiem w radosnej mgle". *Na dłuższą metę niedobór snu w połączeniu z niewłaściwą dietą i wysokim poziomem aktywności może mieć katastrofalny wpływ na ogólny stan zdrowia. Najczęstszą przyczyną odejścia z sekty Wybrańców jest skrajne wycieńczenie.*

*

Aby ułatwić Jamesowi obronę przed bezczynnością i najgłębszymi czeluściami piekieł, wręczono mu szczegółowy harmonogram organizujący całe jego życie. Zanim zdążył powkładać swoje rzeczy do szafek i nawlec biały koralik na rzemyk, minęło wpół do dziewiątej. James przestudiował harmonogram, idąc na dół za Paulem, który denerwował się, że nie zdążą na poranne nabożeństwo.

SOBOTA
6:45 Pobudka
7:00 Poranny bieg/ćwiczenia fizyczne
7:45 Prysznic, higiena osobista
8:10 Śniadanie
8:35 Nabożeństwo poranne
9:00 Praca wg przydziału
12:45 Lunch
13:30 Nabożeństwo popołudniowe
14:00 Kwesta
17:40 Obiad
18:20 Nabożeństwo wieczorne
18:50 Zajęcia sportowe
20:30 Prysznic, higiena osobista
20:50 Nabożeństwo późnowieczorne
21:15 Powrót do sypialni
23:00 Zgaszenie świateł

Nabożeństwa Wybrańców były krótkie, bardzo radosne i szybkie. James usiadł obok Paula w zewnętrznym kręgu.

Całkowicie męskie zgromadzenie połączyło ręce, by stworzyć barierę dla szatana, po czym na środek kręgów wkroczyła siwowłosa kobieta o imieniu Weena. Kobieta usiadła i postawiła przed sobą zestaw złożony z dwóch niedużych tam-tamów. Poprosiła zebranych o ciszę, po czym zaczęła energicznie uderzać w bębenki.

– Dziękujemy Ci, Boże, że wybrałeś nas, abyśmy przetrwali. Dziękujemy Ci za to, że dałeś nam schronienie. Dziękujemy, że bronisz nas przed diabłami. Krąg ma początek tutaj.

Weena wskazała wybraną na chybił trafił osobę, która podziękowała Bogu za ofiarę jego syna Jezusa Chrystusa. Zebrani odpowiedzieli chórem:

– Dziękujemy Ci, Panie.

Mężczyzna siedzący obok pierwszego podziękował Bogu za swoje piękne dzieci i znów wszyscy odpowiedzieli grzmiącym: „Dziękujemy Ci, Panie". Weena bębniła jak oszalała, podczas gdy kolejni wierni składali podziękowania. Kiedy przyszła pora na Jamesa, ten przez chwilę nie wiedział, co powiedzieć, aż wreszcie wypalił:

– Dziękuję Ci, Panie, za to, że uczyniłeś mnie aniołem.

Wszyscy pokiwali głowami z uznaniem i James został nagrodzony najgłośniejszym: „Dziękujemy Ci, Panie". Po odbębnieniu dwóch rund podziękowań za trzydzieści różnych rzeczy Weena odłożyła instrumenty, a następnie poprosiła wszystkich, by powstali i rozluźnili dłonie i stopy.

– A teraz robimy głęboki wdech... – powiedziała miękko. – I wydech.

James czytał o ćwiczeniach oddechowych, ale nigdy dotąd się z nimi nie zetknął. Kilka minut wymuszonego oddychania głębokimi wdechami podnosi poziom tlenu we krwi, wywołując uczucie lekkiego oszołomienia. Miriam poradziła mu, by podczas ćwiczeń oddychał normalnie, jednocześnie wykonując gwałtowne gesty, by sprawiać wrażenie, że robi to co inni. Jednak w małych dawkach technika ta nie była groźna i James postanowił sprawdzić, jak to jest.

Zgromadzenie wdychało i wydychało powietrze przez trzy minuty, w czasie których Weena szczebiotała kojąco do wiernych, prosząc, by rozluźnili się i wyobrazili sobie, że miłość Boga rozgrzewa im serca.

– A teraz niech każdy znajdzie kogoś do uściśnięcia – powiedziała nagle, odzyskując normalny głos.

James odwrócił się do Paula i chłopcy padli sobie w ramiona.

– Jesteś przepiękną ludzką istotą i Bóg cię kocha – powiedział Paul z przekonaniem i bez cienia ironii.

James nie mógł się nie uśmiechnąć.

– Ty też jesteś niesamowity, stary. Ciebie Bóg kocha jeszcze bardziej.

Weena podniosła bębenki, przecisnęła się między parami przytulających się mężczyzn i opuściła salę. James i Paul wyszli ostatni. James był dziwnie zadowolony z siebie. Przypominało mu to uczucie, jakiego doznawał, kiwając się do fajnego kawałka albo kiedy wyciął jakąś szczególnie trudną sztuczkę na Playstation.

Podczas gdy szli głównym korytarzem centrum handlowego, James zadumał się nad łatwością, z jaką doświadczony członek sekty taki jak Weena potrafi manipulować emocjami dużej grupy ludzi.

– Lubisz nabożeństwa? – zapytał Paula.

Chłopak rozpromienił się.

– No pewnie. Człowiek czuje, że żyje, no nie?

James pokiwał głową i spojrzał na harmonogram.

– No dobra – westchnął. – Co to jest praca według przydziału?

Mina Paula nieco zrzedła.

– To ta jedna rzecz w weekendach, której nie cierpię.

– Co mamy robić?

Paul uśmiechnął się boleśnie.

– Powiem tylko, że po czterech godzinach jako pakowacz już nigdy nie będziesz chciał oglądać żadnej książki ani płyty Wybrańców.

19. PAKOWANIE

Magazyn komuny znajdował się naprzeciwko byłego centrum handlowego, po drugiej stronie ulicy – była to wielka prostopadłościenna hala pokryta falistą blachą. James i Paul przeszli przez zalany słońcem placyk i przez podwójne drzwi wkroczyli do portierni, która wydawała się ciemna, dopóki wzrok nie przystosował się do sztucznego oświetlenia. Za ladą z płyty wiórowej siedział brygadzista z tłustymi plamami pod pachami.

– Hej, Joe – powiedział Paul. – To jest James. Nowy. Potrzebuję dwóch stanowisk obok siebie, żebym mógł pokazać mu, co i jak ma robić.

Joe w milczeniu sięgnął pod biurko i wydobył dwa plastikowe krążki z numerami podobne do tych, jakie dostaje się w przymierzalni sklepu z ubraniami.

– Przyda ci się woda, James – powiedział Paul, wskazując na druciany kosz wypełniony plastikowymi butelkami.

Chłopcy wzięli sobie po butelce i przez kolejne podwójne drzwi przeszli do hali magazynowej. Pierwszym, co uderzyło Jamesa, było gorąco: hala nie miała klimatyzacji. Na zewnątrz było trzydzieści pięć stopni, a w środku jeszcze więcej. Szeregi regałów pięciometrowej wysokości były zawalone kartonami z kasetami wideo, płytami CD, DVD oraz książkami. Niektóre zapakowano luzem, inne były w wymyślnych opakowaniach jak to, które poprzedniego popołudnia James widział u Emily.

Po przejściu stu metrów wzdłuż regałów chłopcy dotarli do szeregu dwudziestu stanowisk roboczych na końcu magazynu. Odszukali stanowiska numer osiemnaście i dziewiętnaście, po czym Paul pokazał Jamesowi, co ma robić. Przy każdym stanowisku stał komputer, który drukował zamówienia na płyty, kasety i inne towary Wybrańców. Pierwsza strona stanowiła fakturę dla odbiorcy, kopia pod spodem była przeznaczona dla pakowacza, którego pierwszym zadaniem było wyszukanie zamówionych artykułów wśród regałów i przeniesienie ich na stanowisko. Po skompletowaniu zamówienia należało ze stosu spłaszczonych kartonowych pudeł wybrać jedno w odpowiednim rozmiarze, ułożyć artykuły w środku, a wszystko umieścić pod wylotem plastikowej rury zwieszającej się z sufitu. Naciśnięcie pedału pod stołem wyzwalało strumień styropianowych ścinków, które wypełniały puste miejsca w pudełku, zabezpieczając towar przed uszkodzeniem w czasie transportu. Na tak przygotowaną paczkę należało nakleić etykietę z adresem, a całość zakleić brązowym przylepcem albo zabezpieczyć plastikowymi taśmami.

Po przyjrzeniu się, jak Paul przygotowuje pierwszą paczkę, oraz kilkakrotnym wywołaniu styropianowego potopu poprzez nazbyt entuzjastyczne deptanie pedału, James opanował swoje zadanie. Komputer mierzył czas wykonania każdego zlecenia i jeśli pakowacz poruszał się zbyt powoli, nad stanowiskiem złowrogo rozbłyskiwała czerwona lampa.

Przez następne cztery godziny James biegał jak opętany po magazynie, kompletując zamówienia na towary Joela Regana. Pakował różności: od płyt CD zatytułowanych *Przeżywaj pracę – wykłady motywacyjne Joela Regana* za dziewiętnaście dziewięćdziesiąt dziewięć sztuka, przez instrukcje serwisowe automatów sprzedających napoje i przekąski, po przyciężkie tomiszcze *Budując arkę* za trzysta dziewięćdziesiąt dziewięć dolarów. Każdy egzemplarz tej połyskliwej ciężkiej cegły zawierał fiolkę świętej ziemi zebranej na terenie arki i pobłogosławionej przez samego Joela Regana.

Zdecydowanie najlepiej szły kursy motywacyjne sprzedawane dużym korporacjom przez fasadową firmę Wybrańców. Reklamowy napis na pudełku głosił, że korzystały z nich „setki największych przedsiębiorstw Ameryki".

Jamesowi zamierało serce, kiedy drukarka wypluwała te gigantyczne zamówienia, ponieważ oznaczało to bieganie z setkami masywnych segregatorów z materiałami szkoleniowymi, masą książek, kaset i płyt.

*

Do końca zmiany James wypił dwa litry wody. Ostatnie zamówienie Paula było kolosalne i chłopcy stracili na nie jedną trzecią czterdziestominutowej przerwy na lunch. Skończywszy pracę, pognali do centrum handlowego, pospiesznie ochłodzili się w obskurnych wspólnych natryskach i pognali do sypialni owinięci ręcznikami, starając się trzymać z dala od siebie przepocone buty.

James otworzył szafkę z ubraniami i spostrzegł, że jego rzeczy już zniknęły. Nie przejął się zbytnio, ale grzebanie w stosach wysłużonych ciuchów w poszukiwaniu czegoś nie za bardzo odrażającego i w odpowiednim rozmiarze podziałało na niego przygnębiająco. Skończył w obcisłym żółtym T-shircie, bokserkach, o jakich lepiej było nie myśleć, szarych skarpetkach i obciętych dżinsach, tak wystrzępionych i wytartych, że wyglądały naprawdę fajnie.

Ubrawszy się, chłopcy – którzy tego dnia przegapili śniadanie – musieli co tchu pędzić na dół, żeby załapać się na lunch przed końcem wydawania posiłków. Jedzenie było wyraźnie oszczędnościowe i pachniało jak świństwa, które James jadał w szkołach i domach dziecka przez całe swoje życie. Dostał makaron w sosie serowym, kubek soku pomarańczowego i lody czekoladowe z posypką. Pod koniec posiłku Paul pokazał mu, gdzie odnosi się brudne naczynia. Po drugiej stronie kontuaru James zauważył Danę i Abigail wyjmujące sztućce z buchającej parą zmywarki. Miały siatki na włosach, fartuchy i obie wyglądały na bardzo zmęczone.

Wymienili skinienia głowy, ale na pogawędkę nie było czasu, ponieważ James i Paul musieli pędzić na popołudniowe nabożeństwo. Gdy wparowali do sali, kręgi były już uformowane, a ceremonia rozpoczęta. Prowadziła ją Mary, która na widok chłopców przerwała grę na gitarze i uśmiechnęła się.

– Dołączcie do kręgu – powiedziała łagodnie, a kilka osób z zewnętrznego koła przesunęło się do tyłu, by zrobić miejsce dla dwóch dodatkowych osób.

James usiadł w kręgu, z trudem łapiąc oddech. Mary zaczęła klaskać, a grupa odklaskiwała. Potem zaintonowała bezsensowną przyśpiewkę, a wszyscy powtarzali kolejne zwrotki. James był wykończony po pracy w magazynie i na cukrowym haju po soku pomarańczowym i lodach. Po nabożeństwie czuł się błogo jak nigdy i musiał bardzo się pilnować, by nie dać się ponieść emocjom.

Po nabożeństwie chłopcy czym prędzej pognali na parking. James nigdy przedtem nie odwiedzał komuny za dnia i był zaskoczony panującą w niej gorączkową krzątaniną. Na korytarzach centrum handlowego nawet dorośli na ogół poruszali się biegiem, a rześki marsz wydawał się szczytem wyluzowania.

James i Paul wcisnęli się do minibusu i usiedli obok siebie. Zajęta była dopiero połowa miejsc, ale w ciągu następnych dwóch minut do chłopców dołączyło jeszcze sześcioro dzieci, w tym Ewa i Laura. Chwilę później z budynku wybiegł Elliot, który zatrzasnął przesuwane drzwi furgonetki, po czym zajął miejsce za kierownicą.

– Jak sobie radzi nasz nowy rekrut? – zapytał, wyjeżdżając z parkingu.

– Nie najgorzej – skinął głową James. – Chociaż cztery godziny wypruwania z siebie flaków w magazynie to średnia przyjemność.

Gwar rozmów ucichł, a Paul dźgnął Jamesa łokciem między żebra.

– No co? – zdumiał się James.

Paul nie odpowiedział, ale zrobił to Elliot, kiedy tylko furgonetka nabrała prędkości.

– To była wyjątkowo negatywna uwaga, James. Nauczyłeś się, jak obsługiwać stanowisko i jak dobrze pakować produkty, czyż nie?

James skinął głową.

– Ile zamówień wysłałeś?

– Sto... ileś tam.

– Sto dwadzieścia sześć – wypalił Paul. – Tylko o kilka mniej niż ja.

– Świetna robota – ucieszył się Elliot. – Praca w magazynie jest niezmiernie ważna. Każdy z tamtych produktów przynosi nam pieniądze na rozbudowę i utrzymanie arki. Na swój sposób, James, to, co tam robisz, jest twoim wkładem w dzieło budowy arki. Rozumiesz mnie?

– Tak.

– To dobrze – powiedział Elliot. – Zatem następnym razem, kiedy będziesz pracował w magazynie, spróbuj wyobrazić sobie, że każda książka i każda płyta, jaką niesiesz, to kolejna cegła w murach arki. Wyznacz sobie cel. Obiecaj sobie, że następnym razem wyekspediujesz sto pięćdziesiąt przesyłek. Nasi najlepsi ludzie przekraczają pięćdziesiąt paczek na godzinę.

James nienawidził Elliota z jego fałszywym entuzjazmem i drętwą gadką, ale należał teraz do Wybrańców i musiał zachowywać się jak jeden z nich.

– Cieszę się, że jestem aniołem – powiedział James. – Postaram się nie myśleć negatywnie.

– I o to chodzi! – roześmiał się Elliot. – Właśnie to chciałem usłyszeć.

*

Pojechali do rozległego kompleksu artystyczno-rekreacyjnego South Bank nad rzeką Brisbane. Były tam galerie, plac targowy, restauracje, parki, place zabaw i sztuczna plaża. Na miejscu dzieci wysypały się z minibusu, a Elliot rozdał wszystkim puszki ze szczeliną w wieczku.

– No dobra! – zawołał. – Powodzenia. Jest tu mnóstwo ludzi, zatem ruszajcie i zarabiajcie. Przekonajmy się, czy wasza dwunastka zdoła dziś zebrać tysiąc dolarów. Spotykamy się tutaj za piętnaście szósta. Nie spóźnijcie się, mam dziś wyjątkowo napięty harmonogram.

James podszedł do grupy dziewcząt, żeby przywitać się z Laurą, Ewą i dwojgiem znajomych. Spojrzał na Ewę.

– Myślałem, że spotkamy się dziś rano.

– Bardzo się cieszę, że zostałeś aniołem – powiedziała sucho Ewa.

Spróbował nawiązać rozmowę z innymi dziewczętami, ale odpowiadały niechętnie, więc szybko dał spokój. Ewa podzieliła dwanaścioro dzieci na cztery grupy, które posłała w różne rejony South Bank. Na pytanie Laury, czy może kwestować z Jamesem i Paulem, kiwnęła przyzwalająco głową.

– Na jaki to cel? – zapytała jedna z koleżanek Laury.

Ewa uśmiechnęła się.

– Walka z rakiem. To zyskowny motyw i dawno go nie używaliśmy.

Paul ruszył przed siebie, a za nim Laura i James. Za każdym razem, kiedy James kogoś mijał, potrząsał puszką i wołał:

– Australijskie badania nad rakiem.

Mniej więcej co trzecia osoba wrzucała do puszki kilka monet.

– Myślałam, że zbieramy pieniądze na arkę – powiedziała Laura, kiedy nikogo nie było w pobliżu.

– Bo tak jest – powiedział Paul. – Ale ludzie są pełni uprzedzeń wobec Wybrańców. Gdybyśmy mówili, że to na arkę, nie zarobilibyśmy ani centa, a do tego jeszcze by nas zwyzywali.

Laurze opadła szczęka.

– Ale to przecież kłamstwo.

Paul pokręcił głową z przekonaniem.

– Można kłamać diabłom, Laura, oni się nie liczą.

Dotarli do parku, kilometr od miejsca, gdzie wysiedli z furgonetki. Paul stanął przy bramie, a Jamesowi i Laurze polecił obstawić inne wejścia.

James potrząsnął puszką w stronę przechodzącej rodziny.

– Australijskie badania nad rakiem – wyszczerzył się.

Mężczyzna wręczył kilka monet swojemu małemu synkowi, który sięgnął niezdarnie w górę i wrzucił drobne do puszki.

– Uprzejmie państwu dziękuję – powiedział James entuzjastycznie.

Laura wzdrygnęła się i obejrzała przez ramię, upewniając, czy Paul jest wystarczająco daleko.

– To jest obrzydliwe – szepnęła do Jamesa. – To gorsze od najpodlejszej rzeczy, jaką musiałam robić, o jakiś milion procent.

– Australijskie badania nad rakiem – powiedział James do emeryta, który go zignorował.

Odwrócił się i spojrzał na Laurę.

– Wiem, siostrzyczko. Po prostu zaciśnij zęby i pomyśl, że robisz to dla misji.

– A ta sekta jest seksistowska. Dziewczyny wykonują tylko prace domowe. Uważasz, że pakowanie paczek było straszne? Szkoda, że nie widziałeś, co ja dostałam. Przez cały dzisiejszy ranek polerowałam podłogi, a jutro mam cztery godziny w pralni.

James wzruszył ramionami.

– Co mogę powiedzieć, Laura? Wiedzieliśmy, że ta misja będzie ciężka. Przynajmniej wieczory są trochę przyjemniejsze, a od poniedziałku do piątku mamy szkołę.

– Wiem, wszystko wiem – powiedziała smutno Laura. – Po prostu musiałam wyrzucić to z siebie.

Zagrzechotała puszką do przechodnia.

– Australijskie badania nad rakiem.

Do puszki wpadła dziesięciocentówka. James wyszczerzył się wesoło, próbując rozchmurzyć siostrę.

– Jak zbiorę jeszcze parę dolców, otwieram to maleństwo i idę na lody. Masz ochotę?

20. HORROR

Po całym popołudniu kwestowania i przyjemnym wieczorze spędzonym na grze w piłkę James był wykończony. Po ostatnim nabożeństwie, które skończyło się kwadrans po dziewiątej, wspiął się po nieczynnych eskalatorach na drugie piętro i wyszukał sobie dwie poduszki oraz dwa wystrzępione prześcieradła do przykrycia materaca i siebie. W sypialni mieszkało dwudziestu sześciu chłopców w wieku od ośmiu do osiemnastu lat.

Kiedy zmęczeni aniołowie rozebrali się i poukładali na materacach, dwaj najstarsi, Sam i Ed, włączyli duży, choć już mocno wysłużony telewizor i włożyli do odtwarzacza płytę DVD. James spodziewał się jakiejś budującej chrześcijańskiej rozrywki i był mile zaskoczony, słysząc muzykę z *Egzorcysty*. Widział ten film podczas maratonu horrorów w ośrodku wakacyjnym CHERUBA i zrozumiał, dlaczego jest puszczany w komunie, kiedy tylko przypomniał sobie fabułę. Czyż może być lepszy sposób na zaszczepienie strachu w umysłach młodych Wybrańców niż pokazanie im przed snem filmu o dziewczynce opętanej przez diabła?

Materace Jamesa i Paula leżały obok siebie tak blisko, że prawie się dotykały. Po dwudziestu minutach filmu jeden z młodszych chłopców wśliznął się między nich i Paul objął go ramieniem.

– To mój brat, Rick – wyjaśnił szeptem.

James uśmiechnął się do malca. Po kilku minutach Rickowi zaczęły opadać powieki. Paul delikatnie pociągnął go za ucho.

– Nie zamykaj oczu – powiedział cicho, ale twardym głosem. – Chcesz iść na próbę?

James nie zadawał pytań, ale po minie Ricka domyślił się, że próba jest czymś, dla uniknięcia czego warto zmusić się do czuwania.

Pod koniec filmu nawet starsi chłopcy z trudem bronili się przed zaśnięciem. Wreszcie na ekranie pojawiły się napisy końcowe, a Sam i Ed włączyli światła. Byli najwięksi z całej grupy i wyglądali na bardzo pewnych siebie, kiedy rozglądali się po sali, obserwując dzieciaki na materacach.

– Chyba weźmiemy Martina – powiedział Sam.

Para zbliżyła się do rachitycznego dziewięciolatka chrapiącego kilka materaców od Jamesa. Skulony na poduszce dzieciak miał na sobie tylko czerwone slipki.

– Czas próby! – zawołali Sam i Ed, budząc ofiarę brutalnym szarpaniem.

Martin zerwał się gwałtownie i rzucił tyłem w stronę ściany, byle dalej od wyciągniętych po niego rąk.

– Nieeeee, błagam!

– Dlaczego zasnąłeś? – stękał Ed, ściągając nieszczęsnego chłopca z łóżka. – Wiesz, że powinieneś oglądać film.

Sam uśmiechnął się złowrogo.

– Teraz musisz iść tam zupełnie sam i stawić czoło szatanowi.

– Czy naprawdę jesteś aniołem? Tylko anioł może przetrwać samotną noc na zewnątrz.

– Jeśli szatan zwęszy twoją słabość, dopadnie cię. Będziesz wił się w mękach przez całą noc.

– Nie, proszę, nie! – wydzierał się rozpaczliwie Martin.

Sam odsunął szklane skrzydło drzwi, a jego wspólnik powlókł wątłego dzieciaka po podłodze i wypchnął na zewnętrzny taras. Martin dźwignął się na nogi i dopadł zamkniętych już drzwi. Zaczął krzyczeć, klepiąc dłońmi w szybę i błagając, by wpuścić go do środka.

– Dobranoc – powiedzieli chórem oprawcy i zarechotali nieprzyjemnie.

Martin zrezygnował z łomotania i żałośnie łkając, osunął się na żwir, przyciskając nagie plecy do szyby. Sam zauważył połyskującą strużkę na podłodze.

– O rany – zachichotał, po czym kopnął w szkło za szlochającym dzieciakiem. – Posikałeś się w gacie, świntuchu! Ed ściągnął poduszkę z materaca Martina i użył jej jako wycieraczki do butów.

– Nie przejmuj się, stary, znajdziemy coś do wytarcia.

Prawie wszyscy starsi chłopcy w pokoju uśmiechali się, ale młodsi byli wyraźnie wystraszeni. Sam i Ed nie byli wielcy i James z łatwością mógłby spuścić im manto, wiedział jednak, że wszczęcie bójki mogło zrujnować jego szansę na przyjęcie do szkoły Wybrańców.

James patrzył, jak podkurczone palce Ricka wbijają się w ramię Paula, i walczył z narastającym wzburzeniem. Sekta ściśle kontrolowała życie każdego Wybrańca i trudno było sobie wyobrazić, by ten ohydny chuligański rytuał mógł przetrwać bez cichej aprobaty ludzi na górze.

Kiedy zgaszono światła, Rick popełzł na swój materac. James naciągnął prześcieradło na głowę, starając się nie słyszeć stłumionych szlochów przerażonego chłopca na tarasie.

*

Martina wpuszczono do sypialni o świcie. Skórę miał całą w czerwonych dołeczkach od leżenia na żwirze, ale szatan najwyraźniej zostawił go w spokoju.

James rozpoczął niedzielę od przebiegnięcia kilku okrążeń wokół parkingu i chłodnego prysznica. Na śniadanie był sok pomarańczowy i pszenne płatki w miodzie, które naładowały go energią przed dwudziestoma minutami śpiewania i klaskania, jakie nastąpiły potem. Pod koniec tego starannie przemyślanego emocjonalnego tuningu James zauważył, że otrząsnął się ze zmęczenia oraz że czuje się ożywiony i jest ogólnie zadowolony. Jednak tym razem nie musiał używać żadnych technik samokontroli, by storpedować swój entuzjazm. Wystarczyła perspektywa kolejnych czterech godzin pakowania przesyłek.

James uśmiechnął się do Paula, kiedy przechodzili przez drogę oddzielającą centrum handlowe od magazynu.

– Każda książka to cegła w murze arki.

Paul zmusił się do odwzajemnienia uśmiechu.

– Elliot byłby z ciebie dumny.

Kiedy tylko weszli do magazynu, brygadzista wyciągnął palec w stronę Jamesa.

– Ty jesteś Prince?

James skinął głową.

– To ja.

– Dzwonili z administracji. Masz tam iść na egzamin rekrutacyjny.

James wyszczerzył się do Paula, zadowolony, że wywinął się od pracy. Wrócił do centrum handlowego i wszedł do sali biurowej urządzonej wewnątrz jednego ze sklepów na parterze. Zastał tam tuzin zawalonych papierami biurek, ale żadnego człowieka.

Już miał wyjść, uznawszy, że musiał pomylić sale, kiedy zza jednego z obciągniętych tkaniną przepierzeń wychynęła głowa Judith, atrakcyjnej dwudziestokilkuletniej asystentki Elliota. Podchodząc do niej, James minął Laurę i Danę, które w osobnych boksach pochylały się nad kserokopiami kwestionariuszy.

– Nie wiedziałam, że jest was troje – wyjaśniła Judith, wręczając Jamesowi plik kartek z nagłówkiem: *Test kompetencji Wybrańca, wiek 13–15 lat.* – Powinnam była zawiadomić cię przy śniadaniu. Masz dwie godziny, licząc od chwili, gdy usiądziesz.

Judith wskazała boks z przodu sali, dobrych dziesięć metrów od Laury i Dany. Na biurku leżały dwa zatemperowane ołówki i gumka do ścierania. James usiadł na biurowym krześle i przekartkował test. Wyglądał na pocieszająco prostą mieszankę matematyki, gramatyki, krótkiego tekstu twórczego i testu inteligencji.

21. ROZCZAROWANIE

James Prince miał być zahukany i układny, ale James Adams nie znalazł czasu na odrobienie lekcji podczas pracowitego weekendu i kiedy nauczyciel geografii zażądał ich w poniedziałek rano, grzecznemu chłopcu wyrwało się kilka niecenzuralnych słów. Zarobił za to pół godziny kozy po lekcjach.

Po odsiedzeniu kary pobiegł do opuszczonej wiaty na rowery i pomknął z karkołomną szybkością do domu opieki, omal nie kończąc życia pod kołami mazdy podczas szaleńczej szarży na żółtym świetle.

Lekko wstrząśnięty James przetoczył rower przez recepcję, wymieniając skinienia głowy z całkiem niebrzydką pielęgniarką za kontuarem. W magazynku na zapleczu był już rower Ewy i jeszcze dwa, których nie rozpoznał. James zmienił przepoconą szkolną koszulkę na świeży T-shirt i pognał z powrotem do recepcji.

– Widziałaś Ewę albo może wiesz, gdzie Elliot zostawił mój wózek?

Pielęgniarka wyciągnęła rękę w stronę korytarza, który obsługiwała Ewa.

– Myślałam, że nie przyjedziesz, kiedy zobaczyłam tamtych dwóch.

– Jakich dwóch? – zmarszczył brwi James.

Recepcjonistka wzruszyła ramionami.

– Nie wiem, co to za jedni, ale wszyscy są tam.

James potruchtał wzdłuż stumetrowego korytarza, po drodze mijając swój wózek. Mógł go złapać i po prostu przystąpić do obchodu, ale chciał najpierw zapytać Ewę, dlaczego ignorowała go przez cały weekend, a także dowiedzieć się, kim są ci dwaj.

Część odpowiedzi otrzymał, kiedy z jednego z pokojów wyszedł Paul, za nim Ewa z wózkiem, a na końcu Terry – chłopiec z klasy Jamesa, którego kilka razy widział siedzącego z ponurą miną w kącie świetlicy Wybrańców.

– Ach, dotarłeś wreszcie – powiedziała Ewa wesoło. – Znasz Terry'ego, prawda? Zgłosił się na ochotnika, żeby nam pomóc w pracy dobroczynnej.

– To świetnie – powiedział James. – Co się stało, że ich tu przyprowadziłaś?

Ewa uśmiechnęła się.

– Przedstawiam Paula moim pacjentom. Od jutra przejmuje moje obowiązki, a Terry i ja zaczynamy obchody w innym domu opieki. Wybrańcy jeszcze nigdy tam nie pracowali i oboje jesteśmy niesamowicie podekscytowani tą okazją.

– Mhm – mruknął James, nie potrafiąc ukryć rozczarowania.

– Coś nie tak? – zapytała Ewa.

James wzruszył ramionami.

– Nie, no skąd.

Ewa uśmiechnęła się słodko do Paula i Terry'ego.

– Widzieliście już, jak to się robi, chłopcy. Weźcie wózek i idźcie do następnego pokoju, a ja zamienię słówko z Jamesem.

Paul skinął głową, a Terry podszedł do następnych drzwi i zapukał. Kiedy tylko chłopcy zniknęli w sąsiednim pokoju, twarz Ewy stężała.

– O co ci chodzi, James? – zapytała sucho, tym razem bez uśmiechu.

James oparł się dłonią o ścianę i wzruszył ramionami.

– Bo ja wiem... Po prostu spodziewałem się, że mnie przywitasz, kiedy przyjechaliśmy w sobotę. Potem, po południu, rozmawiałaś ze mną tak, że poczułem się jak gówno na twojej podeszwie, a teraz oznajmiasz, że już więcej nie będziesz tu ze mną przychodzić. Co ja takiego zrobiłem, że tak się na mnie obraziłaś?

– Nie obraziłam się na ciebie. – Ewa znów się uśmiechnęła. – Chciałam pomóc ci w zostaniu aniołem. Terry przeszedł przez kilka trudnych indywidualnych sesji terapeutycznych i teraz próbuję pomóc jemu.

– Ale chyba możesz mi czasem powiedzieć cześć, nie? Możemy ze sobą rozmawiać.

– James, jesteś teraz aniołem i nie byłoby właściwe, żebyśmy się ze sobą zadawali.

– Niby dlaczego?

– Bo jesteśmy wystarczająco dorośli, by czuć do siebie coś więcej niż sympatię, ale jeszcze zbyt młodzi, by wziąć ślub. Takie kontakty prowadzą wyłącznie do kłopotów.

James pokręcił głową z niedowierzaniem.

– Ewa, ja cię nie proszę o rękę. Chciałbym tylko móc czasem z kimś normalnie porozmawiać.

– Wybrańcy rozdzielają nastoletnich chłopców i dziewczęta do czasu, gdy dorosną na tyle, by móc zawrzeć związek małżeński.

– To jakim cudem mogliśmy godzinami grać w siatkówkę i w ogóle?

Ewa uśmiechnęła się.

– Wtedy nie byłeś aniołem, James. Pomagałam ci, tak samo jak teraz pomagam Terry'emu.

James poczuł się zraniony. Wiedział, że Ewa manipuluje nim, by wciągnąć w szeregi sekty, ale przez cały czas wierzył, że cała ta zabawa rozgrywa się na solidnym fundamencie prawdziwej sympatii. James nie mógł wykonać pierwszego ruchu z powodu operacji CHERUBA, ale nigdy nie tracił nadziei, że w końcu zaczną się całować czy coś.

– Może powinnam powiedzieć o tym Elliotowi? – powiedziała Ewa. – Być może powinieneś porozmawiać z którymś z naszych przewodników o świętości małżeństwa.

– Nie! – wypalił James, na chwilę tracąc panowanie nad sobą. – Czy z tobą nie można już nawet zwyczajnie pogadać? O wszystkim musisz donosić Elliotowi?

– W sobotę Ruth i ja widziałyśmy ciebie i Laurę, jak jedliście lody w parku, a wasze puszki były bardzo lekkie – powiedziała kwaśno Ewa. – Nie zgłosiłyśmy tego. Gdybyśmy to zrobiły, mielibyście poważne kłopoty.

James nie mógł uwierzyć, że dziewczyny go szpiegowały. Czuł się wykorzystany, był zazdrosny o Terry'ego i z rozkoszą starłby ten wredny uśmieszek z fałszywej buźki Ewy. Na szczęście w tej samej chwili otworzyły się drzwi i na korytarz wyszli Terry i Paul. Na twarz Ewy wrócił promienny uśmiech, a James skarcił się w myśli, przypominając sobie, że ważna jest misja, a nie jego zdruzgotane ego.

– Spróbuj być miły dla Terry'ego – powiedziała cicho Ewa. – W tej chwili bardzo potrzebuje naszej miłości i wsparcia.

James wypuścił powietrze z płuc i skinął głową.

– Przepraszam, Ewa, że się zdenerwowałem. Muszę się jeszcze wiele nauczyć.

Ewa rozpromieniła się jeszcze bardziej i ruszyła w stronę Terry'ego.

– No i jak poszło?

– Świetnie – uśmiechnął się Terry. – Kupiła tylko miętówki, ale była bardzo miła.

Ewa oplotła go ramionami i przytuliła, dłońmi masując mu plecy.

– Będziesz w tym naprawdę świetny, Terry. Zawsze umiem to poznać.

– No – przytaknął Paul. – Gratulacje z okazji pierwszej sprzedaży.

James patrzył zadumany, jak niegdyś pełen rezerwy Terry cieszy się jak głupi i chłonie pochwały każdym porem skóry. Kiedy Ewa zapukała do następnych drzwi, bez słowa odwrócił się na pięcie i poszedł po swój wózek, by rozpocząć obchód. Tym razem zaczął od końca korytarza, co czyniło Emily jego drugą klientką. James wszedł do niej, machając w powietrzu dużą butelką wódki.

– Siemanko. Mam tu gratisa z serdecznymi pozdrowieniami od Elliota.

– Cześć, śliczny – zaskrzeczała Emily. Leżała w łóżku i była bardzo blada. – Mógłbyś poprawić mi poduszki?

– Co się stało? – zapytał James, podchodząc do łóżka.

Emily pochyliła się do przodu, pozwalając, by James napuszył poduszki i ustawił je przy wezgłowiu.

– Jak zwykle kłopoty z żołądkiem – uśmiechnęła się. – Latam do łazienki i z powrotem przez cały dzień. Wiem, że to brzmi głupio, ale w moim wieku to wystarczy, żeby człowiek opadł z sił.

James postawił wódkę na nocnym stoliku obok stosiku ulotek i broszur Wybrańców.

– Mogę ci jakoś pomóc? Może pogadam z pielęgniarką, żeby dała ci coś na żołądek?

Emily pokręciła głową z uśmiechem.

– Bez sensu, na mnie już nic nie działa. Wymieszasz mi wódkę? Ręce mi się trzęsą.

James złapał butelkę i zdjął metalową zakrętkę. Na stoliku postawił wysoki plastikowy dzbanek mieszczący litr płynu.

– Powiedz kiedy – powiedział, podczas gdy wódka z bulgotem przelewała się do dzbanka.

Zwykle Emily odzywała się, kiedy naczynie było napełnione do mniej więcej jednej trzeciej wysokości. Tym razem James zatrzymał się sam, nalawszy prawie pół dzbanka.

– Czy powiedziałam kiedy? – zapytała Emily ostrym tonem.

James nie obrażał się za jej obcesowe odzywki. Emily taka już była i tyle.

– Jesteś pewna, że chcesz pić takie mocne drinki, skoro masz problemy z żołądkiem?

Emily uśmiechnęła się szelmowsko.

– Nie pękaj, śliczny. Wódka jest dobra na żołądek.

– Czyżby? – wyszczerzył się James i z ociąganiem wpuścił do dzbanka jeszcze kroplę wódki.

Emily miała w pokoju małą lodówkę. James wyjął tackę z lodem, wykruszył kostki do dzbanka, po czym dopełnił naczynie mlekiem i cukrem trzcinowym. Zamieszał miksturę długą plastikową łyżką i nalał Emily pierwszą szklankę.

– Robisz świetne drinki – pochwaliła Emily i opróżniła dwie trzecie szklanki jednym gładkim łykiem. – Dolej.

W przechylonym dzbanku zagrzechotał lód.

– Lepiej już pójdę, Emily – powiedział James, odstawiając dzbanek i podchodząc do swojego wózka. – Dostałem dziś kozę i jestem mocno spóźniony.

– Wiem, że jesteś zajęty – powiedziała staruszka – ale czy mogę cię prosić o jedną rzecz?

James zerknął na zegarek.

– Chyba tak.

– Był u mnie Elliot.

– Często tu przychodzi – zauważył James.

Emily uśmiechnęła się.

– Czyha na moje pieniądze.

James udał zaskoczenie, choć już dawno odgadł prawdziwy powód zainteresowania Elliota pensjonariuszami domów seniora.

– Bez obrazy, śliczny. Wiem, że jesteś Wybrańcem, ale wysłuchałam paru tych płyt i wiesz co, nie kupuję tego całego pana Regana z jego aniołami i diabłami.

James chciał powiedzieć: „I słusznie", ale ugryzł się w język. Miałby nie lada kłopoty, gdyby to dotarło do Elliota.

– Nie jestem już tak bogata jak kiedyś – ciągnęła Emily – ale i tak zostanie po mnie ładna kupka szmalu do wzięcia. Mam tylko syna, a pieniądze wyzwalają w nim najgorsze cechy. Naprawdę chciałabym, żeby wszystko, co mam, poszło na jakiś szczytny cel, kiedy już wyciągnę kopyta.

– Nie masz żadnych wnuków? – zapytał James.

Emily smutno potrząsnęła głową.

– Ale jeśli mam być szczera, to nie sądzę, żeby Ronnie nadawał się na ojca. Straszny z niego furiat.

– Wielka szkoda.

– No więc pomyślałam sobie o tych akcjach Wybrańców – powiedziała Emily. – Nie chcę dawać pieniędzy na budowanie jakiejś głupiej arki na pustkowiu, ale Elliot mówił mi o waszej Fundacji Wspomagania Rozwoju. Powiedział, że pomaga ludziom w krajach rozwijających się. Mogłabym zmienić testament i zapisać pieniądze fundacji. Myślisz, że to dobry pomysł?

James chciał powiedzieć staruszce, że istnieją znacznie wiarygodniejsze i skuteczniejsze fundacje pomagające ubogim krajom, ale musiał myśleć o misji.

– Fundacje Wybrańców robią naprawdę wiele dobrego – powiedział z uśmiechem. – Jestem pewien, że twoje pieniądze pomogą setkom, może nawet tysiącom ludzi; nie żebyś miała nam zaraz umierać, oczywiście.

– Och, nie sądzę, żebym długo pociągnęła. – Emily uśmiechnęła się, wyciągając rękę, by dotknąć dłoni Jamesa. – Ma gadane ten Elliot, ale pod tą sztruksową kurtką kryje się kawał kanciarza. Właśnie dlatego chciałam zapytać ciebie, James. Tobie mogę ufać.

James zdobył się na słaby uśmiech.

– Skąd możesz to wiedzieć?

– Bo uczciwy z ciebie chłopiec. Dobrze ci z oczu patrzy.

– Nno tak... – zająknął się James, łapiąc poręcz wózka, by wypchnąć go na korytarz. – Zajrzę do ciebie jutro. Mam nadzieję, że poczujesz się lepiej, jeśli oczywiście nie przesadzisz z tą wódą.

Czuł się jak ostatni łajdak. Kiedy tylko trzasnęły drzwi, opadł plecami na ścianę i zacisnął pięści w bezsilnej złości. Wiedział, że żaden z niego ideał. Był impulsywny, często samolubny i łatwo pakował się w kłopoty, ale nie przypuszczał, że będzie w stanie z zimną krwią naciągać bezbronną staruszkę, tak jak czynił to Elliot.

22. RONNIE

Cztery tygodnie później

Od: John Jones [johnjones@cherubcampus.com]
Wysłano: 23 marca 2006 08:51
Do: Dr. Terence McAfferty
Do wiadomości: Zara Asker, Dennis King
Temat: Operacja Wybrańcy

Drodzy Wszyscy,

Odnośnie do Waszych ostatnich e-maili, obawiam się, że w naszej operacji przeniknięcia do arki Wybrańców nadal brak znaczących postępów. Minął już blisko miesiąc, odkąd James, Dana i Laura przeprowadzili się do komuny i napisali test kompetencji.

Obowiązujące w komunie rygorystyczne reguły dotyczące własności prywatnej poważnie utrudniają utrzymywanie regularnego kontaktu z Abigail i trojgiem cherubinów. Telefony komórkowe zostałyby natychmiast zauważone. Jednak zespoły wsparcia technicznego ASIS pracują już nad miniaturowymi krótkofalówkami, które można schować pod wkładką buta, kiedy nie są używane. Mamy nadzieję, że uda nam się przekazać te urządzenia agentom w ciągu najbliższych kilku dni.

Z zespołem porozumiewałem się głównie przez Jamesa Adamsa, spotykając się z nim w domu opieki, w którym pracuje po szkole. Choć stara się nadrabiać miną, odniosłem wrażenie, że jest przygnębiony i wycieńczony. Często wydaje się apatyczny i podczas rozmowy łatwo traci koncentrację.

Kilkakrotnie widziałem się także z Abigail i ona zachowuje się podobnie. Wszyscy agenci zdołali obronić się przed wpływem technik manipulacyjnych sekty, ale połączenie wysokiej aktywności i niedoboru snu zbiera swoje żniwo.

Wczoraj Chloe i ja spotkaliśmy się z przedstawicielami ASIS. Przyszła też Miriam Longford, która przekazała nam wiele cennych informacji. Miriam skontaktowała się z byłymi Wybrańcami, którym pomagała. Wypytała ich o szczegóły dotyczące przyjmowania dzieci do szkoły Wybrańców w arce.

Przyjęcie do szkoły Wybrańców następuje zwykle w ciągu jednego do dwóch tygodni od złożenia przez ucznia testu kompetencji. Bystrzy uczniowie miewają tendencję do zadawania kłopotliwych pytań połączoną z naturalną skłonnością do buntu. Dlatego też w interesie sekty leży, by tego rodzaju dzieci jak najszybciej trafiały do zamkniętego ośrodka, gdzie Wybrańcy mogą przejąć całkowitą kontrolę nad ich życiem.

Niestety – z nieznanych nam powodów – James, Dana i Laura nie zostali przeniesieni do arki. Po konsultacji z zespołem ASIS postanowiliśmy pozostawić agentów na miejscu na kolejne dwa tygodnie, jednakże trudno nam oprzeć się wrażeniu, że szanse na sukces operacji gwałtownie maleją. ASIS rozważa wdrożenie alternatywnych procedur, w tym wysoce ryzykowną możliwość przeprowadzenia szturmu na arkę przy użyciu znacznych sił policyjnych i wojskowych.

Mam nadzieję, że wkrótce będę mógł przekazać Wam lepsze wiadomości.

Z poważaniem
John Jones

PS: Zara, dzięki za zorganizowanie prezentu urodzinowego dla mojej córki!

TA WIADOMOŚĆ ZAWIERA DANE POUFNE. NIE PRZESYŁAĆ BEZ ZASZYFROWANIA

James miał WF w czwartkowe popołudnia i potrzebował tych dwóch katorżniczych godzin futbolu w skwierczącym upale jak dziury w głowie. Na domiar złego w szkole nie było natrysków, więc do domu opieki przyjeżdżał, cuchnąc trawą i rozkładającym się potem. Szczęście w nieszczęściu, że zdołał namówić jedną z opiekunek, by pozwoliła mu korzystać z prysznica w jednym z nieużywanych pokojów.

Rozbierając się, James spojrzał w lustro i pokiwał głową z dezaprobatą. Ciuchy miał obszarpane, człowiek, który obcinał mu włosy w komunie, był rzeźnikiem, a jakiś nieokreślony składnik trybu życia Wybrańca najwyraźniej rujnował mu cerę: skóra stopniowo pokrywała mu się pryszczami, zwłaszcza na karku, gdzie właśnie odkrył trzy dorodne białogłowce.

Kiedy usiadł na nagiej ramie łóżka, by naciągnąć czystą skarpetkę, zaskoczyło go pukanie do drzwi.

– Hejka – powiedział wesoło Elliot, wchodząc do środka bez zaproszenia. – Co tu robisz?

James wzruszył ramionami, wpychając stopę w but.

– Nie chcę zasmradzać ludziom pokojów.

– To mi się podoba – oznajmił Elliot, podnosząc palec. – Inicjatywa.

Jednak James wyczuwał, że Elliot wcale nie jest zadowolony. Nie chodziło o prysznic. Elliot po prostu nie lubił, kiedy jego podopieczni robili cokolwiek na własną rękę.

– Ale następnym razem zgłoś się najpierw do mnie, jasne?

– Co tutaj robisz? – zapytał James.

– Obawiam się, że mamy problem – westchnął Elliot.

– Jaki problem?

– Zadzwonił do mnie pan Wildman, syn Emily. Starałem się zorganizować spisanie jej nowego testamentu z zaprzyjaźnionym prawnikiem, ale były jakieś niejasności co do pewnych praw własności i ten idiota skontaktował się z jej prawnikiem rodzinnym, który okazał się kumplem jej syna. Syn się dowiedział, no i... Krotko mówiąc: pół godziny temu zadzwoniła do mnie Emily, strasznie zdenerwowana. Jej syn jest tutaj i twierdzi, że nie wyjdzie, dopóki nie porozmawia ze mną.

– Jest zły? – zapytał James, w głębi duszy uradowany, że Wybrańcom może się nie udać położenie łap na majątku staruszki.

– Nie wydaje mi się, żeby tańczył z radości po odkryciu, że jego matka chce zapisać dwa miliony dolców na cele dobroczynne – powiedział Elliot z krzywym uśmieszkiem. – Zobaczę, może uda mi się go przegadać, ale chcę, żebyś poszedł ze mną. Emily najwyraźniej bardzo cię polubiła, a ludzie na ogół zachowują się rozsądniej w obecności liczniejszej publiki.

James wyszczerzył się w uśmiechu. Naciągnął na głowę czystą koszulkę i zaczął smarować pachy dezodorantem.

– Co tylko każesz, szefie.

– Oto słowa godne anioła – powiedział Elliot i poklepał Jamesa po głowie jak grzecznego psa.

Pokój Emily znajdował się pięćdziesiąt metrów dalej. Staruszka siedziała na tarasie w towarzystwie syna. Na dzielącym ich stole stał dzbanek z mlekiem i zapewne wódką oraz dwie niedojedzone zimne już porcje smażonej ryby z frytkami.

– Ronnie Wildman – przedstawił się syn, potrząsając dłonią Elliota. Był niski, ale dobrze zbudowany, z włosami okrywającymi tylko tylną połowę głowy.

James także uścisnął mu dłoń.

– Miło mi pana poznać.

Ronnie pokiwał głową.

– Mama bardzo cię polubiła, mój chłopcze.

– No dobrze – zaczął Elliot, kiedy on i James zajęli miejsca przy stole. – Podobno chciał pan ze mną pomówić.

– Chciałem, a jakże.

Oczy Ronniego rozbłysły złowrogo, kiedy ze skórzanej aktówki wysuwał złożony na pół dokument.

– To jest kopia nowej wersji ostatniej woli mojej mamy. O dziwo, zdaje się, że zamiast zostawić wszystko mnie, mama nagle postanowiła oddać dziewięćdziesiąt procent swojego majątku czemuś, co nazywa się Fundacją Wspomagania Rozwoju.

Emily przerwała mu:

– To moje pieniądze, synu. Swoją część już roztrwoniłeś. Musiałam sprzedać dom, żeby spłacić długi po twojej ostatniej katastrofie.

Ronnie rzucił matce gniewne spojrzenie.

– Cóż, nie wydaje mi się, żeby tego właśnie chciał tata, ale jeśli chcesz ofiarować parę dolarów na cele dobroczynne, porozmawiajmy o Oxfamie albo Czerwonym Krzyżu, a nie o tych parszywych Wybrańcach.

Elliot uśmiechnął się.

– Panie Wildman – przemówił łagodnie – religijne praktyki Wybrańców i nasza działalność dobroczynna to dwie zupełnie odrębne sprawy. Współpracujemy ze wszystkimi dużymi agencjami rozwoju na świecie. W ubiegłym roku powiększyliśmy liczbę miejsc w szpitalach o ponad czterysta łóżek w niektórych z najbardziej...

James podskoczył ze strachu, kiedy Ronnie przerwał Elliotowi, waląc pięścią w stół.

– Nie wcieraj mi gówna w czoło, ty wyszczekany sukin...

– Ronnie! – ucięła Emily. – Mówiłam ci, żebyś trzymał nerwy na wodzy. Elliot, napijesz się czegoś?

Elliot skinął głową.

– Mocnej czarnej kawy, jeśli można prosić.

Emily uśmiechnęła się przymilnie do Jamesa.

– Będziesz tak miły, mój śliczny? Weź dla siebie, co tylko chcesz. W lodówce jest cola.

James z ulgą skorzystał z szansy na uwolnienie się od gęstniejącej atmosfery przy stole. Nastawił wodę na kawę i otworzył sobie sprite'a. Sypiąc do filiżanki firmową kawę Wybrańców, przysłuchiwał się coraz głośniejszej rozmowie na tarasie. Nim zagotowała się woda, Elliot i Ronnie stali naprzeciw siebie po dwóch stronach stołu czerwoni ze złości.

– Pożałujesz pan, już ja tego dopilnuję! – krzyknął rozzłoszczony Ronnie.

– Panie Wildman, czy nie możemy omówić tego jak ludzie cywilizowani? Jestem pewien, że wspólnie wypracujemy jakiś kompromis.

– Cywilizowani?! Wybrańcy to najpodlejsza banda naciągaczy na całym świecie. Joel Regan nie położy łapy na mojej kasie, chyba po moim trupie!

– To nie są twoje pieniądze, Ronnie – przypomniała synowi Emily.

Jeśli chodzi o Jamesa, dwaj chciwcy mogli się pozabijać nawzajem choćby tu i teraz, ale Emily wyglądała na bardzo zdenerwowaną i Jamesowi było jej żal. Nie chciał wchodzić z gorącą kawą pomiędzy mężczyzn gotowych stoczyć na tarasie trzecią wojnę światową, więc tylko stał przy drzwiach z parującą filiżanką na spodku.

– To wszystko wasze psychologiczne gierki – pieklił się Ronnie, stukając palcem w łysinę. – Namieszaliście jej w głowie, ot co. Nie jest odpowiedzialna na tyle, by mogła sama podejmować takie decyzje.

– Z tego, co słyszałem, sam sporo przehulałeś, panie odpowiedzialny – odwarknął Elliot, tracąc swój śliski chłód po raz pierwszy, odkąd James pamiętał.

– Założę się o nie wiem co, że macie wsparcie najlepszych papug w kraju.

Elliot uśmiechnął się złowrogo.

– Cóż, jeżeli postanowi pan zakwestionować legalność testamentu pańskiej matki, jestem pewien, że...

Rysy Ronniego stężały. Błyskawicznym ruchem zgarnął ze stołu nóż do ryb i rzucił się na Elliota.

– Ja ci się pouśmiecham, ty...

Elliot próbował się cofnąć, ale stopa utknęła między nogami krzesła. Ronnie zatopił nóż w jego brzuchu. Emily krzyknęła, a Elliot runął plecami na szklane drzwi tarasu.

– Chcesz pieniędzy? Weź to! – krzyknął Ronnie, wyciągając nóż z rany.

– Ronnie! – wrzasnęła Emily.

– Weź to! – powtórzył Ronnie, wbijając nóż jeszcze raz.

– Weź to!

Po drugim ciosie James odłożył filiżankę i szybko wycofał się do pokoju. Ronnie miał nóż i wpadł w morderczy szał. Nie było czasu na półśrodki. James złapał czajnik, wciąż do połowy wypełniony wrzątkiem, wyrwał przewód z gniazdka i zerwał pokrywkę.

Drugi cios był wymierzony w pierś, ale Elliot zdążył obrócić się na bok i ucierpiał jedynie rękaw jego kurtki. Kiedy Ronnie zamierzył się po raz trzeci, James wypadł na taras i chlusnął mu na głowę wrzącą wodą.

Ronnie zawył i runął na plecy, trzymając się za twarz. Jednak wściekłość potrafi przezwyciężyć nawet bardzo silny ból i James wiedział, że musi obezwładnić przeciwnika, póki ten jest oszołomiony, bo później może mieć z tym problemy. Nożownik gramolił się niezdarnie, usiłując wstać. James ścisnął mocniej uchwyt czajnika i z całej siły zdzielił nim mężczyznę w twarz. Plastik rozleciał się na tuzin ostrych kawałków, a Ronnie stracił przytomność, jeszcze zanim jego głowa stuknęła głucho o posadzkę.

James wyjął zakrwawiony nóż z bezwładnej dłoni, po czym przykucnął obok Elliota, by przyjrzeć się rosnącej czerwonej plamie na jego koszuli. Emily dźwignęła się z krzesła i podreptała do pokoju.

Elliot poruszył dłonią, jakby próbował przywołać Jamesa, żeby mu coś powiedzieć.

– Zadzwoń do Judith – wystękał. – Żadnej policji.

Po chwili wahania James skinął głową. Sięgnął do kurtki Elliota i schował do kieszeni jego komórkę, po czym rozerwał mu koszulę na piersi, sypiąc wokół deszczem guzików. W powodzi krwi nie był w stanie ocenić rozmiarów rany, ale wiedział, że najważniejsze jest powstrzymanie krwotoku. Zdjął koszulkę przez głowę, złożył ją w kwadrat i przycisnął Elliotowi do brzucha.

– Posłuchaj uważnie – powiedział, kładąc dłoń Elliota na prowizorycznym opatrunku. – Trzymaj to najmocniej, jak potrafisz.

– To był wypadek – wyszeptał Elliot. – Zadzwoń do Judith. Nie wzywaj policji.

– Dobra, ale może zadbamy o to, żebyś nie wykrwawił się tu na śmierć, co? – zdenerwował się James.

Emily musiała wcisnąć przycisk alarmowy u wezgłowia swojego łóżka. James odstąpił od Elliota, z ulgą przekazując go pielęgniarzowi i pielęgniarce, którzy właśnie wybiegli na taras.

– Słodki Jezu! – wykrzyknęła pielęgniarka na widok Elliota.

Spojrzała na Jamesa, który wyjął z kieszeni telefon.
– Zadzwoń po pogotowie. Na pewno nie poradzimy sobie z tym sami.

Pielęgniarka przykucnęła nad Ronniem, by przyjrzeć się jego poparzonej twarzy. James wystukał numer pogotowia.

Czekając na połączenie, kątem oka zauważył Emily padającą na podłogę obok łóżka.

23. KŁOPOTY

James obawiał się, że to atak serca, ale Emily zemdlała z powodu szoku. Siedział w wyjącej i podskakującej karetce, trzymając staruszkę za rękę, podczas gdy drugi ambulans wiózł Elliota i Ronniego. Ronnie wciąż był nieprzytomny. Krwotok Elliota wyglądał dramatycznie, ale sanitariusze powiedzieli, że rana nie wygląda na śmiertelną.

Kiedy dotarli do oddziału urazowego nowoczesnego szpitala, wszystkich troje pacjentów natychmiast zabrano do środka.

James został porzucony w ruchliwej poczekalni, z nagim torsem i zaschniętą krwią Elliota na palcach. Czuł się nieźle, ale był trochę roztrzęsiony, a skóra na rękach mocno go piekła w kilku miejscach, gdzie przypadkowo ochlapał się wrzątkiem.

Zadzwonił do Judith, która przyjechała w ciągu dziesięciu minut razem z Weeną. Judith pobiegła szukać Elliota, a Weena została w poczekalni i rozpoczęła przesłuchanie. James do tej pory nie zdawał sobie sprawy z tego, że siwowłosa kobieta jest jednym z prawników Wybrańców. Kiedy powiedział jej całą prawdę, natychmiast zaczęła ją przeinaczać.

– Czy ktokolwiek zawiadomił policję? – zapytała Weena.

James potrząsnął głową.

– Elliot nie pozwolił. Kiedy zadzwoniłem na pogotowie, powiedziałem, że zdarzył się wypadek.

– Znakomicie – kobieta pokiwała głową. – Jeśli mimo to gliny zaczną węszyć, powiesz, że byłeś w łazience i niczego nie widziałeś. Dom opieki jest nasz. Dopilnuję, żeby personel wiedział, co ma mówić. Elliot zezna, że to był dziwaczny wypadek. Niósł czajnik, poślizgnął się i wpadł na Ronniego, który trzymał nóż. Ronnie raczej nie będzie podawał w wątpliwość naszej wersji, skoro prawda grozi mu oskarżeniem o usiłowanie zabójstwa, a staruszce też na pewno nie zależy, by posłać synka za kratki.

James był lekko skołowany.

– Po co to wszystko robimy?

– Po co? – Weena uśmiechnęła się. – Wyobrażasz sobie, jakiego huku narobiłaby prasa, mając taką historię? Wybrańcy nakłaniają osiemdziesięciosiedmioletnią staruszkę do zmiany testamentu. Zazdrosny syn rani nożem naczelnika komuny. To mogłoby przemienić się w ogólnokrajowy skandal i kosztować nas miliony dolarów utraconych dochodów.

– Ale... – zachłysnął się James, kompletnie osłupiały.

Weena uciszyła go gestem.

– Zrozum, James – powiedziała chłodno. – Jeśli diabły zdołają zatopić szpony w naszej organizacji, rozerwą ją na strzępy. To atak na Wybrańców wyprowadzony z najgłębszych czeluści piekieł.

James pamiętał o misji i starał się wymyślić, co przykładny anioł powiedziałby w takiej sytuacji.

– Chyba się pomodlę.

Weena skinęła głową.

– Dobry pomysł. Jaki numer ma pokój Emily?

– Osiemdziesiąt sześć.

Prawniczka wyjęła telefon, wystukała numer komuny i zaczęła wydawać rozkazy.

– Natychmiast wyślijcie dwie osoby do Domu Opieki nad Osobami Starszymi w North Park. Pokój osiemdziesiąt sześć. Cały ma być wyszorowany odplamiaczem i gorącą wodą, łącznie z meblami ogrodowymi i tarasem. Znajdźcie czajnik i zbierzcie wszystkie kawałki plastiku. Nie, Lyle, nie za pół godziny. Zróbcie to teraz. Wracam do komuny z Jamesem. Jeśli pojawi się policja albo dziennikarze, niczego nie wiesz i nie masz pojęcia, o co chodzi, zrozumiano?

*

Komuna zawsze huczała od plotek. Podczas obiadu Laura podsłuchała, że coś się stało Elliotowi, a potem wpadła na Danę, która powiedziała jej, że w sprawę zamieszany jest James. Kiedy poszły odrabiać lekcje w swojej sypialni na pierwszym piętrze, o wypadku mówili już wszyscy, choć jedyną w miarę pewną informacją było to, że Elliot trafił do szpitala.

Idąc do świetlicy skrótem na tyłach centrum handlowego, Laura zauważyła Paula. Przyparła go do ściany w rozświetlonym słońcem zaułku.

– Gdzie jest mój brat? – zapytała twardo. – Dlaczego nie wrócił z domu starców z tobą?

Paul potrząsnął głową i wykonał gest, jakby zapinał sobie usta na suwak.

– Sorka, Laura, przysiągłem, że nic nie powiem.

Zrobił krok do przodu, ale Laura zastąpiła mu drogę.

– Czy z moim bratem wszystko w porządku, Paul? Ja muszę to wiedzieć.

– Nic mu się nie stało, tyle mogę ci zdradzić.

Ale Laura chciała znać całą prawdę.

– Co tam się właściwie stało?

– Nie mogę, Laura. Weena kazała mi przysiąc, że będę milczał. Pewnie później wydadzą oficjalne oświadczenie w tej sprawie.

Paul znów spróbował odejść, ale Laura i tym razem mu przeszkodziła.

167

– Przestań, dobra? – zirytował się chłopiec.

Laura była zdecydowana dowiedzieć się wszystkiego za wszelką cenę. Szybko rozejrzała się wokół, sprawdzając, czy nikt nie idzie, po czym złapała Paula za nadgarstek. Błyskawicznym ruchem wykręciła mu rękę za plecami i pchnęła twarzą na ścianę. Choć Paul był od niej starszy o całe dwa lata, nie był w stanie uwolnić się z fachowo założonego chwytu. Był sympatycznym chłopcem i Laura nie chciała zrobić mu krzywdy, ale musiała wiedzieć, czy James jest bezpieczny.

– Złożyłem przysięgę – wystękał Paul. – Możesz mi robić, co chcesz, szatan zrobi mi coś miliard razy gorszego, jeśli złamię tę przysięgę.

Laura zacieśniła chwyt, wyduszając z Paula syk bólu. Obawiała się, że chłopak może być do tego stopnia zindoktrynowany przez sektę, że raczej pozwoli sobie złamać rękę, niż złamie przysięgę.

– Proszę cię – jęczał Paul płaczliwie. – Nie zmuszaj mnie do tego.

Laura nie była gotowa ani na złamanie mu ręki, ani na kłopoty, jakie niezawodnie ściągnęłaby tym na siebie. Puściła chłopca i cofnęła się o krok.

– Co z tobą, odbiło ci?! – zawołał upokorzony Paul, powstrzymując łkanie. – Powiedziałem ci, że nic mu nie jest. Czego jeszcze chcesz?

– Wszystkiego – powiedziała Laura. Desperacja w jej głosie była sztucznie wyolbrzymiona, ale nie do końca udawana. – Ty też masz brata. Gdyby coś się stało Rickowi, nie próbowałbyś ustalić, w co się wpakował?

Chwyt emocjonalny odniósł silniejszy skutek niż wykręcenie ręki. Laura była zła na siebie, że nie wpadła na to wcześniej.

– Okej... – powiedział Paul, marszcząc brwi. – Weena kazała mi przysiąc, że nie powiem ani słowa o tym, co się stało, ale chyba mogę ci zdradzić, gdzie jest James. On ci wszystko opowie. Ale ty musisz przysiąc, że nikomu nie powiesz, że dowiedziałaś się tego ode mnie.

Laura skinęła głową.

– Przysięgam jako anioł w obliczu wiecznych mąk w gorającym piekle.

Paul wydawał się usatysfakcjonowany. Przysięga była najmocniejszą w repertuarze Wybrańców.

– James jest w biurze Elliota.

– Z Elliotem?

– Nie, z Weeną.

Laura uśmiechnęła się.

– Dobra. Pójdę z nim pogadać.

– Mówię ci, lepiej daj sobie spokój – powiedział Paul. – Weena szaleje. Dostaniesz karę, jeśli spróbujesz wetknąć tam nos.

– Dobrze, poczekam trochę i zobaczę, czy wydadzą oświadczenie – skłamała Laura, żeby uspokoić chłopca. – Dobry z ciebie kolega, Paul. Przepraszam, że wykręciłam ci rękę.

– Wcale mnie nie bolało – skłamał Paul. – Ale jeśli jeszcze raz spróbujesz zrobić coś takiego, zgłoszę to opiekunom.

Paul pobiegł grać w koszykówkę na jednym z zewnętrznych boisk, a Laura zaczęła się zastanawiać, co robić. Chętnie poprosiłaby o radę Danę albo Abigail, ale obie miały dyżur przy zmywarkach, a w pełnej ludzi kuchni nie było szans na prywatną rozmowę. Zresztą gdyby została przyłapana, zawsze mogła powiedzieć, że niechcący podsłuchała kogoś, kto widział, jak James wchodzi do biura Elliota.

Weszła do centrum handlowego i skierowała się ku biurom na drugim końcu budynku. Na korytarzach roiło się od ludzi. Laura wiedziała, że po komunie należy poruszać się żwawo, z miną człowieka, który dobrze wie, co robi.

Niezdecydowanie ściągało na przechodnia uwagę natarczywie uczynnych aniołów dopytujących się, co właściwie zamierza.

Laura przeszła przez wyludnioną halę biurową, w której pisała test kompetencji. Kłopot polegał na tym, że nigdy dotąd nie wchodziła dalej i nie wiedziała, czego się spodziewać za podwójnymi drzwiami prowadzącymi do gabinetów szefostwa komuny. Po kontrolnym wytknięciu głowy za drzwi wyszła na opustoszały korytarz z dystrybutorem wody i stosami papieru do drukarki. Z każdego końca korytarz był zamknięty przeszklonym frontem gabinetu z weneckimi żaluzjami zasłaniającymi wnętrze. Laura przycupnęła między kserokopiarką a wieżą z paczek papieru i zajrzała między listwami żaluzji do biura po lewej stronie. Na widok Weeny siedzącej za biurkiem i prowadzącej burzliwą rozmowę przez telefon poczuła falę paniki i odruchowo przypadła do podłogi. Uspokojenie się zajęło jej kilka sekund. Zebrawszy się na odwagę, wystawiła głowę nad kserokopiarkę i spojrzała jeszcze raz. W gabinecie nie było Jamesa, więc przebiegła na palcach przez korytarz, by sprawdzić biuro naprzeciwko.

James siedział na kanapie, opierając tył głowy o szybę. Laurę kusiło, by zastukać w szkło, żeby go przestraszyć, ale uznała, że nie jest to najlepszy moment. Po cichu otworzyła drzwi i zakradła się do gabinetu. James wyglądał na świeżo wykąpanego. Miał mokre włosy i był ubrany tylko w buty i swoje ulubione drelichowe szorty.

– Co się dzieje, bracie? – wyszeptała Laura, a James odwrócił się do niej i uśmiechnął.

Opowiedział jej swoją przygodę, ograniczając się do kluczowych szczegółów. Poprosił też, żeby odszukała Danę i Abigail i przekazała im wszystko, czego się dowiedziała. Niestety, zanim Laura zdążyła wyjść, do gabinetu wparowała Weena.

– Co ty tutaj robisz? – powiedziała z taką furią, że pierwsze słowo zabrzmiało jak trzaśnięcie bicza.

Laura odegrała niewinną małą siostrzyczkę, przestraszoną i płaczliwą.

– Bo ja się bałam, że diabły zrobiły coś złego mojemu bratu. Chciałam zobaczyć, czy nic mu się nie stało.

Weena sapnęła za złością, jednak po chwili rozchmurzyła się.

– No cóż, i tak miałam tu wezwać waszą matkę.

– Po co? – zapytał James.

– Pamiętasz test kompetencji, który pisałeś dzień po swoim przybyciu tutaj?

– Tak, przypominam sobie.

– Cóż, z przyjemnością zawiadamiam, że twoje wyniki były znakomite. Dostałeś aż nadto punktów, by móc wstąpić do naszej elitarnej szkoły wewnątrz arki. Niestety, arka jest obecnie w przebudowie i szkoła chwilowo nie przyjmuje nowych uczniów. Jednakże w zaistniałych okolicznościach byłoby wielce wskazane, żebyś opuścił komunę do czasu, aż sprawa wypadku Elliota przycichnie. Dlatego przedstawiłam sytuację Eleonorze Regan, która zgodziła się przyjąć cię do szkoły Wybrańców w drodze wyjątku.

James myślał gorączkowo. Przyjęcie go do szkoły było fantastyczną wiadomością, ale plan operacji opierał się na założeniu, że w Arce będzie działało co najmniej dwoje, a najlepiej troje agentów.

– Łał! – zachwycił się James. – Słyszałem o tej szkole. To dla mnie ogromny zaszczyt, tylko że...

Weena groźnie zmarszczyła brwi.

– Tylko co?

– Sam nie wiem. – James wzruszył ramionami. – Najpierw zostawił nas tata, potem przeprowadziliśmy się tutaj, potem przenieśliśmy się do komuny, a teraz chcecie oddzielić mnie od rodziny i wysłać na pustkowie.

– James – powiedziała łagodnie Weena – twoją rodziną nie jest już Laura, Dana i Abigail. Masz rodzinę aniołów, dziesięć tysięcy braci i sióstr.

– No wiem. – James smutno pokiwał głową i wbił wzrok w podłogę. – To nie tak, że nie chcę iść do tej szkoły. Po prostu myślę, że będę się bał być tam zupełnie sam.

Laura zrozumiała, do czego zmierza jej brat, i włączyła się do akcji.

– A ja? Zdałam test? – zapytała entuzjastycznie. – Tak bym chciała pojechać do arki. I James nie byłby sam.

Weena zdawała się walczyć ze sobą. Perspektywa proszenia Eleonory Regan o przyjęcie kolejnego ucznia wyraźnie nie przypadła jej do gustu. Z drugiej strony bardzo zależało jej na uciszeniu całej tej awantury z Elliotem. Wysłanie Jamesa do zamkniętego ośrodka setki kilometrów od Brisbane znacznie zmniejszyłoby ryzyko, że chłopiec zacznie rozmawiać z niewłaściwymi ludźmi na niewłaściwe tematy.

Weena popatrzyła na Jamesa.

– Jeśli zadzwonię do arki i spróbuję namówić ich, żeby przyjęli Laurę – powiedziała twardym głosem – czy oboje na pewno zgodzicie się pojechać?

– A czy Dana...? – zaczęła Laura.

– Nie – ucięła Weena z zaskakującą stanowczością. – Nie ma takiej możliwości. Dla Dany wybrano inną ścieżkę wewnątrz naszego ruchu.

James i Laura wymienili między sobą szybkie spojrzenia, z trudem powstrzymując się od wyszczerzenia w radosnym uśmiechu.

– No jak Laura pojedzie, to ja chyba też – powiedział James. – Jeśli tylko mama się zgodzi.

24. ARKA

Abigail zareagowała tak, jak można się tego spodziewać po matce, której dzicci mają być wysłane do szkoły z internatem setki kilometrów od domu. Oczywiście w końcu uległa namowom Weeny i udzieliła zezwolenia na wyjazd. Wybrańcy mieli nieduży samolot, który przelatał całe swoje istnienie, przewożąc zaopatrzenie, pocztę i ludzi pomiędzy prywatnym lotniskiem dwadzieścia kilometrów od Brisbane a arką. Wieczorny lot był zaplanowany na dziesiątą. Weena wykorzystała swoją pozycję do wysadzenia z samolotu dwóch pasażerów, by zrobić miejsce dla Jamesa i Laury.

Cały dobytek pary cherubinów składał się teraz z ubrań, które mieli na sobie, oraz kilku osobistych drobiazgów, takich jak szczoteczki do zębów i dezodoranty. Wybrańców celowo pozbawiano pieniędzy i mienia, ponieważ uzależniało to ich od komuny i sprawiało, że opuszczenie sekty i podjęcie normalnego życia stawało się niezwykle trudne.

Abigail zgłosiła się na ochotnika do odwiezienia dzieci na lotnisko. Dana porzuciła święty rozkład zajęć Wybrańca, by zabrać się z nimi i pomachać na pożegnanie. Ona i James zajęli miejsca na tylnej kanapie mercedesa. Laura usiadła z przodu i rozłożyła sobie mapę na kolanach.

Mimo że Abigail oficjalnie nie podarowała samochodu Wybrańcom, przez miniony miesiąc często pożyczała go członkom komuny, jeśli musieli dokądś pojechać. Teraz wnętrze lepiło się od brudu, w powietrzu wisiał zapach dziecięcych wymiocin, a w skórzanej tapicerce były nawet dwie dziury.

Kiedy odjeżdżali z parkingu, James obejrzał się na komunę, wiedząc, że już tu nie wróci. Do tej pory, gdziekolwiek wykonywał tajne zadanie – nawet w więzieniu – znajdował kogoś lub coś, czego mu potem brakowało. Tym razem żaden z Wybrańców, których poznał, nie zaoferował mu niczego, za czym mógłby tęsknić. Żyli wyłącznie życiem sekty; w głowach mieli jedynie walkę z diabłami albo arkę i James po prostu miał ich wszystkich gdzieś. Nie potrafił nawiązać emocjonalnej więzi z ludźmi, którzy uśmiechają się nieustannie, ale nigdy szczerze.

Dana wyglądała na bardzo przygnębioną rozwojem wypadków.

– Co ci jest? – zapytał James ostrożnie.

– A jak myślisz? – wypaliła Dana z goryczą. – Mnie nigdy się nic nie udaje na misjach. Odejdę z CHERUBA w szarej koszulce.

– To złe nastawienie, Dana – powiedziała Abigail. – Każdy z nas jest częścią drużyny.

Dana rzuciła jej ogniste spojrzenie.

– Oszczędź mi tych protekcjonalnych gadek, Abigail.

Laura obejrzała się przez ramię.

– Pytaliśmy o ciebie, naprawdę, ale Weena była twarda. Powiedziała, że wybrali dla ciebie inną ścieżkę czy coś w tym stylu.

– Wszystko jedno – mruknęła ponuro Dana. – Pewnie przewidują dla mnie oszałamiającą karierę na zmywaku.

– Skąd wiesz, a może właśnie coś fajnego – powiedział James.

– Błagam, możecie przestać już o tym gadać?

James odwrócił się do okna i zajął się podziwianiem zachodu słońca.

Ujechawszy około pięciu kilometrów, Abigail zatrzymała się przy fast foodzie Hungry Jack i zadzwoniła do Johna Jonesa z budki telefonicznej. Po wysłuchaniu relacji z najnowszych wydarzeń John poprosił o rozmowę z Jamesem.

– Boisz się? – zapytał.

– Trochę – przyznał James. – To banda szaleńców, a my będziemy tam całkowicie odizolowani.

– Wiem – powiedział John – ale pamiętaj, jeśli pojawi się jakiekolwiek zagrożenie, priorytetem zawsze jest wasze bezpieczeństwo. W razie czego łapcie kluczyki do pierwszego samochodu, jaki się nawinie, i wynoście się stamtąd. Chloe i ja byliśmy tam, żeby obstawić teren. Wynajęliśmy opuszczone ranczo dwadzieścia kilometrów od arki. Na tym pustkowiu będziemy potrzebowali środków transportu, więc wyruszymy samochodami jutro z samego rana. Do wieczora powinniśmy być na miejscu.

– Co z łącznością? – zapytał James.

– Właśnie do tego zmierzałem. Miniaturowe radia lecą już do nas z Melbourne. Są przystosowane do przechowywania w bucie. Technicy z ASIS mieli pewne trudności z uodpornieniem ich na urazy mechaniczne i wilgoć, ale twierdzą, że rozgryźli problem.

– Jak je nam dostarczycie?

– Dzisiaj już nie zdążymy. Sama arka jest zamknięta na głucho, ale dzieci biegają dookoła niej każdego ranka, tak jak w komunie biegaliście dookoła centrum handlowego. Starajcie się trzymać z tyłu i miejcie oczy i uszy otwarte na sygnał albo ukrytą paczkę.

– Jaki sygnał?

– Tego jeszcze nie ustaliliśmy.

– Niezbyt to pokrzepiające, John.

– Wiem, James, przepraszam. Wszystko w tej operacji było robione w ekspresowym tempie. Aha i jeszcze jedno: nie próbujcie używać telefonów zainstalowanych w arce, jeżeli zamierzacie rozmawiać o misji. Kilkoro pacjentów Miriam powiedziało jej, że Eleonora kazała założyć podsłuch w centrali. Podobno gabinety i sypialnie co ważniejszych członków administracji także są na podsłuchu, dlatego jeśli rozmawiacie o misji, mówcie cicho i starajcie się robić to na dworze albo w miejscach publicznych.

– Jasne – powiedział James. – Przekażę wszystko Laurze.

– Świetnie. Życzę wam szczęścia.

James pokiwał głową.

– Zdaje się, że będzie nam potrzebne.

*

Dwusilnikowy samolot miał sześć miejsc. James i Laura wcisnęli się na ostatni, trzeci rząd siedzeń, tuż przed aluminiowymi paletami ładunkowymi przymocowanymi pasami do podłogi. Zanim wystartowali, zdążył zapaść zmrok i dwuipółgodzinny lot miał ich nieść przez siedemset kilometrów nicości. Czerni pustyni nie urozmaicały żadne światła i tylko od czasu do czasu blask księżyca w kwadrze wydobywał z ciemności jakiś skalisty kontur.

Poczucie dystansu i izolacji w połączeniu z brutalną wentylacją kabiny przyprawiało Jamesa o dreszcze. W głowie miał milion rzeczy, jakie chciał powiedzieć Laurze, ale towarzystwo czterech Wybrańców zmuszało oboje do milczenia.

Fotele były zbyt małe i miały zbyt pionowe oparcia, by można było w nich spać, więc James próbował zabijać czas przeglądaniem pokładowej lektury: postrzępionego i poznaczonego tysiącem odcisków palców katalogu tandetnych upominków z arki i płyt DVD z najlepszymi kazaniami Joela Regana, z jego oślepiająco białym uśmiechem na okładce.

Kartkując katalog, James poczuł, że Laura oparła mu głowę na ramieniu. Po chwili jej dłoń prześlizgnęła się pod podłokietnikiem, by spocząć na kolanie brata. James przykrył ją własną dłonią, splótł palce z palcami Laury, a potem trwali tak przez całe wieki.

Sto pięćdziesiąt kilometrów przed końcem podróży na horyzoncie zajaśniała pomarańczowa łuna. Stawała się coraz większa i większa, aż wreszcie wyłoniły się z niej trzy strzeliste iglice pomalowane na złoto i pławiące się w żółtym blasku. Pośrodku pęczniała jedna z największych kopuł na całej planecie. Stała na środku rozległego kompleksu budynków otoczonego murem tworzącym sześciokąt. W każdym rogu stała sześciokątna wieża strażnicza zwieńczona trzydziestometrowej wysokości krzyżem mającym odstraszać diabły.

James widział już arkę na fotografiach, ale nic nie mogło przygotować go na ten nieprawdopodobny widok. Arka była warowną twierdzą zbudowaną w ostentacyjnym stylu Las Vegas, a przy tym ostatnią rzeczą, jakiej można się spodziewać w sercu australijskiego interioru. James miał jak najgorsze zdanie o Joelu Reganie i jego metodach zarabiania pieniędzy poprzez pranie mózgów i oszustwa, ale musiał przyznać sam przed sobą, że budowla jest imponująca.

Kiedy samolot przechylił się na ostatnim zakręcie przed pasem startowym, Laura nachyliła się do brata.

– To najobłędniejsza rzecz, jaką w życiu widziałam – szepnęła mu na ucho.

Mały dwusilnikowiec wystartował z trawiastego pola wzlotów, ale wylądował na betonowym pasie startowym, wystarczająco długim, by przyjmować jumbo jety. Obok wieży kontroli lotów znajdował się dwupiętrowy budynek terminalu z iluminowanym napisem nad szklaną fasadą: „Witamy w Międzynarodowym Porcie Lotniczym Joela Regana". Lotnisko wybudowano w latach osiemdziesiątych, kiedy Regan planował przemienienie arki w dochodową atrakcję turystyczną z tysiącami pokojów hotelowych, polami golfowymi i parkiem rozrywki wzorowanym na Disneylandzie.

Później Regan zmienił zdanie i oświadczył, że arka jest miejscem świętym, do którego diabły nie mogą mieć wstępu. Zdaniem jego krytyków była to tylko próba zachowania twarzy wobec tego, że bardzo niewielu turystów decydowało się na spędzenie wakacji w gościnie u sekty religijnej w obezwładniającym skwarze australijskiego interioru.

W rezultacie chybionych ambicji Regana James, Laura i pozostali pasażerowie byli skazani na nieco przydługą przechadzkę z samolotu do samej arki. Pierwszych kilkaset metrów pokonali przez wyludnione korytarze i pogrążoną w upiornej ciszy halę przylotów, w której większość świateł już dawno się przepaliła, a pokryte kurzem karuzele bagażowe nie obracały się od dziesięciu lat. Stamtąd głównym wejściem wydostali się na zewnątrz, na szeroką aleję prowadzącą prosto w stronę arki.

James i Laura nie znali drogi, więc szli za czwórką pozostałych pasażerów. Kiedy przechodzili przez masywną stalową bramę w jednej ze strażnic, każdy z pasażerów pokłonił się z szacunkiem patykowatej kobiecie o prostych czarnych włosach. James i Laura pamiętali ją z fotografii i wiedzieli, że to najstarsza córka Joela Regana Eleonora, znana także jako Pajęczyca.

Kiedy Pajęczyca podeszła do nowych uczniów, by się przedstawić, James stwierdził w duchu, że jej przydomek jest zaskakująco trafny. Była ubrana w obcisły czarny golf, a na końcach jej chudych rąk poruszały się długie palce, wysmukłe jak ołówki. James spodziewał się, że usłyszy skrzekliwy chichot wiedźmy, ale Eleonora przemówiła zupełnie normalnym głosem z wyraźnym australijskim akcentem.

– Cześć – powiedziała z uśmiechem. – Wy jesteście James i Laura, prawda? Gratuluję przyjęcia do arki.

Cherubini odwzajemnili uśmiech i kolejno uścisnęli szczupłą dłoń. Pajęczyca wprowadziła ich przez strażnicę na szeroki wewnętrzny pasaż. Wewnątrz murów arki znajdowało się sześć głównych dróg dla pieszych zbiegających się gwiaździście od strażnic do ogromnego placu na środku arki, gdzie znajdował się Święty Kościół Wybrańców ze swoją kolosalną kopułą i trzema złotymi iglicami. Na tle kościoła reszta budynków prezentowała się dziwnie zwyczajnie. W większości były to jedno- lub dwupiętrowe bloki zaprojektowane w prostym utylitarnym stylu, z falistą blachą na dachach i białymi plastikowymi oknami. Trąciły taniochą. James czuł się tak, jakby wszedł do najlepszej restauracji w mieście i znalazł w menu big maca z frytkami.

25. INICJACJA

– Pobudeeeczkaa! – zaśpiewało tęgie babsko o imieniu Georgia, wparowawszy do sypialni Jamesa. Było tu znacznie przyjemniej niż w prowizorycznych dormitoriach komuny w Brisbane. W pokoju było osiem metalowych łóżek, osobiste szafki, a nawet natryski i umywalnia na samym końcu pomieszczenia.

James niemrawo stoczył się z łóżka, ledwie widząc przez zapuchnięte ze zmęczenia oczy. Poszedł spać po pierwszej w nocy, wchodząc do sypialni i rozbierając się po cichu, by nie obudzić swoich siedmiu nowych współlokatorów. Teraz chłopcy pospiesznie ubierali się w uniformy wyglądające jak strój do WF-u: biała koszulka rugbysty, niebieskie szorty, niebieskie futbolowe skarpety. James marudził trochę dłużej niż inni, ponieważ ubranie w jego szafce było nowe i musiał usunąć całą masę torebek foliowych, metek i naklejek.

Ubrawszy się, James stanął w kolejce do jedynej ubikacji. Był ostatni i choć odpuścił sobie mycie rąk, nie zdążył wybiec z sypialni na czas, by zorientować się, dokąd pognali pozostali.

Z sąsiedniej sypialni wyszła Georgia. Uniosła brwi, jakby nie mogła uwierzyć własnym oczom.

– Co, do diabła, tu jeszcze robisz?! – ryknęła Jamesowi prosto do ucha.

– Nie mam rozkładu zajęć – wyjaśnił James. – Nie wiem, dokąd iść.

– Wszyscy uczniowie mają ten sam rozkład zajęć! – wrzasnęła olbrzymka, opryskując Jamesa śliną. – Po prostu idź za innymi.

– Ale ja nie zdążyłem...

– Lepiej naucz się nadążać za innymi, jeśli nie chcesz dostać kary. Przez tamte drzwi, na dół po schodach i na plac ćwiczeń, migiem!

James pomknął wzdłuż holu i pchnąwszy drzwi, wypadł prosto w gorący blask porannego słońca. Schody przy zewnętrznej ścianie budynku sprowadziły go na dół, na zapyloną ścieżkę biegnącą za blokiem mieszkalnym aż do wydeptanego placu ćwiczeń.

Na placu stało sto pięćdziesięcioro uczniów w wieku od dziesięciu do siedemnastu lat ustawionych w czterech długich szeregach. Wszyscy mieli takie same koszulki, ale skarpetki i szorty w każdym rzędzie były w innym kolorze odpowiadającym budynkowi, w którym mieszkały dzieci.

Dołączając do końca niebieskiego szeregu, James zauważył Laurę ubraną na żółto, stojącą w drugim rzędzie z przodu. Georgia i dwaj trenerzy stanęli naprzeciw dzieci i zaordynowali serię klasycznych ćwiczeń rozgrzewających. Były przysiady, skłony, wymachy, skręty tułowia, a potem także pompki, brzuszki, pady i pajacyki. Przy każdym ruchu uczniowie wykrzykiwali krótką formułkę:

– Witamy Cię, Panie. My, Twoje anioły. Będziemy Ci służyć. Daj nam siłę. Uchowaj przed złem. Nasze dusze szczere. Nasze myśli czyste. Jako przywódcy. Wiedziemy ludzkość. Przez mrok.

Dziesięcioma okrzykami odliczano dziesięć powtórzeń każdego ćwiczenia. Po piętnastu minutach padania w piach i zrywania się na równe nogi James z trudem łapał oddech.

Skórę pokrywał mu rdzawy pył, a wykrzykiwane sentencje wypełniały umysł bez reszty.

Po dwuminutowej przerwie na złapanie oddechu cztery szeregi uczniów wyprowadzono przez strażnicę na poranny bieg wokół murów arki. James oszacował dystans jednego okrążenia na około półtora kilometra. Pierwszą rundkę przebiegli spokojnym truchtem, w równym szyku, skandując w kółko tę samą mantrę co podczas gimnastyki. Pod koniec trener zawołał: „Bieg!", co było sygnałem do rozproszenia się i pokonania kolejnych dwóch okrążeń w jak najszybszym tempie.

James wypatrzył Laurę i zrównał się z nią.

– Wszystko w porządku? – wysapał.

– Przydałoby mi się trochę więcej snu – odpowiedziała Laura głosem podrygującym w takt uderzeń butów o asfaltową alejkę. – I gacie mam pełne piachu.

James podrapał się w tyłek.

– Nic mi nie mów. Oszaleć można.

*

– Jak się nazywasz? – zapytał jakiś dzieciak.

Grupa zakurzonych chłopców wlokła się na przełaj w stronę niebieskiego bloku mieszkalnego. Dzieciak wyglądał na dwunastolatka, ale był o rok młodszy. Był mocno zbudowany i miał spłaszczony nos.

– James.

– Jestem Rat.

James uznał, że się przesłyszał.

– Powiedziałeś Rat?

– No, naprawdę to nazywam się Rathbone, ale jak kiedyś tak do mnie powiesz, kopnę cię w jaja.

James uśmiechnął się, ale był też zaskoczony. Wybrańcy nie używali takich słów.

– Co jest, zeżarło ci język? – zapytał Rat wyraźnie zadowolony z wrażenia, jakie wywarł na nowym znajomym.

– Po prostu jestem wykończony – odpowiedział James, wzruszając ramionami.

Rat pokiwał głową z uznaniem.

– Twardy z ciebie zawodnik. Nieraz widziałem, jak pierwszego dnia nowi dachują od gorąca.

– Długo tu jesteś? – zapytał James, gdy dotarli do metalowych schodów.

– Tylko przez całe życie.

Rat wydobył spod koszulki rzemyk z nawleczonymi sześcioma koralikami. Wskazał na jedyny pomalowany na złoto.

– Co to znaczy? – zapytał James.

Rat uśmiechnął się.

– To znaczy, że należę do królewskiej rodziny.

– Że jak?

– Joel Regan zostawił najlepsze na koniec – jestem jego trzydziestym trzecim i ostatnim dzieckiem.

– Ekstra.

Rat przewrócił oczami i spojrzał na Jamesa jak na skończonego idiotę.

– Niby co w tym fajnego?

James nie wiedział, co odpowiedzieć. Tymczasem dotarli do drzwi sypialni, gdzie chłopcy rozbierali się i wchodzili pod natryski. Rat zatrzymał się przed progiem.

– Jesteś ciotą? – zapytał obcesowo.

James pokręcił głową.

– W życiu.

– To znaczy lubisz dziewczyny?

– Pewnie – wyszczerzył się James.

– Gołe dziewczyny?

– Takie najbardziej.

– No to chodź – uśmiechnął się Rat i pociągnął Jamesa za koszulkę.

James był niezdecydowany.

– Co robisz?

Rat cmoknął zniecierpliwiony.

– No chodź, nie pękaj. Za chwilę wrócimy. Słowo, że normalnie ześwirujesz ze szczęścia.

James gorączkowo zastanawiał się, co robić. Czuł, że nie powinien pchać się w kłopoty, dopóki nie zbada terenu, ale z drugiej strony Rat najwyraźniej nie był zwyczajnym Wybrańcem o wypranym do czysta mózgu i mógł okazać się cennym sprzymierzeńcem.

– No dobra – powiedział wreszcie. – Ale nie będzie z tego jakiejś biedy, co?

– Nie bądź idiotą, James. Będę tuż obok ciebie. Robiłem to milion razy.

James pozwolił się poprowadzić na drugą stronę holu. Rat otworzył drzwi obezwładniająco gorącej komórki zawierającej wielki kocioł z mnóstwem zaworów, wskaźników i rur rozchodzących się we wszystkie strony.

– Teraz cicho – wyszeptał, kierując się w stronę stołu ustawionego w rogu pomieszczenia.

Rat wgramolił się na stół i gestem zachęcił Jamesa, by zrobił to samo. Stanęli obok siebie twarzami do ściany. Tuż przed sobą mieli wąską metalową kratkę, przez którą Rat gapił się już na drugą stronę. James zbliżył oczy do szczelin między prętami i jęknął z zachwytu.

– No, czyż to nie jest piękne? – zapiszczał Rat.

James patrzył na parne pomieszczenie, syczące wodą natryski i gromadę dziewcząt mieszkających w sypialni po tej stronie holu. Dziewczyny śmiały się, płukały włosy i mydliły sobie nawzajem plecy.

– Aaa... – wyrwało się Jamesowi, a szczęka opadła mu na pierś.

– I co, warto było? – wyszeptał Rat.

– Jasne, stary – odszepnął rozmarzony James. – Chcę tu zostać do końca życia.

Miał przed sobą tyle dziewczęcego ciała, że nie był w stanie skupić wzroku w jednym miejscu. Nagle Rat załomotał pięścią w kratę.

– Alarm, zbok patrzy!

Zanim James zrozumiał, co się dzieje, Rat zeskoczył ze stołu i rzucił się w stronę drzwi. Musiał już wcześniej odkręcić kratę, przewidując swój figiel, bo metal runął z łomotem na posadzkę pryszniców, wzniecając popłoch wśród dziewcząt. Rozległy się paniczne wrzaski. James skoczył na podłogę i jednym susem dopadł drzwi, które w tej samej chwili zatrzasnęły się przed nim. Kiedy złapał za klamkę, usłyszał charakterystyczny odgłos przekręcanego w zamku klucza.

– Ty dupku! – krzyknął, częstując drzwi kopniakiem. – Otwieraj, bo rozwalę ci ten głupi łeb!

Rozejrzał się i stwierdziwszy, że ucieczka jest niemożliwa, poczuł przypływ paniki. Z prysznica za ścianą dobiegały go gniewne okrzyki dziewczyn.

– Dostaniesz za swoje, ty zboczeńcu!

Trzydzieści sekund później ktoś załomotał w drzwi komórki. James rozpoznał głos Georgii.

– Otwieraj w tej chwili!

Walnęła w drzwi jeszcze raz, James przewrócił oczami zirytowany jej tępotą.

– Naprawdę myślisz, że sam się tu zamknąłem?

To spowodowało chwilową przerwę w hałasach dobiegających zza drzwi. Po krótkiej chwili rozległ się ryk Georgii, ale już z większej odległości.

– Rathbone Regan, natychmiast stamtąd wyłaź!

Nie doczekawszy się odpowiedzi, krzyknęła znowu:

– Nie zmuszaj mnie do tego, żebym weszła do tej łazienki i wywlokła cię za uszy!

James usłyszał tumult za drzwiami. Brzmiało to tak, jakby Rat został osaczony i wyciągnięty na korytarz przez innych chłopców.

– On to zrobił? – zapytała Georgia.

Normalne dzieci nie wydałyby kolegi, ale młodych Wybrańców uczono, że kłamanie przełożonemu to zaproszenie dla szatana, by dobrał im się do skóry.

– Widzieliśmy go idącego z tym nowym chłopakiem, proszę pani.

– Przybiegł pod prysznic dopiero przed chwilą.

Do głosów dołączył ryk Rata.

– O wy zawszone sukin...

– Rathbone! – krzyknęła Georgia. – I tak masz już dość kłopotów. Czy mam ci do tego namydlić język? Gdzie jest klucz?

Odpowiedzią Rata była długa i donośna imitacja pierdnięcia.

– Mam gdzieś, co mi zrobisz, gruba babo. Nie jestem twoją własnością.

– Mamy klucz – usłużnie doniósł jeden z chłopców. – Był w jego szafce, pod brudnymi rzeczami.

Szczęknął zamek. Georgia wywlokła Jamesa za kołnierz koszulki i pchnęła na ścianę holu. Podłogę pokrywały kałuże wody naniesionej spod pryszniców przez chłopców, ale na korytarzu został tylko Rat. Miał namydlone włosy i był nagi, jeśli nie liczyć ręcznika, który okręcił sobie wokół bioder.

James rzucił mu wściekłe spojrzenie, po czym zwrócił się do Georgii.

– Proszę pani, on mnie w to wrobił.

– Wiem, że cię wrobił – pokiwała głową kobieta. – Wiem, że cię tam zamknął, ale spójrz na niego i na siebie. Chyba nie objął cię w pasie i nie wsadził na ten stół, co?

– Nie, proszę pani – powiedział James z rezygnacją.

– Teraz obaj weźmiecie prysznic i poczekacie na dole na nabożeństwo. Możecie spodziewać się surowej kary.

– A śniadanie? – wypalił Rat.

– Ciężka sprawa.

James wszedł do sypialni, gorącej i dusznej od pary z natrysków. Pozostali chłopcy albo kończyli się ubierać, albo wychodzili już na śniadanie.

– Dzięki, że mnie kryliście, koledzy! – zawołał Rat z goryczą, nie kierując tych słów do nikogo konkretnego, po czym cisnął ręcznik na podłogę i wbiegł do łazienki, żeby spłukać włosy.

James zdjął przepocone ubranie i wszedł za Ratem w kłęby pary pod natryskami. Zostali sami i Rat przypadł plecami do ściany z wyrazem przerażenia na twarzy.

– Powinienem skuć ci tę wredną gębę – wycedził James, celując palcem w przerażoną twarz, po czym zgarnął z półki szampon.

– Nie boję się ciebie! – zawołał buńczucznie Rat, ale umilkł i skulił się, kiedy muskularny tors Jamesa zawisł o kilka centymetrów od jego twarzy.

– No dawaj, dowal mi – powiedział cicho, ale wyzywającym tonem. – Mam to gdzieś. Ten babsztyl chce, żebyś to zrobił. Nie będziesz pierwszy.

Jednak James, którego gorący temperament wpakował w kłopoty zbyt wiele razy, by chciało mu się liczyć, był teraz mistrzem w nadstawianiu drugiego policzka.

– Powiedz, po jaką wszawicę wyciąłeś mi ten idiotyczny numer?

Rat cmoknął niecierpliwie.

– Dobra, przywal mi i miejmy to już za sobą. Nie myśl, że będę się tu przed tobą płaszczył.

James nie wiedział, co myśleć o tym dziwnym dzieciaku. Czy Rat był kimś w rodzaju Wybrańca buntownika, czy po prostu brakowało mu piątej klepki?

– Jak nas ukarzą? – zapytał James.

– Och, spodoba ci się – wyszczerzył zęby Rat, odwracając się, by zademonstrować swój tyłek.

James wzdrygnął się na widok masy strupów i sińców, w tym niektórych wyglądających jeszcze na całkiem świeże.

– Czy oni zdurnieli? – zachłysnął się, nagle o wiele bardziej zaniepokojony sytuacją, w jakiej się znalazł.

Rat wzruszył ramionami.

– Mogą mnie tłuc do woli, nie zamierzam się im podporządkowywać. Jak się zastanowić, to ty też nie jesteś jednym z nich, mam rację?

– Znaczy kim?

Rat uśmiechnął się.

– Tak naprawdę nie wierzysz, prawda?

– Skąd ci to przyszło do głowy? – zapytał nerwowo James, mydląc sobie pachy. – Złożyłem przysięgę, dostałem naszyjnik...

– Twój naszyjnik nic nie znaczy – powiedział Rat. – Gdybyś naprawdę wierzył, nigdy w życiu nie poszedłbyś do tej komórki podglądać gołe babki. A teraz tłumaczyłbyś mi, że powinniśmy okazać skruchę i z pokorą przyjąć karę.

– Może po prostu jestem łatwowierny.

Rat potrząsnął głową.

– Gdybyś był głupi, siedziałbym teraz na podłodze z rozkrwawionym nosem.

– Na przyszłość pilnuj się, Rat, to jeszcze wciąż może się zdarzyć.

– Lepiej powiedz, jak tu trafiłeś?

James opowiedział o wypadku Elliota i o tym, jak Weena starała się zatuszować sprawę. Nim skończył, obaj siedzieli w sypialni i wycierali się.

– Znam Elliota – pokiwał głową Rat. – Nazywaliśmy go Węgorz, bo jest śliski jak ryba. Zdajesz sobie sprawę z tego, że ty i twoja siostra jesteście pierwszymi nowymi twarzami, jakie pojawiły się w arce od trzech miesięcy?

– Wiem. W Brisbane mówili coś o dużych pracach budowlanych czy jakoś tak.

Rat uśmiechnął się.

– A widziałeś jakieś?

James uświadomił sobie, że nie widział.

– No to o co tu chodzi?

– Joel Regan umiera – wyjaśnił Rat. – Pajęczyca nie chce, żeby ludzie z zewnątrz się dowiedzieli, bo kiedy papa kojfnie, parę miliardów ton gówna walnie w wentylator.

– Jak to? – zdziwił się James.

Rat ożywił się, wyraźnie zadowolony, że wreszcie znalazł kogoś, kto chce go słuchać.

– No bo słuchaj, cała religia Wybrańców opiera się na tym, że Bóg poprosił Joela Regana, żeby zbudował arkę i ocalił ludzkość, tak? Tylko jak Joel nas ocali, jeśli nie będzie żył?

– No tak. – James pokiwał głową ze zrozumieniem. – Może mieć z tym pewien drobny kłopot.

– Do tego wszystkiego toczy się wojna o to, kto przejmie kontrolę, kiedy papa umrze.

– Między kim?

– Między Susie, czwartą żoną taty, a moją najstarszą siostrą Eleonorą, albo, jak kto woli, Pajęczycą. Susie jest normalna, nie nosi nawet rzemyka Wybrańców, za to Eleonora to jej całkowite przeciwieństwo: wierzy w każde słowo z *Podręcznika*. Mówi się, że jeśli mój ojciec umrze przed apokalipsą, będzie to znak, że diabły zwyciężają. Rozpęta się wtedy niezły cyrk.

– Jak to?

– James, oni wszyscy są przekonani, że szatan powstanie z piekła i będzie próbował ich pozabijać, a żyją w fortecy z piwnicami pełnymi broni, amunicji i materiałów wybuchowych. To nie jest zdrowe połączenie.

James przypomniał sobie, że ma odgrywać kogoś, kto głęboko wierzy w idee sekty.

– Ale to nie może być prawda. *Podręcznik Wybrańca* mówi...

Rat wybuchnął śmiechem.

– Tak, jasne, James. Stopień twojej wiary w doktrynę Wybrańców leży gdzieś między zerowym a żadnym.

– To nieprawda – powiedział James bez przekonania i zaczął wciągać bokserki.

Był zaniepokojony. Jeśli jedenastolatek przejrzał go tak łatwo, kto jeszcze mógł to zrobić?

– Wiesz, że kiedy mój ojciec wstąpił do armii, zrobili mu test na inteligencję i jego iloraz wyniósł sto dziewięćdziesiąt sześć? Krótko mówiąc, jest prawdziwym geniuszem. Ja też pisałem taki test i zgadnij, ile mi wyszło.

– Trzydzieści parę? – wyszczerzył się James.

– Sto dziewięćdziesiąt siedem – powiedział Rat z naciskiem. – Prawdopodobnie jestem najbystrzejszym dzieciakiem, jakiego spotkałeś i kiedykolwiek spotkasz, więc nawet nie próbuj mydlić mi oczu.

James nie mógł nie dostrzec zabawnej ironii w całej tej sytuacji.

– Skoro taki z ciebie bystrzak, to dlaczego twój zadek wygląda, jakby drużyna rugby używała go do ćwiczenia wykopów?

Rat wzruszył ramionami i westchnął.

– Ciągle słyszę, żebym nie był taki mądry, bo pożałuję.

26. AUĆ

Wszystkie nabożeństwa Wybrańców, oprócz tych dla gości spoza sekty, urządzano oddzielnie dla chłopców i dla dziewcząt, ale tym razem Jamesa i Rata zaprowadzono do przestronnej sali i zmuszono do położenia się na brzuchu na drewnianej podłodze w centrum podwójnego kręgu utworzonego przez wszystkie uczennice szkoły w arce. James nie wiedział, czego się spodziewać, ale towarzystwo Rata dodawało mu otuchy. Chłopiec przechodził już przez to wcześniej i nie wyglądał na przerażonego.

Ceremonię poprowadziła Georgia wyposażona w harmonijkę ustną i brzękliwą gitarę akustyczną. Po standardowym kwadransie klaskania, śpiewania i skandowania głos prowadzącej przybrał mroczny ton.

– Arka jest miejscem Bożej czystości. Zgrzeszyć wewnątrz arki oznacza zaprosić diabły do najświętszego miejsca na ziemi. Zanim nadejdzie czas odpuszczenia, taki uczynek należy surowo ukarać. Szatan musi zostać wypędzony z dusz grzeszników.

Georgia triumfalnie wyciągnęła z kieszeni szortów małą drewnianą kijankę i strzeliła palcami. Dwie dziewczyny weszły na środek kręgu, niosąc szkolną ławkę. Chłopców zmuszono do powstania i James zdążył rzucić przelotne spojrzenie na Laurę. Talię owinięto mu grubo wyściełanym, zapinanym na rzepy pasem, który miał zapobiec urazom kręgosłupa. Ktoś pociągnął w dół jego szorty,

191

odsłaniając pośladki. Chłopcom wepchnięto w usta gumowe kneble, by nie odgryźli sobie języka, po czym zmuszono ich do zgięcia się wpół i położenia na ławce.

– Obowiązkiem tych, których godność została naruszona przez tych zdeprawowanych i pożądliwych chłopców, jest wymierzenie im kary – oznajmiła Georgia, przestępując z palców na pięty swoich bosych stóp.

James wytrzeszczył oczy, kiedy dwanaście dziewcząt w niebieskich skarpetkach utworzyło kolejkę do ławki. Pod prysznicem było ich tylko siedem lub osiem, ale z gumową kulą w ustach trudno było się skarżyć.

– Starszy chłopiec jest nowy w arce, po jednym uderzeniu – zarządziła Georgia. – Rathbone to zatwardziały grzesznik, dajcie mu po trzy. Zaczynajcie.

Jamesowi głowa zwisała za krawędzią ławki, dzięki czemu widział pod blatem nogi dziewcząt. Pierwsza podeszła do Georgii i wzięła od niej kijankę. Rozległ się suchy trzask i ławka bujnęła się na przednich nogach: Rat przyjął swój pierwszy klaps.

Po trzecim James zobaczył łzy zbierające mu się w kącikach oczu.

– Przebaczam ci, Rathbone – powiedziała dziewczyna w niebieskich skarpetkach, podchodząc do Jamesa.

James kwiknął ze strachu, szykując się do przyjęcia razu. Siła uderzenia rzuciła nim w przód, ale bolało mniej, niż się obawiał.

– Przebaczam ci, James – powiedziała dziewczyna, cofając się i przekazując kijankę następnej w kolejce.

Ulga Jamesa nie trwała długo. Drugie uderzenie zabolało bardziej niż pierwsze i każde kolejne było coraz gorsze.

Kiedy dwunasta oprawczyni przyłożyła kijanką w nagie pośladki Jamesa, Georgia ściągnęła go z ławki i wyrwała knebel z ust. Podczas gdy dziewczęta wychodziły z sali na poranne lekcje, on zerwał pas i podciągnął spodenki. Przy okazji zauważył, że drewniane wiosełko, leżące obok niego na podłodze, jest ochlapane krwią. Przestraszony sięgnął ręką za plecy i wsunął dłoń w szorty, ale nie wyczuł niczego poza wielkim, piekącym, lekko tylko poznaczonym krwią otarciem.

Wtedy spojrzał na Rata. Jedenastolatek przyjął trzydzieści sześć razów. Teraz gramolił się nieporadnie, szukając sił, by wstać, a po nogach ciekły mu strużki krwi.

– No, wstawaj, chłopcze! – zawołała Georgia, wyraźnie zadowolona z siebie. – Jeszcze wybijemy z ciebie diabła, zobaczysz.

Rat z wysiłkiem odepchnął się od blatu, a James złapał go pod ramię, by nie stracił równowagi. Chłopiec otarł twarz z łez i spojrzał wyzywająco na Georgię.

– Nic a nic nie bolało.

Olbrzymka zignorowała go.

– A więc, nowy chłopcze – powiedziała, podnosząc zakrwawioną kijankę i machając nią przed nosem Jamesa – to był przedsmak tego, co cię czeka, jeżeli znów zachce ci się zapraszać szatana do arki. Od tej pory oczekuję absolutnego posłuszeństwa. Czy wyraziłam się jasno?

– Tak, proszę pani – wycedził James, z trudem hamując wściekłość.

Kolejne spojrzenie na zakrwawione nogi Rata napełniło go gwałtowną żądzą wyrwania tej ohydnej babie kijanki i pokazania jej, jak smakuje jej własne lekarstwo. Miał siłę, by to zrobić, jednak godząc się na udział w operacji, zdawał sobie sprawę, że grożą mu kary cielesne, i nie miał zamiaru zmarnować sześciu tygodni ciężkiej pracy przez jeden napad furii.

– No dooobra – powiedziała przeciągle Georgia, wykręcając twarz w złośliwym uśmiechu. – A teraz zapraszam was do potnicy.

*

James domyślał się, że coś, co nazywano potnicą, nie jest klimatyzowanym pomieszczeniem wyściełanym miękkimi poduszkami. Trafił w dziesiątkę. Ściskając chłopców za ramiona, Georgia odprowadziła ich do buchającej żarem blaszanej szopy, która znajdowała się tuż obok betonowego muru arki. Wnętrze miało tylko trzy kroki szerokości, a na piasku stanowiącym podłogę stały dwa wiadra – jedno zawierało wodę do picia i plastikowy kubek, drugie miało służyć jako toaleta.

Chłopcy, ociągając się, weszli do środka. Szopa nie miała okien, ale ostry blask słońca sączący się przez szpary pod dachem wystarczał, by rozjaśnić wnętrze.

– Rozmyślajcie nad swoimi grzechami – powiedziała Georgia surowym tonem.

Drzwi zatrzasnęły się z blaszanym łomotem, szczęknęły dwie zasuwy. James poczuł, jak rozpalone powietrze wypełnia mu płuca, i wpadł w panikę.

Rat dostrzegł, że kolega się dusi, i przemówił stanowczym tonem.

– Uspokój się.

– Nie mogę oddychać.

– Bierz krótkie oddechy, dopóki płuca nie przywykną do żaru – poradził Rat, masując Jamesowi ramię, by podtrzymać go na duchu. – Wszystko będzie dobrze, tylko nie zbliżaj się za bardzo do metalu, bo usmażysz sobie skórę.

Podczas gdy James ćwiczył oddychanie, Rat rozgarnął butem rozżarzony piach, by odsłonić trochę chłodniejszego gruntu, na którym dałoby się usiąść.

– Jak długo będziemy tu siedzieć? – zapytał James.

– Do końca lekcji o pierwszej.

– To całe pięć godzin – przeraził się James.

Biorąc przykład z Rata, James wykopał sobie butem płytki grajdołek i ułożył się w nim na boku, by nie dotykać niczego nadwrażliwymi pośladkami. Przypomniał sobie męki, jakie musiał znosić na szkoleniu podstawowym, oraz formułkę, jaką kazano mu wtedy powtarzać:

To twarda szkoła, ale cherubin jest twardszy. To twarda szkoła, ale cherubin jest twardszy.

Uśmiechnął się do siebie, uświadomiwszy sobie, że szkoleniowcy CHERUBA także nie stronili od technik manipulacyjnych. Jednak podobieństwa między twardym reżimem życia w kampusie a życiem w arce były powierzchowne. Każdy, kto wstępował do CHERUBA, wiedział dokładnie, co go czeka, i jeśli chciał się wycofać, mógł to zrobić w każdej chwili. Wystarczyło poprosić.

Po kilku minutach James poczuł, że jego oddech wrócił do normy, i orzeźwił się trzema kubkami wody.

– Wiesz co? – zaczął Rat, mówiąc powoli z powodu gorąca. – To wszystko moja wina. Zdaje się, że jestem ci winien przysługę. Zrobię, co tylko chcesz.

James uśmiechnął się krzywo.

– Co konkretnie może mi zaoferować koleś z poranionym zadkiem i problemami z postawą moralną?

– Więcej, niż ci się wydaje – powiedział Rat urażonym tonem. – Być dzieckiem Regana to jednak coś znaczy, a przekazując właściwe plotki właściwym uszom, można zjednać sobie wdzięczność wielu wpływowych osób.

James zastanowił się nad przysługą, która ułatwiłaby mu wypełnienie misji, nie obnażając przy tym jej celów.

– No dobra, panie ważny – powiedział po chwili. – Rozumiem, że dostaniemy tu przydziały pracy, tak samo jak w Brisbane.

– Zgadza się. Szkoła trwa do pierwszej, a potem pracujemy aż do obiadu.

– Mógłbyś załatwić dla mnie i mojej siostry coś sympatycznego? Jakaś łatwa praca przy biurku zamiast czyszczenia kibli albo prania.

– Żaden problem – powiedział Rat, zaskakując Jamesa pewnością siebie. – Pogadam z moją macochą Susie. To czwarta żona mojego papy. Jest drugą najpotężniejszą osobą w arce zaraz po Pajęczycy.

– A twoja mama? – zapytał James.

Rat uczynił gest, jakby zakładał pętlę na szyję, po czym wybałuszył oczy i wywalił język, wydając gardłowy dźwięk.

– Mama kiepsko znosiła ten tłum kobiet, z którymi zadawał się ojciec. W końcu ześwirowała i powiesiła się.

– Chryste! – zachłysnął się James. – Strasznie mi przykro, Rat.

– Nie tak przykro jak mnie. Ty masz rodzinę poza tym domem wariatów. Jak będziesz odpowiednio upierdliwy, wykopią cię, żebyś mieszkał z tatą czy kimś. Ja będę tu tkwił do osiemnastki.

– Twojego taty nie obchodzi, co się z tobą dzieje?

– Mój tata ma osiemdziesiąt dwa lata, oddycha tlenem z butli, ma trzydzieścioro dwoje innych dzieci, a ja przypominam mu stukniętą żonę, która popełniła samobójstwo.

James cmoknął.

– Ciężka sprawa.

– Było całkiem nieźle, dopóki żyła mama. Jeździliśmy z papą po komunach na całym świecie. Miałem wtedy pięć czy sześć lat i wszędzie, gdzie się zjawiliśmy, traktowali nas jak rodzinę królewską. Tłumy na lotniskach, błyskające flesze. Pamiętam, jak w jednej komunie w Japonii chciałem się normalnie pobawić, ale żaden z dzieciaków nie chciał do mnie podejść, bo się bały. Każdy wręczał mi zabawkę, kłaniał się i w nogi.

– No i spadłeś z piedestału – zauważył James.

– Na samo dno. Teraz tylko wszystkim zawadzam. Żaden ze mnie Wybraniec i jestem zbyt bystry, by dać się wciągnąć w te ich psychologiczne gierki, ale nie mają co ze mną zrobić, więc trzymają mnie tutaj.

27. SUSIE

W miarę jak słońce wspinało się coraz wyżej, żar w szopie stawał się coraz bardziej nieznośny. James wypróbował już wszystkie pozycje: na boku, na brzuchu, w kucki, na stojąco, w ubraniu i bez. Największą ulgę przynosiło mu zwilżanie wodą koszulki i skrapianie twarzy.

Na szczęście zapas wody był uzupełniany co godzinę przez pucołowatą dziewczynę, która wyćwiczyła do perfekcji wszystkie standardowe skinięcia, przechylenia głowy i uśmiechy Wybrańców. Każdej dostawie towarzyszyło ociekające słodyczą błogosławieństwo.

– Wypoćcie z siebie diabła. Pan wybaczy wam obu.

Żaden z chłopców nie miał zegarka, ale Rat spędził w potnicy wystarczająco dużo czasu, by nauczyć się określać godzinę na podstawie położenia słońca. Kiedy stwierdził, że dochodzi pierwsza, powiedział Jamesowi, żeby obmył się jak najdokładniej resztką wody z wiadra, ubrał się i przygotował do biegu.

– Ten skwar mnie zabija – jęknął James. – Nie wiem, czy dam radę iść.

– Lepiej weź się w garść, jeżeli chcesz dostać ten łatwy i przyjemny przydział – powiedział Rat. – Niedawno zwinąłem z biura jakieś papiery dla mojej macochy i teraz wisi mi przysługę, ale mówimy tu o żonie Joela Regana. To trochę szajbuska. Nie można tak po prostu zapukać do jej biura i powiedzieć cześć, kiedy się chce. Musimy ją złapać, kiedy je lunch w restauracji na tyłach Świętego Kościoła.

James pokiwał głową.

– Spróbuję, ale mówię ci, ja tu zdycham.

Rat praktycznie staranował dziewczynę, kiedy odsunęła zasuwy, by wypuścić więźniów. James był pod wrażeniem odporności chłopaka, który mimo odwodnienia i bolesnych ran puścił się tak szalonym sprintem, że on sam ledwie za nim nadążał. Mrużąc oczy od oślepiającego słońca, chłopcy pobiegli w stronę jednopiętrowego budynku oddalonego o pięćdziesiąt metrów od szopy.

Rat przebiegł za narożnik budynku i zbiegł po metalowych schodach prowadzących do piwnicy. Na dole nacisnął pokrytą gumą klamkę i pociągnął stalowe drzwi z czarno-żółtym symbolem radioaktywności i napisem „Strefa Awaryjnej Dekontaminacji". Drzwi miały piętnaście centymetrów grubości i Rat musiał zaprzeć się obiema nogami, by ruszyć je z miejsca.

– Znam tu każdy tunel – pochwalił się, prowadząc Jamesa w głąb mrocznego niskiego pomieszczenia.

Na szynie pod sufitem wisiały rzędem kombinezony przeciwpromienne, a ze ścian sterczały sitka pryszniców.

Druga para grubych drzwi przepuściła chłopców do tunelu z szeregami świetlówek, których światło odbijało się białymi plamami od lśniącej podłogi. Chłodne powietrze orzeźwiło Jamesa. Biegnąc, mijali pomieszczenia wypełnione archaicznie wyglądającą elektroniką, prowiantem i urządzeniami wentylacyjnymi.

– Co to jest?! – zawołał James, a jego głos poniósł się echem wzdłuż tunelu, dołączając do pogłosu kroków i oddechów.

Rat obejrzał się przez ramię.

– Arka to coś więcej, niż się wydaje. W niektórych miejscach schodzi na cztery piętra pod ziemię. Jest tu tyle konserw, że wszyscy mogliby przeżyć w schronach przez wiele lat.

Arka zaczynała przerażać Jamesa. Wybrańcy z Brisbane byli obłudni i bezwzględni, ale nie mieli podziemnych bunkrów, ubiorów chroniących przed promieniowaniem ani broni. Nie bili też dzieci na krwawą miazgę i nie piekli ich żywcem w blaszanych szopach.

Kiedy dotarli do rzędu wind na końcu tunelu, James był wykończony. W normalnej sytuacji czterominutowy bieg nie zrobiłby na nim większego wrażenia, ale potnica wyssała z niego resztki sił. Miał sztywne mięśnie i huczało mu w głowie.

– No dobra – powiedział Rat, wstępując do wielkiej windy ładunkowej o pochlapanej farbą podłodze – kiedy wyjdziemy, lepiej, żebyś zachowywał się najlepiej, jak potrafisz. To świątynna restauracja.

– Co to jest?

– Miejsce, w którym arkowe szychy jedzą normalne żarcie zamiast tego szajsu z puszek, którym karmią nas w internacie. Pilnuj się i nie wdawaj w przypadkowe pogawędki.

Wychodząc z windy, James spodziewał się ujrzeć wytworny lokal, ale świątynna restauracja bardziej przypominała zwyczajną stołówkę. Wrażenia nie poprawiały masywne drewniane stoły wyglądające na dość kosztowne ani wiszące na ścianach artystyczne czarno-białe fotografie arki.

Drobny człowieczek w białej koszuli i czarnych spodniach zastąpił im drogę tuż za drzwiami lokalu.

– Przepraszam bardzo – powiedział chłodno, wyraźnie niezadowolony z wizyty dwóch chłopców w szkolnych uniformach.

Rat wyciągnął spod bluzki naszyjnik i potrząsnął złotym koralikiem. Człowieczek cofnął się z nerwowym ukłonem.

– Och tak... Rathbone Regan, czyż nie?

– Och tak, nie inaczej – powiedział kwaśno Rat, przedrzeźniając mężczyznę. – Jest moja macocha?
– Zwykle woli jeść sama. Nie radziłbym...
Rat zignorował to i poprowadził Jamesa między stolikami w stronę uderzająco pięknej kobiety pochylonej nad miseczką zupy jarzynowej minestrone. Miała długie ciemne włosy, a jej staranny makijaż sugerował, że jej życie nie toczyło się według napiętego planu zajęć Wybrańca.
– Cześć, Rat – powiedziała Susie. Mówiła z amerykańskim akcentem, a w jej głosie pobrzmiewała mieszanka podejrzliwości i zadowolenia z widoku pasierba. – Siadajcie, chłopcy.
James uznał, że wydobrzał już na tyle, by móc usiąść, ale Rat potrząsnął głową.
– Ja postoję, jeśli wolno.
Susie uniosła brwi.
– O, mój Boże. Ile dzisiaj dostałeś?
– Trzydzieści sześć.
Susie prychnęła, potrząsając głową.
– Myślę, że on to lubi, James. Ma skłonności masochistyczne.
James zaczął się zastanawiać, czy może być w tym ziarno prawdy. Pod prysznicem Rat właściwie błagał go o pobicie.
– Wcale tego nie lubię – zaperzył się Rat. – Niech wiedzą, że bicie mnie niczego nie zmieni.
Restauracja była samoobsługowa, ale wysoki status Susie gwarantował jej obsługę kelnerską. Kelner był ubrany tak samo jak człowiek przy drzwiach.
– Czy ci dwaj naprzykrzają się pani, pani Regan?
– A czy ja się skarżę?! – krzyknęła Susie, napędzając Jamesowi strachu niespodziewanym wybuchem gniewu. – Zapytaj chłopców, na co mają ochotę, i dopilnuj, żeby to dostali.

Ponieważ lokal był samoobsługowy, na stole nie było menu. James nie wiedział, co można tu zjeść, więc pozwolił Ratowi zamówić hamburgera z frytkami, pucharek lodów i pepsi dla każdego z nich.

– I dmuchane kółko do siedzenia dla Rata – dodała Susie, wywołując uśmieszek na twarzy Jamesa.

Susie w niczym nie przypominała Wybrańca, ale jej widoczne upodobanie do kosztownych strojów i biżuterii pozwalało uwierzyć, że naprawdę była typem kobiety gotowej porzucić karierę modelki, by wyjść za siedemdziesięciopięcioletniego miliardera kilka tygodni po swoich dwudziestych trzecich urodzinach.

– Skąd pani wie, jak się nazywam? – zapytał James.

– Twoje przybycie było sensacją w naszej małej społeczności, James.

Rat zauważył, że Susie skończyła zupę, co oznaczało, że chłopcy mają mało czasu.

– Przyszedłem po obiecaną przysługę – oznajmił.

– Zaskakujesz mnie, Rat.

– Ehem – powiedział kelner.

James obejrzał się i zdumiał, widząc w rękach mężczyzny nadmuchiwane gumowe kółko z dziurą w środku. Sądził, że Susie żartowała, ale najwyraźniej restauracja trzymała kilka takich poduszek dla niedawno oćwiczonych Wybrańców.

Rat wyszczerzył się i ostrożnie usadowił na kółku, bacząc, by nie obciążać najwrażliwszych części tyłka. Kilka chwil później na stół wjechały hamburgery, frytki i ogromny dzban pepsi. Lunch wyglądał smakowiciej niż wszystko, co James jadł od czasu, gdy miesiąc wcześniej wprowadził się do komuny w Brisbane.

– Dobra, mów szybko, czego ode mnie chcesz – powiedziała Susie, wstając od stołu. – Tylko się streszczaj, nie mam całego dnia.

– James potrzebuje jakiegoś ulgowego przydziału – wyjaśnił Rat. – Czegoś, co nie wymaga kontaktu z fekaliami ani ciężkiej pracy fizycznej.

– I dla siostry też – dorzucił pospiesznie James, ale zaraz spokorniał. – Jeżeli można prosić, oczywiście.

– Co z tego będę miała? – uśmiechnęła się Susie, zarzucając na ramię mikroskopijny plecak od Louisa Vuittona.

– Zakładam, że prędzej czy później zechcesz znów zerknąć w kolejne papiery i płyty z archiwami biura – wyszeptał Rat.

Susie rozejrzała się niespokojnie.

– Może głośniej, niech cały świat usłyszy.

– Ale najlepsze – ciągnął Rat, szczerząc się łobuzersko – że mieszając się do spraw nowo przybyłych, utrzesz nosa Pajęczycy.

Na twarz Susie wypłynął szeroki uśmiech.

– Wścieknie się, nie? No dobrze, zadzwonię, do kogo trzeba, i jakoś was ustawię.

Rat wskazał jedzenie przed sobą.

– Przegapimy popołudniowe nabożeństwo, jeśli zostaniemy, żeby to skończyć.

– Jesteście kryci. – Susie skinęła głową. – Powiedzcie, że ja was zwolniłam, bo byliście mi potrzebni. Życzę smacznego i na miłość boską, spróbuj choć przez chwilę trzymać się z dala od kłopotów.

Kiedy Susie oddaliła się, James skinął głową w stronę kolegi.

– Byłeś świetny, Rat, dzięki.

Rat machnął ręką.

– Żaden problem, stary. Nie masz pojęcia, jak dobrze jest móc pogadać z normalnym człowiekiem.

28. PRZYDZIAŁY

Brutalna kara dla Rata i Jamesa była jedyną rzeczą, jaka zaskoczyła Laurę pierwszego dnia jej pobytu w arce. W szkole Wybrańców uczono zwyczajnych przedmiotów w klimatyzowanych klasach wyposażonych w komputery i nowoczesne podręczniki. Jednak kontakt ze światem zewnętrznym był żaden: komputery nie miały dostępu do internetu, nie było telewizji, czasopism ani gazet. Duży nacisk kładziono na pamięciowe opanowanie wyjątków z *Podręcznika Wybrańca* i nie miał szczęścia ten, kto na historii chciał dowiedzieć się czegokolwiek o tym, co się działo na świecie po pierwszej wojnie światowej.

Laura nie kontaktowała się z Jamesem, dlatego nie pojmowała, czemu wywołano ją z kuchni po zaledwie półgodzinie pracy, kazano oddać gumowe rękawice i powierzono znacznie sympatyczniejszą funkcję pomocy biurowej. Odtąd miała pracować razem z Ratem, a jej głównymi obowiązkami było wyszukiwanie akt, przekazywanie wiadomości i parzenie kawy dorosłym.

Jednym z najbardziej przygnębiających aspektów życia w arce niewątpliwie było jedzenie. Na lunch podano chrzęszczącą w zębach sałatkę makaronową z czarnymi oliwkami, których Laura nie cierpiała. Na obiad był przesuszony pieczony ziemniak pływający w kałuży fasolki, lody waniliowe i kwadracik biszkoptu o wszelkich kulinarnych walorach gąbkowej poduszki z często używanego

krzesła. Do picia jak zwykle zaserwowano mnóstwo prze-
słodzonego soku pomarańczowego i coli, by młodzieży nie
zabrakło energii.

W szkole nie zadawano prac domowych, więc czas pomiędzy pierwszym a drugim wieczornym nabożeństwem
Laura spędziła z dziewczętami, grając w kręgle i piłkę,
a potem także w dziwaczne gry ze skakaniem przez ska-
kankę i śpiewami. Jej koleżanki były uprzejme, zawsze gotowe uraczyć nową uczennicę uściskiem lub komplemen-
tem, ale ich wypowiedzi i uśmiechy wydawały się płaskie.
Laura wyobrażała sobie, że zdziera im skórę z twarzy, odsłaniając armię robotów z diodami i układami scalonymi
wewnątrz czaszek.

*

Drugi poranek Laury w arce zaczął się okrzykiem dy-
żurnej tuż po wschodzie słońca. Kiedy dziewczynka prze-
cierała zapuchnięte oczy, ogarnęło ją zimne uczucie grozy.
Harmonogram Wybrańców był bezlitosny i Laura uświadomiła sobie, że odtąd nie będzie miała ani chwili odpo-
czynku aż do pory gaszenia świateł, czyli przez całe szesnaście godzin. Na domiar złego nie była pewna, jak zabrać
się do wykonywania misji, i obawiała się tego, co może się
stać w ciągu kilku następnych dni, tym bardziej że każde
podjęte ryzyko groziło karą solidnego lania.

Pozostałe dziewczęta zdążyły już wyskoczyć z łóżek
i naciągały na siebie niezbyt świeże stroje, które nosiły na
zajęciach sportowych poprzedniego wieczoru.

– Żwawiej, śpiochu! – zawołała pogodnie dziewczyna
o imieniu Verity. – Mamy nowy dzień. Pan wyznaczył nam
zadania do wypełnienia.

Słowa te skojarzyły się Laurze z mdłymi formułkami
z tanich kartek urodzinowych. Chętnie powiedziałaby
Panu, gdzie może sobie wsadzić swoje zadania w zamian za
dwie godziny barłożenia się w łóżku przy odmóżdżającej

telewizji poprzedzające leniwą godzinkę człapania po kuchni i przyrządzania jej ulubionych naleśników z nutellą i cukrem pudrem.

Z drugiej strony Laura naprawdę miała zadanie do wykonania. Wciągnęła na stopy cuchnące żółte skarpetki, założyła koszulkę i po krótkiej wizycie w toalecie pognała za dziewczętami na plac ćwiczeń za blokami internatu. James już tam był, stał w szeregu niebieskich, tuż obok Rata.

Laura rozpaczliwie chciała porozmawiać z bratem, ale dziewczęta i chłopcy spali, jedli, uczyli się, modlili i bawili oddzielnie, dlatego zadanie nie było łatwe. Podczas gimnastyki i biegu w szyku nie mogło być mowy o spotkaniu i sposobność nadarzyła się dopiero wtedy, kiedy formacja rozproszyła się przed ostatnimi szybkimi okrążeniami wokół muru arki.

– Jak tam twój tyłek? – zapytała Laura, celowo zwalniając, by zostać w tyle za szarżującymi hordami.

Jamesowi brakowało tchu.

– Jest cały czarno-niebieski, ale wygląda gorzej, niż boli.

– Naprawdę podglądałeś dziewczyny pod prysznicem?

– Długa historia – wykręcił się James, nie mając ochoty na wspominanie kompromitującej przygody. – Najważniejsze, że chłopak, z którym dostałem manto, to syn Joela Regana. Ty i ja musimy się gdzieś spotkać, żeby normalnie pogadać.

– Najwcześniej dziś wieczorem – powiedziała Laura. – Możemy się wymknąć podczas zajęć sportowych i spotkać gdzieś między budynkami.

Minęli kolejny zakręt, gdy nagle rozległo się głośne cmoknięcie przypominające wystrzał z butelki. Laura natychmiast zahamowała, podskakując na jednej nodze, jakby zwichnęła kostkę.

James uwierzył, że naprawdę coś jej się stało. Zatrzymał się i odwrócił do siostry.

– Nic ci nie jest? – zapytał z troską w głosie.

Laura odpowiedziała, cedząc słowa półgębkiem.

– Rozglądaj się, idioto. To sygnał od Johna.

W natłoku wydarzeń James zupełnie zapomniał, że John miał spróbować dostarczyć im miniaturowe radia. Wybór miejsca wydawał się logiczny, ponieważ biegacze z przodu nie mieli powodu, by oglądać się za siebie, a nadbiegającym od tyłu widok zasłaniało naroże muru z wieżą strażniczą. Laura usiadła na asfalcie, zdjęła but i ścisnęła dłońmi stopę w udawanym cierpieniu, a James przeczesywał wzrokiem okolicę. Na krawędzi ścieżki połyskiwała złota paczka papierosów niemająca żadnego powodu, by znaleźć się przypadkiem na środku pustkowia. James zrozumiał, że dźwięk, który słyszeli, musiał pochodzić od jakiegoś urządzenia, które wystrzeliło paczkę spomiędzy dwóch leżących nieopodal głazów.

James pospiesznie odwiązał papierosy od żyłki, która miała posłużyć do odciągnięcia przesyłki, gdyby ta nie została odebrana. Schował paczkę do kieszeni szortów, zastanawiając się, jakim cudem zdołała pojawić się dokładnie we właściwym miejscu i w odpowiednim momencie. Ale nie było czasu na zabawę w detektywa, bo zza zakrętu wypadli dwaj maruderzy i trener, który zawsze biegł na końcu.

Laura stanęła na jednej nodze i oparła się o mur. Wąsaty nauczyciel podszedł do niej z uśmiechem.

– Co się stało?

– Źle stanęłam i potknęłam się o własną stopę... Ale to chyba nic takiego.

*

Zmęczona Dana człapała do przebieralni po odbębnieniu porannego biegu wokół komuny. Zawsze kończyła pół okrążenia przed pozostałymi dziewczynami i zdumiała się na widok Abigail, która czekała na nią przed drzwiami natrysków.

– Wychodzę dziś na cały dzień – wyjaśniła pospiesznie Abigail. – W magazynie jest mnóstwo pracy. Dostałam to od Michaela wczoraj wieczorem.

– Kim jest Michael?

– Naszym łącznikiem z ASIS, odkąd John i Chloe pojechali do arki.

Abigail podała Danie biały prostokątny pasek przypominający zakładkę do książki.

– Nie na wiele mi się to teraz zda – powiedziała smutno Dana. – Mam nadzieję, że James i Laura odebrali swoje bez problemów.

– Podobno wykombinowali jakiś gadżet ze zdalnie sterowanego buggy, kamery i pneumatycznego działka.

Dana uśmiechnęła się słabo.

– James Bond może się schować.

Dwie kolejne dziewczyny skończyły bieg i weszły do przebieralni. Abigail odwróciła się i pospiesznie wyszła, a Dana rozkwitła najsłodszym ze swoich uśmiechów.

– Świetnie wam poszło, dziewczyny.

– Dzięki, Dana – powiedziała Ewa, odgarniając z twarzy długie rude włosy.

Zamiast wejść pod prysznic, Dana zamknęła się w toalecie. Usiadła na muszli i wysunęła radio z opakowania. Urządzenie było giętkie, mierzyło niespełna milimetr grubości i pięć centymetrów długości. Z tyłu znajdowało się małe ogniwo słoneczne, takie jak w kalkulatorze, oraz dwa płaskie guziki: włącznik i przycisk nadawania.

Dana rozwinęła karteczkę z instrukcją.

Szerokopasmowe urządzenie nadawczo-odbiorcze
o ultraniskim poborze prądu
Zasięg: do 2 km
Żywotność baterii: 2 godz.
Czas ładowania baterii: 12 godz.

Szybkie ładowanie: 15 min ekspozycji na jasne światło pozwala na 10 min awaryjnego odbioru/nadawania. Oszczędzaj energię, wyłączając urządzenie, kiedy nie jest używane. Czas transmisji skracaj do minimum.

Dana zgniotła instrukcję i włożyła ją sobie do ust. Kiedy papierek przemienił się w wilgotną pulpę, wypluła go do sedesu i spuściła wodę. Usiadłszy ponownie, zdjęła but i wyciągnęła wkładkę, by ukryć pod nią radio.

Była nieszczęśliwa. Każde szkolenie CHERUBA, w jakim wzięła udział, kończyła z najwyższymi notami, a mimo to jeszcze w żadnej misji nie dopisało jej szczęście.

Dana nie chciała nienawidzić Jamesa i Laury; byli dobrymi agentami i sympatycznymi ludźmi, nawet jeżeli James bywał czasem irytująco zarozumiały. Jednak prawda była taka, że to ona musiała tkwić w komunie, podczas gdy oni siedzieli w arce i zagarniali całą chwałę dla siebie. Nie mogła tego ścierpieć. Zwłaszcza Laury: chodziła już w granatowej koszulce, a miała jedenaście lat, na miłość boską!

Ktoś zapukał do drzwi i rozległ się głos Ewy.

– Wszystko w porządku?

Dana zgrzytnęła zębami. Wybrańcy nie potrafili zostawić człowieka na pięć minut w kiblu, nie sprawdzając, czy nie opanowują go negatywne myśli.

– Podcieram tyłek – zawołała z irytacją w głosie, zakładając but i z trudem powstrzymując gniew.

– Och... – zająknęła się Ewa poruszona tym obrazowym opisem. – Chodzi o to, że Weena chce, żebyśmy przyszły do niej po szkole, więc nie idź dziś na dyżur.

Dana przypomniała sobie, że ktoś faktycznie wspominał o jakichś planach wobec niej, jednak była zbyt cynicznie nastawiona do życia, by robić sobie wielkie nadzieje. Wykrzywiła twarz i pokazała drzwiom środkowy palec w wulgarnym geście, po czym odpowiedziała przesłodzonym głosem:

– Dziękuję, że mi powiedziałaś, Ewa. Nie mogę się już doczekać.

*

James popytał wśród kolegów i dowiedział się, że karę bicia rzadko stosowano wobec dzieci, które nie szukają kłopotów. Większość chłopców z jego sypialni mieszkała w arce od lat i prawie nikt nie mógł pochwalić się czymś więcej niż standardowy zestaw tuzina uderzeń otrzymany przy jednej lub dwóch okazjach. James musiał też przyznać, że choć kara była bolesnym i wstrząsającym wprowadzeniem do życia w arce, to jednak stworzyła podstawy cennej przyjaźni z Ratem.

Po spędzeniu przedpołudnia w szkole, lichym lunchu i popołudniowym nabożeństwie James był już w szczytowej formie i czuł się znacznie pewniej, kiedy szedł rozświetloną słońcem alejką, by rozpocząć swój drugi dzień pracy. Po drodze spotkał swojego szefa Erniego.

– Czołem, partnerze! – zawołał Ernie i głośno klasnął w dłonie.

– Joł! – zawołał James entuzjastycznie.

Ernie był dziarskim mężczyzną po sześćdziesiątce, który sprzedał swój dom i opuścił garstkę zbuntowanych nastoletnich dzieci, by rozpocząć nowe życie jako Wybraniec. Nadawałby się na plakat sekty: przystojny, śniadoskóry, z bujnym wąsem, typ dobrego dziadka z telewizyjnej reklamy.

Ernie woził listy i paczki na pocztę w malutkim jednosklepowym miasteczku sto kilometrów na wschód od arki. Nigdy dotąd nikt mu nie pomagał i nie miał pojęcia, czemu nagle przydzielono mu pomocnika, ale nie był człowiekiem dociekliwym i wydawał się zadowolony z towarzystwa Jamesa.

Jego ciężarówka stała pod wielką garażową wiatą razem z dwoma tuzinami innych pojazdów, w tym z bentleyem Joela Regana i opancerzoną limuzyną, której Regan używał podczas wystąpień publicznych, dopóki pozwalał mu na to stan zdrowia. Paczki z pocztą zsuwały się metalową rynną prosto z przylegającego do garażu biura. James i Ernie łapali po dwie naraz i ciskali do ciężarówki. Ernie usiadł za kierownicą i wdepnął pedał gazu do deski, kiedy tylko minęli bramę w najbliższej strażnicy.

Ernie twierdził, że w promieniu pięciuset kilometrów nie ma ani jednego fotoradaru, i gnał z prędkością stu pięćdziesięciu kilometrów na godzinę, czyli największą, przy jakiej ciężarówka nie próbowała jeszcze rozpaść się na kawałki. Samochód trząsł się i grzechotał na spękanym asfalcie. James siedział na miejscu pasażera, obserwując w lusterku warkocz pyłu, jaki ciągnęli za sobą. Dobrze było wyrwać się na dwie godzinki i trochę odprężyć. Szkoda tylko, że w kabinie nie było radia. Odrobina muzyki to wszystko, czego mu brakowało do szczęścia.

29. GNIEW

– Usiądźcie – powiedziała Weena, wskazując gestem kanapę pod ścianą gabinetu.

Ewa i Dana, wciąż w szkolnych mundurkach, zapadły się w głąb miękkich gąbkowych poduch.

– Joel Regan wierzy, że kobiety są kluczem do naszego przetrwania po apokalipsie – zaczęła Weena, opierając się o krawędź biurka przodem do dwóch piętnastolatek. – Większość wysokich pozycji w arce i komunach powierza się kobietom. Kobiety prowadzą wszystkie nasze nabożeństwa. Gdy minie czas mroku, dziewczęta takie jak wy staną się opoką nowej cywilizacji jako matki, żony i przywódczynie.

Dana przebywała pośród Wybrańców wystarczająco długo, by wiedzieć, że tego rodzaju pochlebstwa nieodmiennie oznaczają, że ktoś czegoś od niej chce.

– Dana, przykro mi, że nie mogłaś wstąpić do szkoły w arce razem ze swoim rodzeństwem. Ewa, z pewnością jesteś wystarczająco bystra, by się tam uczyć, ale wyniki twojej pracy z najtrudniejszymi nastoletnimi rekrutami były rewelacyjne. Po prostu nie mogliśmy wypuścić do arki kogoś tak cennego. Teraz jednak mamy dla was specjalne zadanie, które znakomicie odpowiada waszym talentom. Jego wykonanie zajmie wam tylko kilka dni, ale przyniesie wam uznanie na najwyższym szczeblu wewnątrz arki.

Dana zerknęła na podekscytowaną twarz koleżanki. Nie mogła pojąć, jak ktoś tak bystry jak Ewa mógł opanować do perfekcji wszelkie manipulacyjne sztuczki sekty, nie dostrzegając przy tym, że sam jest obiektem manipulacji. Mimo wszystko sprawa zaintrygowała ją, a nawet obudziła iskierkę nadziei. Może nie tylko James i Laura odegrają rolę w tej misji.

– Wybrańcy są ogromną organizacją i nasze obciążenia finansowe są olbrzymie – ciągnęła Weena. – Budowa arki powstającej w Nevadzie pochłonie siedem miliardów dolarów, zaś wzniesienie kolejnych w Europie i Japonii będzie wymagało wykupienia olbrzymich działek w miejscach, gdzie ziemia jest droga. Nasz Kościół rozpaczliwie potrzebuje pieniędzy na ukończenie tych projektów, a was, dziewczęta, wybrano do pomocy. Zanim powiem wam coś więcej, musicie przysiąc, że zachowacie to w absolutnej tajemnicy. Nie wolno wam zdradzić prawdziwego charakteru waszego zadania nawet rodzinie i przyjaciołom.

Weena wzięła z biurka Biblię i egzemplarz *Podręcznika Wybrańca*.

– Teraz musicie ująć te księgi i wypowiedzieć najświętszą przysięgę.

Ewa przycisnęła książki do serca i spojrzała na Danę wzrokiem, który mówił: „O mój Boże, czyż to nie jest po prostu niesamowite?".

– Przysięgam na te święte księgi jako anioł w obliczu wiecznych mąk w gorejącym piekle.

Dana wzięła książki i powtórzyła przysięgę Ewy, starając się nadać swojemu głosowi uroczysty ton.

– Nie wolno wam pisnąć ani słowa – powtórzyła Weena.

– Rodzicom i rodzeństwu powiecie, że jedziecie na krótki kurs w komunie w Sydney.

– Ale co to za zadanie? – zapytała Dana.

Weena potrząsnęła głową.

– Tego nie wiem, ale żądanie przyszło bezpośrednio od Susie Regan: dwie dziewczyny, wysportowane, dobrze pływające. Jeżeli przyjmujecie ten zaszczyt, zorganizuję wam natychmiastowy przelot do Darwin.

*

Laura nie przepadała za chłopcami. Uważała ich za hałaśliwy, namolny ludek i gardziła zarówno ich obsesją na punkcie sportu, jak i niechęcią do mycia się po jego uprawianiu. Nawet kiedy jej najlepsza przyjaciółka Bethany wzięła krótki urlop od zdrowych zmysłów i zadurzyła się w niejakim Aaronie – którego oddech zawsze cuchnął chipsami serowo-cebulowymi – nie dała się skusić żadnemu z zaproszeń na podwójną randkę.

Dlatego nagły przypływ sympatii do Rata był dla niej wielkim zaskoczeniem. Rat był wyrośnięty jak na swój wiek i kiedy stali naprzeciw siebie, czubek jego nosa znajdował się dokładnie na poziomie oczu Laury, co z jakiegoś powodu wydało się jej idealną wysokością. Był też przystojny – jeżeli nie liczyć spłaszczonego nosa – z pewnością inteligentny, a determinacja, z jaką bronił swoich przekonań, nadawała jego postaci rys heroizmu, a zarazem delikatności. Jednak przede wszystkim Rat był świetnym kumplem.

Podczas gdy Laura pracowała, doręczając wiadomości, obsługując kopiarkę i ogólnie będąc przykładnym małym Wybrańcem, Rat nieustannie się wygłupiał. Dwa zszywacze przemieniły się w jego rękach w ujadające psy, które ślizgały się po biurku, prukając i obłapiając się nawzajem. Aby dowieść swojej odporności, Rat założył się z Laurą, że przyłoży język do włączonej żarówki w lampie biurkowej na całe dziesięć sekund. Wytrzymał trzy, po czym wystrzelił z wrzaskiem na korytarz, by przyssać się do dystrybutora z zimną wodą. Potem chodził dumny jak paw, ponieważ naplul do kawy baryłkowatemu księgowemu, który zrugał Laurę za przyniesienie niewłaściwej teczki.

Oczywiście chłopcy zawsze się popisują i próbują zwrócić na siebie uwagę, ale Rat był łatwiejszy do przełknięcia, ponieważ jego status wyrzutka oznaczał, że nie miał za sobą bandy kumpli kretynów dopingujących go, by posunął się dalej, niż powinien.

Krótko przed szóstą, kiedy kończyli już pracę, Rat dostojnie podszedł do Laury, trzymając cienki skórzany segregator.

– Chciałabyś poznać *Le Grand Poisson*?

Laura uśmiechnęła się kwaśno. Wiedziała, że chodzi o grubą rybę.

– Joela Regana?

Rat skinął głową i otworzył segregator, odsłaniając świeżo wydrukowane listy i czeki w kremowych przezroczystych koszulkach.

– Mój ojciec ma to podpisać. Trzeba to zanieść do rezydencji, zapukać do jego pokoju, a potem poczekać przy łóżku, aż się z tym upora.

Laura entuzjastycznie pokiwała głową. Zdawała sobie sprawę, że przez wędrówkę do rezydencji i z powrotem spóźni się na obiad, ale słyszała mnóstwo opowieści o megaluksusowym domu Joela Regana i nie było mowy, by odrzuciła szansę poznania go osobiście.

Rat, który zdawał się posiadać dogłębną wiedzę na temat każdego podziemnego tunelu i pomieszczenia w arce, naszkicował na odwrocie karty grzecznościowej najszybszą drogę z biura do rezydencji. Trasa prowadziła w dół spiralnymi schodami schodzącymi na dwa piętra pod ziemię, a potem kilkusetmetrowym wąskim korytarzem z kroplami skondensowanej wilgoci u stropu i plamami pleśni na ścianach.

Korytarz kończył się ciężkimi metalowymi drzwiami. Laura przestraszyła się, że nie wystarczy jej siły, by je otworzyć, i będzie musiała zawrócić, ale po kilku sekundach nerwowej szarpaniny drzwi ustąpiły, wpuszczając ją prosto do podziemi luksusowej rezydencji.

Próżno było tu szukać malowanej tapety, warczących wywietrzników i hektarów magnoliowej farby, jaka dominowała w pozostałych częściach arki. Szeroki korytarz był wyłożony marmurem, a powietrze pachniało wanilią. Pod ścianą ciągnęła się zagłębiona w posadzce dwudziestocentymetrowa rynna, do której z cichym ciurkaniem spływał strumyk wody. W rynnie tańczyły świeże białe kwiaty w pływających szklanych doniczkach.

Laura spojrzała na mapkę narysowaną przez Rata. Z miejsca, w którym stała, biegła strzałka w lewo, a dalej długi łuk. Łuk okazał się szeroką zakrzywioną pochylnią prowadzącą w górę do przestronnego holu, którego jedna ściana była ze szkła i wychodziła na zewnętrzny kompleks basenowy, drugą zaś zajmowały wielkie obrazy. Laura nie była koneserką sztuki, ale nawet ona domyślała się, że coś, co ma trzy metry szerokości i charakterystyczny podpis Picassa w dolnym rogu, musiało kosztować miliony.

– W czym mogę pomóc, młoda damo?

Laura spojrzała w górę, by ujrzeć Azjatę w trzyczęściowym garniturze wychylającego się przez chromowaną barierkę.

– Przyszłam z biura – wyjaśniła Laura, czując, że tragicznie nie pasuje do tego miejsca w swojej poplamionej koszulce i za dużych szortach.

– Ach, oczywiście – powiedział mężczyzna. – A gdzie młody Rathbone?

Laura skręciła na schody i ruszyła w górę, stąpając po szokująco puszystym dywanie.

– Nie zdążył posegregować jakichś papierów, więc wysłali mnie.

Lokaj odwrócił się i pomaszerował przodem. Dłonie w białych rękawiczkach stale trzymał złączone za sobą z wyjątkiem tych chwil, kiedy teatralnie zginał się wpół, by przepuścić Laurę przez kolejne masywne drzwi z jasnego klonu.

Kilka zakrętów i pięcioro drzwi dalej weszli do zaciemnionego pokoju. Zasłony na dwóch ogromnych oknach były zaciągnięte. W najciemniejszym rogu stało łóżko, na którym siedział ciężko oddychający mężczyzna w jedwabnej piżamie.

– Pańska korespondencja, sir – oznajmił lokaj uroczyście, po czym spojrzał na Laurę. – Poczekam na zewnątrz, a potem zaprowadzę cię do wyjścia.

Podchodząc do Joela Regana, Laura poczuła zapach środka odkażającego i zauważyła, że starzec ma wetkniętą w nos rurkę tlenową.

– Ty jesteś Laura, tak? – zaskrzeczał Regan.

Laura nie przypuszczała, że Joel Regan może ją znać, i nie zdołała ukryć zaskoczenia.

– Jestem słaby, ale wciąż trzymam rękę na pulsie – wyjaśnił starzec. – Podejdź no bliżej, dziecko.

Kiedy Laura postąpiła do przodu, Joel objął ją drżącym ramieniem za szyję i przyciągnął do siebie, by mocno przytulić. Nie było to miłe doświadczenie. Policzki starca porastała ostra szczecina, a jego piżama zalatywała wymiocinami.

– Jesteś pięknym aniołem – powiedział Joel, puszczając Laurę. – Wyczuwam w tobie wielką siłę i olśniewającą przyszłość.

– To po prostu... niesamowite, że mogę pana poznać – powiedziała Laura z entuzjazmem godnym dobrego Wybrańca.

Nie mogła jednak myśleć o niczym innym, jak tylko o zapachu starości i żałosnym zmarnowanym życiu tysięcy Wybrańców na całym świecie.

– Okulary i pióro – zarządził Regan, wyciągając palec w stronę komódki przy łóżku.

Kiedy Laura wręczyła mu żądane przedmioty, Regan wsunął okulary na nos i zaczął bardzo powoli wyjmować dokumenty z foliowych koszulek. Na każdym z nich drżącą ręką kreślił swoje nazwisko, a gdy Laura pochyliła się, żeby przytrzymać segregator, odpędził ją niecierpliwym gestem.

Boczne drzwi otworzyły się bez pukania i do pokoju wparowała Susie Regan. Wściekłym ruchem zgarnęła podpisane papiery i zaczęła je czytać. Laura nie spotkała Susie wcześniej, ale kojarzyła ją z fotografii.

– Czy ty to czytasz, Joel, czy podpisujesz wszystko, co ci podsuną? – zapytała napastliwie Susie, podtykając mężowi pod nos jeden z dokumentów. – Widziałeś to?

Joel opuścił pióro i spojrzał zmęczonym wzrokiem na żonę.

– Kochanie, Eleonora wie, co robi.

– Czyżby? – skrzywiła się Susie. – To jest pełnomocnictwo do dysponowania naszymi udziałami w Nippon Vending Industries. Nie powinniśmy przynajmniej przefaksować tego do Brisbane i dać naszym ludziom do sprawdzenia?

Joel potrząsnął głową.

– Naszym? Nie miałaś przypadkiem na myśli twoich ludzi?

– Pajęczyca próbuje mnie wygryźć – powiedziała Susie, nerwowo uderzając obcasem skórzanego buta w drewnianą podłogę. – Ty może umierasz, mężu, ale ja mam jeszcze mnóstwo do przeżycia, a ta suka, twoja córka, chce mnie puścić z torbami. Kiedy kopniesz w kalendarz, odeśle mnie stąd pierwszym samolotem. Czy zasłużyłam na to? Naprawdę chcesz, żebym resztę życia spędziła w nędzy? Żądam prawa do zarządzania firmami, ile razy mam to powtarzać?

Joel zamachał dłonią przed twarzą.

– Zostaniesz zabezpieczona, kwiatuszku. Eleonora jest moją córką.

– Szkoda tylko, że to nie ona sterczy tutaj o czwartej rano, wydzwaniając do twojego lekarza i ścierając ci rzygi z twarzy.

Joel wskazał na Laurę.

– Czy mogłabyś nie mówić tak przy małej? Krępujesz ją.

– Nie próbuj wykręcać się w taki sposób!

– Mam tego dość! – zawołał Joel z zaskakującą mocą jak na tak wątłego staruszka. – Powinienem odpoczywać, odzyskiwać siły, a nie wysłuchiwać twoich nieustających pretensji.

Joel uniósł skórzany segregator i cisnął go na komódkę przy łóżku. Dokumenty pofrunęły we wszystkie strony, a segregator strącił wazon z kwiatami. Laura odskoczyła w tył, by nie spadł jej na nogi. Była pewna, że wazon roztrzaska się, ale ten tylko odbił się od podłogi i znieruchomiał na boku, brocząc wodą.

Ustawiwszy wazon na dawnym miejscu, Laura wyrwała kilka chusteczek z pudełka na komódce i przykucnęła, by zebrać rozlaną wodę.

– Co ty robisz?! – krzyknęła Susie, wyładowując gniew na dziewczynie. – Czy kazałam ci to wycierać? Wynoś się stąd, śmierdzący bachorze!

Laura wyprostowała się gwałtownie zaskoczona nagłym atakiem.

– No a... listy? – zapytała niepewnie.

– Powiedz w biurze, że Susie Regan przekaże je sama, kiedy jej mąż poczuje się na tyle dobrze, by móc się nimi zająć.

Laura kiwnęła głową, odwróciła się i ruszyła ku drzwiom. Już wyciągała rękę do klamki, kiedy Susie przyskoczyła do niej i chwyciła od tyłu za szyję, zatapiając w skórze lakierowane szpony.

– Porozmawiaj z Ratem – wysyczała przez zęby. – Powiedz mu, że jeżeli chce, żebym nadal wyświadczała mu przysługi, to niech od tej pory przynosi listy osobiście. I niech oddaje je mnie.

– Dobrze – stęknęła Laura, czując, jak pod napiętą skórą na szyi pulsuje jej krew.

– I jeszcze coś – powiedziała Susie, wbijając paznokcie jeszcze głębiej. – Gęba na kłódkę, madame. Jeżeli piśniesz słówko o tym, co tu widziałaś, dowiem się o tym na pewno. Wtedy zadzwonię do szkoły i każę cię obić tak mocno, że nie będziesz chodziła przez miesiąc. Zrozumiano?

Laura kiwnęła głową, a Susie otworzyła drzwi i wypchnęła ją na zewnątrz.

30. ZADANIE

Dana zdążyła skontaktować się z Michaelem przez radio i przekazać mu szczegóły swojego lotu, jeszcze zanim wsiadła do taksówki, by pojechać na lotnisko w Brisbane. Łącznik obiecał, że zorganizuje zespół ASIS, który przechwyci ją w Darwin. Agenci mieli pojechać za nią, dokądkolwiek zostanie zawieziona, a potem rozpocząć dyskretną obserwację.

W komunie Ewa nigdy nie traciła pewności siebie: oszczędne skinienia, wąskie uśmiechy, sprężysty chód. Ale nagłe oderwanie od rutyny harmonogramu przemieniło ją w emocjonalny wrak. Mieszkała w komunie od ósmego roku życia i głowę miała tak napakowaną diabłami, aniołami i innymi dyrdymałami Wybrańców, że świat zewnętrzny budził w niej paraliżujący lęk.

Ewa zamartwiała się problemem bezpiecznego miejsca dla studolarowego banknotu, jaki dostała na drogę; zamęczała Danę nieustannymi pytaniami: co można zjeść na lotnisku, czy w samolocie jest toaleta, co ma robić, jeśli podczas startu zrobi się jej niedobrze. W zatłoczonej strefie odpraw na lotnisku rozglądała się nerwowo we wszystkie strony, trzymając Danę pod rękę, żeby przypadkiem się nie rozdzieliły.

Na myśl o spustoszeniu, jakie Wybrańcy bezkarnie siali w ludzkich umysłach, Danę ogarniała bezsilna wściekłość. Za wręczenie dziecku paczuszki z narkotykiem trafiało się za kratki. Sekta mieszała dzieciakom w głowach równie skutecznie jak dragi, ale to najwyraźniej nikogo nie obchodziło.

Jednak te ponure myśli, nawet w połączeniu z męczącym towarzystwem Ewy, nie były w stanie stłumić radości Dany z szansy na pierwszy przełom w jej karierze agentki. Wprawdzie nie miała pojęcia, po co lecą na północ, ale wysoki poziom utajnienia sugerował, że sprawa jest poważna.

Przelot z Brisbane do Darwin, stolicy słabo zaludnionego Terytorium Północnego w Australii, zajął boeingowi 737 cztery godziny. Wylądowali tuż przed północą. Dziewczęta skierowały się do sali przylotów, niosąc małe plecaki z kilkoma osobistymi drobiazgami i zmianą ubrania. Jakiś mężczyzna podniósł nad głową tekturę z ich nazwiskami. Był to wysoki, potężnie zbudowany blondyn z włosami zebranymi w kucyk. Jego twarz wydała się Danie znajoma, ale musiało minąć kilka sekund, nim skojarzyła ją z podpisem pod fotografią z dokumentacji misji: to był koleś z Hongkongu, ten sam, którego Bruce Norris pobił w hotelowym pokoju trzy miesiące wcześniej.

– Witajcie w Darwin – powiedział mężczyzna, wyciągając dłoń do Ewy. – Nazywam się Cox. Barry Cox.

*

Następnego ranka Dana obudziła się w wygodnym podwójnym łóżku. W łazience obok szumiał prysznic, a z korytarza dobiegały odgłosy czyjejś krzątaniny. Dana zstąpiła na drewnianą podłogę, która skrzypnęła pod jej bosą stopą, i podeszła do okna, by rozejrzeć się po okolicy. Dom znajdował się pół godziny jazdy od miasta, a kiedy przyjechali, było jeszcze ciemno.

Dana odsunęła zasłonę i spojrzała przez zakurzoną moskitierę na sąsiedni dom. Zdewastowany budynek stał trzydzieści metrów dalej, za spłachetkiem spieczonej ziemi usianym stertami zardzewiałego żelastwa. Na podjeździe sąsiadów stała jasnożółta furgonetka z rysunkiem anteny satelitarnej i napisem „Anteny Raya" na burcie.

Dana pomyślała, że chciałaby mieszkać w takim miejscu: w lekko podniszczonym domku z dala od świata i ludzi, gdzie mogłaby robić, co chce, nie tłumacząc się nikomu. Raz w tygodniu wyjazd do miasta na zakupy, przystojny chłopak pakujący na siłowni w garażu i niewtrącający się w jej sprawy, no i cała masa książek. Do tego dwa albo trzy psy, zdecydowanie żadnych dzieci...

Szczęknęła klamka. Do pokoju weszła Ewa, była już ubrana i wpatrywała się w zegarek.

– W komunie zaczyna się nabożeństwo, Dana. Myślę, że powinnyśmy pomodlić się razem, żeby nabrać sił do walki z diabłami.

Dana była zła na Ewę za brutalne wyrwanie jej z marzeń, ale ukryła swoje uczucia. Dziewczęta usiadły na brzegu łóżka i uścisnęły się. Ewa odczytała kilka ustępów z *Podręcznika Wybrańca*, po czym obie zamknęły oczy i wyrecytowały dziesięciooddechową formułkę powitania:

– Witamy Cię, Panie. My, Twoje anioły. Będziemy Ci służyć. Daj nam siłę. Uchowaj przed złem. Nasze dusze szczere. Nasze myśli czyste. Jako przywódcy. Wiedziemy ludzkość. Przez mrok.

Kiedy otworzyły oczy, w otwartych drzwiach stała kobieta o imieniu Nina. Poznały ją poprzedniego dnia, tuż przed pójściem do łóżek. Miała pociągłą czerwoną twarz, a masa koralików na jej naszyjniku nie pozwalała wątpić, że jest naprawdę oddanym sprawie Wybrańcem.

– Moje aniołki – westchnęła dramatycznie kobieta. – Przyjść tu i zobaczyć dwie śliczne dziewczynki modlące się tak żarliwie... To chyba najcudowniejsza rzecz, jaką kiedykolwiek widziałam.

Dana pomyślała, że zaraz puści pawia od tej słodyczy, ale opanowała się i w ślad za Ewą przywołała na twarz entuzjastyczny uśmiech. Nina podbiegła radośnie do dziewcząt i przytuliła każdą z osobna, dwukrotnie wydając z siebie głośne: „Aaa".

– Boże, chroń nas – powiedziała, a dziewczęta powtórzyły prośbę, przypieczętowując ją chóralnym „Amen".

– Dobrze. Dana, teraz się ubierz i przyjdźcie do kuchni. Barry i ja wyjaśnimy wam wasze zadanie przy śniadaniu.

*

James usiadł naprzeciwko Rata przy stole zastawionym miskami z płatkami na mleku i dzbankami z sokiem pomarańczowym. Chłopcy mieli mokre włosy i lekką zadyszkę po porannych ćwiczeniach.

Ratowi nagle zrzedła mina.

– O, szlag!

– Co? – zainteresował się James, ale jeden rzut oka za siebie wyjaśnił mu wszystko.

Do stolika szybkim krokiem zbliżała się Georgia.

– Dlaczego ty to robisz, James? – zapytała.

– Co ja niby robię? – odparł lekko zdetonowany James.

– Mówię o twoim kumplowaniu się z Rathbone'em. Nic dobrego ci z tego nie przyjdzie. Wpakujesz się tylko w kłopoty, a wtedy uczepię się ciebie jak rottweiler.

Nie wymyśliwszy żadnej odpowiedzi, która nie zdenerwowałaby Georgii ani Rata, James dyplomatycznie wsunął sobie do ust łyżkę płatków i zaczął żuć.

– Mam wiadomość z biura – powiedziała Georgia. – Ernie jedzie zaraz po jakąś specjalną dostawę. Mówi, że będzie trochę dźwigania, i chce cię wziąć ze sobą.

– Dziękuję, że przekazała mi pani wiadomość – powiedział przymilnie James, zmieniając się w grzecznego małego Wybrańca.

Georgia nie doceniła jego starań.

– Kończ śniadanie i biegnij do garażu. Na jednej nodze.

Kiedy olbrzymka odeszła, by straszyć kogoś innego, James wyszczerzył się do Rata.

– Bosko, stary. Mister J nie idzie dzisiaj do szkoły.

Rat potrząsnął głową i pokazał Jamesowi środkowy palec.

– Pokręć się na tym, cwaniaku.

*

Dwa tysiące kilometrów na północ Dana, Ewa i Nina siedziały przy plastikowym stoliku, na którym wcześniej ułożyły sztućce. Barry Cox ubrany w białą kamizelkę i kąpielowe szorty przygotowywał śniadanie: bekon, placki ziemniaczane, jajecznicę i pieczarki. Zapach skwierczących na patelniach potraw mieszał się z nieapetyczną wonią mocnego wybielacza.

– Napełnijcie brzuchy – powiedział wesoło Barry. – Dziś mamy wielki dzień. Jeśli wszystko pójdzie zgodnie z planem, nasi przełożeni będą bardzo zadowoleni.

Każdy agent CHERUBA wie, że ludzi należy ciągnąć za język rozważnie i z umiarem, ale uwaga Barry'ego brzmiała jak zaproszenie do dalszych pytań.

– Nie nosi pan naszyjnika Wybrańców – powiedziała Dana. – Zatem kto jest pańskim mistrzem?

– Jestem ekoaktywistą – odpowiedział Barry. – Moim mistrzem jest nasza planeta. Zakładam, że słyszałyście już o Help Earth!

Ewa pokręciła głową, więc Dana zaczęła wyjaśniać.

– To organizacja terrorystyczna, która atakuje przemysł naftowy. Jeśli w ciągu ostatnich trzech lub czterech lat czytałaś jakąś gazetę albo oglądałaś wiadomości, musiałaś o niej słyszeć.

– Z całą pewnością nie robię takich rzeczy – odparła Ewa urażonym tonem. – Nie interesuje mnie życie diabłów.

– A w szkole? Nigdy nie słyszałaś, jak inni o tym rozmawiają? – zdziwił się Barry.

– Kiedy zaczynają rozmawiać, recytuję w myśli nasze modlitwy, żeby nic nie słyszeć – oznajmiła Ewa. – A poza tym zadaję się tylko z Wybrańcami.

Barry uśmiechnął się i odwrócił, by nałożyć jajecznicę na cztery talerze.

– Wolimy nie myśleć o sobie jako o terrorystach, ale tradycyjne grupy obrońców środowiska są nieustannie nabijane w butelkę przez rządy i wpływowe korporacje z miliardami dolarów w kieszeni. Jeżeli chcemy skutecznie z nimi walczyć, to musimy być gotowi do użycia drastycznych metod.

– Jednak nie jesteście aniołami – powiedziała Ewa podejrzliwie.

Na twarzy Niny wykwitł szeroki uśmiech.

– Ewa, moje dziecko, wiesz przecież, że Joel Regan i jego żona są bardzo wyczuleni na punkcie ochrony środowiska naturalnego. Polecenie wysłania was tutaj wydała osobiście Susie Regan. Dokonamy dzisiaj historycznego czynu. To dla nas wielka szansa. Możemy zadać cios niszczycielom planety, a jednocześnie zdobyć mnóstwo pieniędzy na budowę nowych ark.

– Czy Joel Regan wie, że to robimy? – zapytała Ewa z błyskiem w oku. – To znaczy usłyszał moje nazwisko i w ogóle?

Nina uśmiechnęła się.

– Oczywiście, że tak, kochanie. Nie zdziwiłabym się, gdyby okazało się, że czeka cię za to nagroda. Osobista prezentacja przed Joelem Reganem, może nawet platynowy koralik do naszyjnika...

Na wzmiankę o platynowym koraliku – najwyższej nagrodzie, jaką mógł otrzymać Wybraniec – Ewa zaczęła nerwowo podskakiwać na krześle.

– Nie mogę uwierzyć, że to się dzieje naprawdę – zapiszczała.

Dana zmusiła się do słabego uśmiechu i poklepała Ewę po plecach.

– Spokojnie, jeszcze nie zarobiłaś tego koralika, moja droga – powiedziała, po czym spojrzała na Barry'ego, który skończył podawanie śniadania i właśnie przysuwał się na krześle do stołu. – No więc co mamy zrobić?

Barry uśmiechnął się.

– Nic wielkiego, tylko wysadzić w powietrze parę supertankowców.

31. TRENING

Ernie nie miał zwyczaju zwalniać na zakrętach. James poczuł, jak pas bezpieczeństwa wpija mu się w bok, kiedy ciężarówka zjechała z asfaltu na drogę widoczną wyłącznie dzięki śladom pojazdów, które skręciły w nią wcześniej. Na horyzoncie widać było dom i duży budynek gospodarczy.

– Byłeś tu kiedyś? – zapytał James.

Ernie przytaknął kiwnięciem głowy.

– Raz w tygodniu przywożę im pocztę. Takim dwóm Amerykanom. Ale zdaje się, że niedługo zwiną interes.

– Jaki interes?

– Robią farbę.

James zrobił zdziwioną minę.

– Kto robi farbę na środku pustyni?

Ernie wzruszył ramionami.

– Jak ktoś zakłada biznes w interiorze, łatwiej mu dostać australijskie obywatelstwo. Sympatyczna mała firemka, Brian mi kiedyś pokazał. Nie robią emulsji w pięciolitrowych baniakach. Mają bardzo wyspecjalizowaną produkcję: same naturalne pigmenty i tak dalej, do renowacji obrazów i antyków.

– Jak to się stało, że wozisz im pocztę?

– Ciekawskie z ciebie diablę, co? – powiedział Ernie. – Nie wiem, chyba znają się z Susie czy coś.

– Tak tylko pytam – powiedział James, wzruszając ramionami najobojętniej, jak potrafił.

Zrozumiał, że nie może naciskać mocniej, jeżeli nie chce, by Ernie nabrał podejrzeń. Po kolejnych pięciu minutach wariackiej jazdy dotarli do zabudowań. Dom wyglądał, jakby stał w tym miejscu od dziesięcioleci, ale bezokienny kloc nieopodal był nowym dodatkiem. Zbudowano go z prefabrykowanych betonowych segmentów i przykryto dachem z blachy falistej.

Ernie wcisnął klakson. James otworzył drzwi i wyskoczył z szoferki. Kiedy tylko postawił stopy w czerwonym pyle, otoczył go rój much.

– Muszą być gdzieś w pobliżu – powiedział Ernie, wyciągając szyję, by zajrzeć za róg budynku. – Sprawdzę w mieszalni, a ty zajrzyj do domu.

Kiedy Ernie odbiegł w stronę betonowej szopy, James wszedł na drewniany ganek i zastukał w ramę siatkowych drzwi.

– Halo, jest tu kto?

Pchnął drzwi i wszedł do pustej kuchni. Na podłodze stały dwie walizki, a na blacie pudełka wypełnione sztućcami i przyborami kuchennymi.

– Halo! – zawołał jeszcze raz.

Wchodząc dalej, zauważył kilka fotografii przyklejonych do drzwi lodówki. Większość przedstawiała klasyczne scenki: dwaj mali chłopcy w dmuchanych pływaczkach na basenie, zdjęcie klasowe, starsza para w restauracji podczas rodzinnej uroczystości. Nagle James gwałtownie wciągnął powietrze.

– O szit!

Fotografia, na którą spoglądał, przedstawiała małego chłopca na kamienistej plaży w dżdżysty angielski dzień. James natychmiast rozpoznał malca. Poznał go dwa lata wcześniej podczas swojej pierwszej misji w CHERUBIE. Nazywał się Gregory Evans, a jego ojcem był Brian „Partanina" Evans, biolog z Teksasu i członek Help Earth!, który próbował uśmiercić dwustu przedstawicieli kompanii naftowych i polityków za pomocą wąglika. Brian był jednym z najpilniej poszukiwanych przestępców na świecie, ale nigdy go nie schwytano. Nie znaleziono też laboratorium ani sprzętu, którego użył do wyhodowania śmiercionośnych bakterii.

James gorączkowo myślał.

Tak, wszystko układało się w logiczną całość: Ernie wspomniał, że jeden z Amerykanów nazywa się Brian, zaś produkcja farb wymagająca mieszania chemikaliów była doskonałą przykrywką dla laboratorium wytwarzającego broń biologiczną albo materiały wybuchowe. To było coś. Odkrycie laboratorium Help Earth! byłoby sensacją, która trafiłaby na pierwsze strony gazet na całym świecie. Najpierw jednak James musiał rozwiązać jeden poważny problem. Kiedy pracował w Walii pod nazwiskiem Ross Leigh, kilkakrotnie spotkał się z Brianem Evansem. Gdyby Brian go teraz zobaczył, natychmiast domyśliłby się, że jest szpiegiem.

James poczuł, że żołądek zwija mu się w twardą kulkę. Katastrofa mogła nastąpić w każdej chwili. Uświadomił sobie, że najlepsze, co może zrobić, to poszukać sobie jak największej broni. Jego wzrok padł na pudełko ze sztućcami – z pewnością był tam jakiś nóż. Ale zanim zdążył wykonać jakikolwiek ruch, usłyszał kroki i przerażająco znajomy głos.

– Cześć, synu.

*

Po śniadaniu Dana, Barry, Ewa i Nina wybrali się nad morze, by poćwiczyć przed atakiem. Barry zawiózł ich na bezludną plażę wielkim subaru z przyczepą, na której spoczywał trzymetrowy ponton motorowy.

Zatrzymali się na chrzęszczącym piasku. Wiała silna bryza i morze było lekko wzburzone. Wspólnymi siłami ściągnęli ponton z przyczepy, po czym Barry i dziewczęta usiedli na ławeczkach, by przebrać się w pianki do nurkowania. Nina została przy samochodzie, patrząc, jak ponton oddala się od brzegu.

Płynęli szybko, zostawiając za sobą spieniony kilwater. Barry zaczął mówić podniesionym głosem, by przekrzyczeć ryk silników i huk fal rozbijających się o dno pontonu.

– To, czego się dziś nauczycie, nie jest skomplikowane, ale musicie słuchać uważnie, inaczej nasza wieczorna operacja spali na panewce.

Na początek objaśnił zasady sterowania za pomocą silników zaburtowych, po czym dał każdej z dziewcząt kilka minut na przećwiczenie tego, czego się nauczyły. Następnie wyjął dwa odbiorniki GPS i wytłumaczył, jak posługiwać się nimi do nawigacji. Wreszcie podał Ewie współrzędne z wodoodpornej mapy i kazał jej popłynąć we wskazane miejsce.

Nawet pięciolatek potrafiłby nawigować za pomocą GPS-u i nie upłynęło dziesięć minut, kiedy dotarli do celu: niedużej zatoczki osłoniętej przed falami przez dwa szeregi sterczących z morza skał. W przejrzystej wodzie bez trudu można było dojrzeć odwrócony kadłub zatopionej łodzi motorowej spoczywającej na głębokości niecałych dwóch metrów.

– Dobra, zamknij gaz – powiedział Barry. – Włóżcie GPS-y do pokrowców i uważajcie.

Barry rozpiął plecak i wydobył z niego trzy masywne metalowe krążki.

– Wcale nie jest łatwo zatopić duży statek – podjął po chwili. – Jeżeli chce się posłać na dno coś, co waży ponad sto tysięcy ton, ma wodoszczelne grodzie i podwójny kadłub, to trzeba albo staranować to łodzią wyładowaną po brzegi materiałem wybuchowym, albo podłożyć ładunki w odpowiednich miejscach.

– A co z wyciekami ropy? – zapytała Dana.

– Help Earth! atakuje tylko puste zbiornikowce, jednak to staje się coraz trudniejsze. Marynarki wojenne całego świata pilnują ich jak oka w głowie. Dlatego tym razem zmieniamy taktykę i bierzemy na cel gazowce do przewozu SGZ.

– Esgie co? – zapytała Ewa.

– Skroplonego gazu ziemnego. Australia ma ogromne zasoby tego surowca. Japonia z drugiej strony nie ma własnych złóż gazu, za to jest jego drugim największym konsumentem. Gaz zajmuje dużo miejsca, dlatego przed transportem na dużą odległość schładza się go do minus stu sześćdziesięciu stopni. W tej temperaturze przemienia się w ciecz i kilkaset razy zmniejsza swoją objętość. Gaz ziemny oczyszcza się i skrapla w skomplikowanych instalacjach, których budowa kosztuje miliardy dolarów. Potem przewozi się go specjalnymi statkami po sto milionów dolców sztuka.

– Kupa kasy – wyszczerzyła się Dana. – Nigdy o tym nie słyszałam.

Barry pokiwał głową.

– Mało kto słyszał, ale to gigantyczny przemysł. Atak na instalację SGZ nieźle walnie kompanie naftowe po kieszeni, a najlepsze, że gaz pali się czysto i eksplozja nie wyrządzi środowisku poważniejszej szkody.

Dana uśmiechnęła się.

– Czyli zero plam ropy i chorych czarnych ptaków?

– Tak jest.

– Powiedziałeś „instalacja". Myślałam, że atakujemy statek?

Barry skinął głową.

– Jeśli wysadzimy statek podczas tankowania, wybuch rozwali spory kawałek terminalu.

– Ale jeśli nas złapią, zamkną w lochu i wyrzucą do niego klucz – powiedziała Dana, nagle poważniejąc.

Ewa uderzyła Danę w plecy.

– Nie mów tak! – zawołała ze złością. – Nie waż się nawet tak myśleć. To takie negatywne. Jesteśmy Wybrańcami. Mamy szczere dusze i Bóg będzie nas chronił.

*

Zdjęty grozą James odwrócił się, by spojrzeć na Briana Evansa, ale to nie był on. Ten sam akcent, podobna twarz, ale nieznajomy był młodszy i miał kręcone włosy.

– Mike jestem – przedstawił się mężczyzna. – Przyjechałeś z moim kumplem Erniem?

James skinął głową.

– Widzę, że podziwiasz zdjęcie mojego bratanka.

– Tak, jest słodki – powiedział James. – To Brighton, prawda? Poznaję molo w tle.

– Pojęcia nie mam. To mój brat ożenił się z angolką. Jesteś z Anglii?

– Nie, ale mieszkałem tam prawie przez trzy lata.

– Słychać po akcencie. Mówisz jak rasowy Anglik.

Siatkowe drzwi otworzyły się i do kuchni wszedł Ernie, jak zwykle szeroko uśmiechnięty.

– A więc już się znacie. Nie zauważyłeś, że przyjechaliśmy, Mike?

– Pisk hamulców i klakson były pewną wskazówką, ale akurat znosiłem z góry pudła z papierami.

– Jest Brian? – zapytał Ernie.

– Przyleci do arki dziś wieczorem. Musi załatwić parę spraw, zanim sam wyjedzie – powiedział Mike, ku ogromnej uldze Jamesa.

– Cóż, mam nadzieję, że rozkręcicie interes tam na południu – powiedział Ernie. – Będzie mi brakowało rozmów z wami.

– Dziękuję najuprzejmiej. Mamy klientów z całego świata. Myślę, że sobie poradzimy.

Mike zwrócił się do Jamesa:

– Mam nadzieję, że masz na sobie trochę mięśni, młody człowieku. Napocimy się przy sprzątaniu tej mieszalni.

Ernie uśmiechnął się do Jamesa.

– O chłopaka nie musisz się martwić. Szkoda, że nie widziałeś, jak rzuca moimi workami z pocztą. Silny jak byk, no nie, synu?

James nie cierpiał, kiedy dorośli traktowali go protekcjonalnie, ale porównanie do byka mile połechtało jego próżność.

*

Dana usiadła na burcie pontonu i plasnęła tyłem do wody, przyciskając do piersi metalową puszkę. Była to jej piąta próba, ale pierwsza z użyciem ciemnej nakładki na maskę przeznaczonej do symulacji nurkowania nocą. Nawet w pełnym słonecznym blasku Dana widziała tylko mozaikę ciemnych sylwetek.

Czterema wymachami wolnej ręki wypłynęła na powierzchnię i przeszła do spokojnego pieska. Stopami zaczęła sondować przestrzeń pod sobą i po chwili namacała pod palcami zatopiony śnieżnobiały kadłub. Leżał pod wodą zbyt krótko, by zardzewieć.

Po kilku głębokich wdechach dla dotlenienia krwi Dana zanurkowała na ślepo w stronę wraku. Wyczuwszy pod dłonią kadłub, odsunęła od piersi ciężki krążek. Potężny magnes w jego podstawie wyczuł metalowe poszycie; puszka wyrwała się Danie z dłoni i przywarła do łodzi z głuchym łoskotem.

Kiedy ćwiczebna mina znalazła się na miejscu, Dana namacała ręką włącznik. Przez dźwigienkę przewleczona była stalowa zawleczka, która uniemożliwiała przypadkowe uruchomienie zapalnika. Danie brakowało już powietrza, wiedziała jednak, że jeśli teraz wypłynie na powierzchnię, późniejsze szukanie miny będzie koszmarem, została więc pod wodą.

Wyciągnięcie zawleczki zawsze było kłopotliwe, a tym bardziej, kiedy nie było jej widać. Gdy wreszcie udało się ją wyjąć, Dana klepnęła włącznik i odepchnęła się nogami od wraku, by łapczywie nabrał powietrza, kiedy tylko wynurzyła twarz spod wody. Fale zniosły ponton o kilka metrów, co oznaczało dłuższą drogę powrotną. Dana złapała linkę na burcie i już miała wciągnąć się na pokład, kiedy ujrzała nad sobą Barry'ego z kolejną ćwiczebną miną w rękach.

– Nie najgorzej – powiedział beznamiętnie. – Ale musisz delikatniej przytwierdzać ładunek. Ten huk było słychać aż tutaj. Pamiętaj, na pokładzie trzydzieści metrów nad tobą mogą stać ludzie. Taki hałas na pewno by usłyszeli.

„Ludzie, których zabiłbyś bez mrugnięcia okiem" – pomyślała Dana, wzdychając i odgarniając pasemko włosów z twarzy.

– Daj mi chwilę odpocząć.

Barry potrząsnął głową.

– Wracaj tam. Wieczorem będziesz musiała zanurkować trzy razy z rzędu. Lepiej się przyzwyczajaj.

32. KONTAKTY

James, Ernie i Mike przez pół godziny ładowali na ciężarówkę rzeczy z domu i metalowe skrzynie wypełnione sprzętem z betonowej szopy. James rozpaczliwie chciał skontaktować się z Johnem Jonesem i powiedzieć mu, co się dzieje, ale nawet gdyby miał szansę na oderwanie się od swoich towarzyszy, jego malutkie radio miało zbyt mały zasięg, by mógł nawiązać łączność z tak dużej odległości od arki.

Wrócili w samo południe. Ciężarówka Erniego zaatakowała wyrwę w ogrodzeniu wokół Portu Lotniczego Joela Regana, pomknęła na przełaj w stronę płyty postojowej i z piskiem opon wyhamowała obok jedynego samolotu na lotnisku: niewielkiego transportowego odrzutowca. Podczas gdy turbiny wyły im nad głowami, drugi pilot otworzył ładownię i opuścił hydrauliczną rampę załadunkową. Ładowanie samolotu było uciążliwą pracą, którą dodatkowo uprzykrzał gorący oddech silników, czyniący upał jeszcze bardziej nieznośnym, niż był dotychczas.

Każdą skrzynię przed wepchnięciem po rampie do ładowni musieli najpierw zważyć. Następnie przesuwali ją po lśniącej plastikowej podłodze na wskazane miejsce i unieruchamiali za pomocą pasów. Drugi pilot odmówił pomocy i tylko stał w cieniu z podkładką do pisania i nadętą miną, kalkulując wagę ładunku.

Zanim wszystkie skrzynie znalazły się w ładowni odpowiednio zabezpieczone, James był wykończony, a z włosów ciekły mu strumienie potu. Samolot pokołował na koniec pasa startowego z Mikiem Evansem i dwoma pilotami na pokładzie. Ernie spojrzał na zegarek.

– Myślę, że możesz wrócić przez terminal, to zdążysz na nabożeństwo i lunch. Ja odprowadzę ciężarówkę do garażu i spotykamy się jak zwykle o pierwszej.

– Jasne – powiedział James z udawanym entuzjazmem.

Ernie wsiadł do ciężarówki i uruchomił silnik. Kiedy zabrał się do zawracania, powietrze zgęstniało od przeciągłego ogłuszającego ryku. To pilot otworzył przepustnice i rozpędzony samolot przemknął niecałe dwadzieścia metrów od miejsca załadunku. James przycisnął dłonie do uszu, szary opar podrażnił mu gardło. Kiedy najgorsze minęło, potarł obolałe uszy, splunął na beton, by oczyścić usta z cierpkiego posmaku spalin, po czym puścił się biegiem w stronę terminalu.

Zanim dotarł do wejścia, ciężarówka Erniego zdążyła zniknąć mu z oczu, a samolot przemienił się w lśniący punkt na końcu szarej smugi. James otrząsnął się już z szoku, jakim było natknięcie się na laboratorium Help Earth!, ale nie mógł sobie pozwolić na utratę czujności. Wciąż istniało ryzyko, że Brian Evans go zdekonspiruje, a wyposażenie laboratorium właśnie oddalało się z prędkością kilkuset kilometrów na godzinę. Musiał za wszelką cenę skontaktować się ze swoimi koordynatorami i przedstawić im sytuację.

Choć w terminalu nie było żywej duszy, James nie mógł wykluczyć, że budynek jest obserwowany przez kamery nadzoru, dlatego skręcił do pierwszej toalety, jaką znalazł. Uznał, że poświęcenie kilku chwil na orzeźwienie się nie zaszkodzi sprawie, ale gdy podszedł do umywalki, odkrył, że kran nie działa, podobnie jak dwa sąsiednie.

Porzuciwszy ten pomysł, James zamknął się w jednej z ubikacji. W muszli klozetowej nie było wody, a z otworu unosił się stęchły fetor, ale czasu było mało, więc musiał to jakoś wytrzymać. Opuścił klapę, by mieć na czym usiąść, zdjął but i wetknął palce pod wilgotną wkładkę, chcąc wydobyć radio.

Wcisnął włącznik i przytknął plastikową płytkę do ucha. Była ciepła i cuchnęła przepoconą skarpetą.

– John, jesteś tam? Słyszysz mnie?

Miniaturowy głośniczek odezwał się zniekształconym głosem Chloe.

– Głośno i wyraźnie, James.

– Gdzie John?

– Musiał polecieć za Daną do Darwin.

– Co ona tam robi?

– Jeszcze nie wiemy – powiedziała Chloe. – Weena wysłała ją tam z jakimś specjalnym zadaniem.

– Aha... – James zająknął się, próbując przetrawić tę zaskakującą informację. – Posłuchaj, nie mam zbyt wiele czasu. W budynku gospodarczym przy piaszczystej drodze siedem kilometrów od arki było laboratorium Help Earth!

– Było?

– Przed chwilą pomogłem je spakować. Wszystko jest teraz w odrzutowcu, numer rejestracyjny A0113D. Nie mam pojęcia, dokąd leci.

– W porządku – powiedziała Chloe. – Przekażę te informacje ASIS. Powinni być w stanie namierzyć sygnał transpondera.

– Pod warunkiem że go nie wyłączyli.

– Co jest jak najbardziej możliwe, a nawet wielce prawdopodobne – przyznała Chloe. – Dobrze, że się odezwałeś, James. Dziś rano rozmawiałam z ASIS. Kontrolują operacje finansowe, które Wybrańcy dokonują poprzez Lomborg Financial. Sekta ostro inwestuje na giełdzie japońskiej.

Interesuje się firmami, których akcje podskoczyłyby w razie nagłej zwyżki cen energii, na przykład takiej, jaką spowodowałby atak Help Earth!

– Wiadomo, dlaczego akurat w Japonii?

– Jeszcze nie, James.

James zamyślił się na chwilę.

– Cel Help Earth! musi być spory, skoro inwestują tyle pieniędzy.

– Właśnie – przytaknęła Chloe. – Wybrańcy wydają się bardzo pewni siebie. Pożyczyli od banków miliony i kupują instrumenty pochodne zamiast zwykłych akcji, żeby zmaksymalizować zyski. Wiele tych inwestycji to kontrakty krótkoterminowe, co oznacza, że zwyżka cen musi nastąpić w ciągu dnia lub dwóch, jeśli Wybrańcy mają zarobić kupę kasy.

– Jasne – powiedział James. – Zobaczę, czego uda mi się dowiedzieć, i spróbuję odezwać się później. Ale nic nie obiecuję. Wiesz, jak ciężko w tym wariatkowie wykroić trochę czasu dla siebie.

*

Po powrocie z plaży Barry kazał dziewczętom zdrzemnąć się trochę. Dana wyjęła radio z buta i schowała się z nim pod kołdrą.

– Halo, słyszy mnie ktoś? – wyszeptała do mikrofonu.

Odetchnęła z ulgą, słysząc krzepiący głos Johna.

– Głośno i wyraźnie, Dana.

– Dzięki Bogu – westchnęła Dana. – Słuchaj, John, robi się gorąco jak diabli. Jestem w samym środku operacji Help Earth! Wygląda na to, że mamy zaatakować terminal dla zbiornikowców albo dziś wieczorem, albo jutro z samego rana.

– Masz jakiekolwiek pojęcie, gdzie to może być?

– Nie, ale podobno statek ma być przycumowany przy stacji produkującej jakiś mrożony gaz. SGZ czy jakoś tak. Słyszałeś coś o tym?

– Nie powiem, żebym słyszał, ale prawdopodobnie ułatwi to nam identyfikację celu. Daj mi sekundkę. Jest tu ze mną agentka ASIS, dziewczyna z tych okolic.

Przez kilka chwil Dana z niecierpliwością wsłuchiwała się w ciszę.

– W porządku – odezwał się wreszcie John. – Koleżanka mówi, że w Australii jest tylko kilka terminali SGZ. Okazuje się, że eksportują gaz do Chin i Japonii. Najbliższa stacja skraplania gazu jest zaledwie trzydzieści kilometrów stąd. To jeden z największych pracodawców w okolicy.

– Brzmi jak nasz cel – stwierdziła Dana.

– Koleżanka mówi, że to jedyny terminal na Terytorium Północnym, czyli to musi być to. A przy okazji obserwowałem was nad morzem przez lornetkę. Czy możesz potwierdzić, że mężczyzna, który jest z wami, to Barry Cox?

– Oczywiście. Rozpoznałam go od razu. Wiesz, że jego szczęka wciąż tak śmiesznie klika po tym kopniaku Bruce'a?

– No to mamy problem – powiedział John. – Gdybym wiedział, że tu będzie, przysłałbym Chloe, a sam został przy arce.

– Dlaczego?

– Cox widział mnie w Hongkongu. Muszę trzymać dystans, na wypadek gdyby mnie zapamiętał. Kobieta, która na plaży czekała na was w samochodzie, to Nina Richards, znana ekobojowniczka. ASIS już od pewnego czasu podejrzewa ją o związki z Help Earth!, ale do tej pory nie było żadnych konkretnych dowodów.

Wiadomość zaskoczyła Danę.

– Jesteś pewien? Ona zachowuje się dokładnie jak Wybraniec.

John zaśmiał się.

– Ty także. Moim zdaniem Help Earth! potrzebowała ludzi do przeprowadzenia najbardziej niebezpiecznej części operacji i Susie Regan zgodziła się ich dostarczyć. Nina wiedziała, że tylko jako Wybraniec może zdobyć wasze zaufanie.

– No i co teraz będzie? – zapytała Dana. – Znamy cel i wiemy, że atak nastąpi dzisiaj. Jak daleko ich podpuścimy, zanim zgarniemy całe towarzystwo?

– Łatwiej będzie załatwić Barry'ego i Ninę, jeśli złapiemy ich na gorącym uczynku, ale nie chciałbym narażać cię na zbyt wielkie niebezpieczeństwo. Muszę pomówić z ludźmi z ASIS i opracować jakąś taktykę. Koniecznie skontaktuj się ze mną przed wyjazdem.

– Dobra, odezwę się – powiedziała Dana. – Mam tu własny pokój, więc będzie mi łatwiej niż w komunie.

33. PRACA

Przez biuro przewijały się na ogół standardowe dokumenty: zapytania od komun, przeniesienia Wybrańców z jednego miejsca na drugie, rachunki i hurtowe zamówienia na produkty, którymi karmiono i w które ubierano członków sekty na całym świecie. Laura zdawała sobie sprawę, że niektóre z tych informacji mogłyby dostarczyć dowodów na istnienie powiązań pomiędzy Wybrańcami a Help Earth!, ale papierów w kartotekach i plików komputerowych było tysiące, a przy tym nie istniał sposób na łatwe odróżnienie cennych danych wywiadowczych od bezużytecznych śmieci. Jedynym wyjściem było wściubianie nosa, gdzie się da, w nadziei na łut szczęścia. W tej kwestii Laura nie była optymistką. Mogły minąć tygodnie, nawet miesiące, nim natrafiłaby na coś wartościowego.

Rat nienawidził pracy w biurze. Na ogół oszczędzał się, ukrywając się przez większą część dyżuru w pomieszczeniu, w którym przechowywano stare meble. Biuro było dość duże, by ludzie wciąż tracili się z oczu, i urwanie się nie było specjalnie trudne.

Ulubionym rytuałem Rata było zgarnięcie kubka mleka i garści ciastek z kuchni i zaszycie się pod połamanym biurkiem z książką. Niestety, lekturę w arce ograniczono do mądrości Joela Regana i kilku klasycznych powieści czytanych przez starszych uczniów na lekcjach literatury angielskiej. Rat miał swój ulubiony egzemplarz *Olivera Twista* w miękkiej okładce, który ukradł z klasy i przeczytał więcej niż tuzin razy. Książka była w strzępach i Rat musiał spinać ją gumką, żeby nie wypadały z niej kartki.

Laura wolałaby spędzać czas z Ratem, niż zajmować się pracami biurowymi, ale wypełniała swoje obowiązki, ponieważ wiedziała, że siedząc i gadając, nie popchnie misji do przodu. Mimo to chłopak potrafił być uparty i zdołał namówić ją na półgodzinną wizytę pod biurkiem i rozmowę o różnych rodzajach gier wideo. Rat grywał w nie w samolotach, kiedy był mały, ale w arce były zakazane i stanowiły tajemny przedmiot jego pożądania. Chciał znać każdy szczegół: ile guzików mają kontrolery różnych konsoli, jakie dane można zapisać na kartach pamięci i jakie są najpopularniejsze gry.

Kiedy Laura wreszcie wygramoliła się spod biurka, by wrócić do pracy, usłyszała dochodzące z korytarza głosy. Wstrzymała się z otworzeniem drzwi, by nie zdradzić kryjówki Rata, ale rozmowa, zamiast umilknąć, przemieniła się w kłótnię.

– Kto to? – szepnął Rat.

Laurę ogarnęło podniecenie, kiedy uświadomiła sobie, że głosy należą do żony Joela Regana i jego najstarszej córki Eleonory.

– To Susie i Pajęczyca.

Rat, który cenił sobie ploteczki, natychmiast wypełzł spod biurka. Oboje zbliżyli głowy do drzwi i odskoczyli gwałtownie, kiedy Susie grzmotnęła o nie plecami.

– Łapy przy sobie, Pajęczyco! – krzyknęła Susie.

– Znalazłam dziurę! – odkrzyknęła Eleonora. – W ciągu ostatnich pięciu dni wyparowało siedemdziesiąt milionów dolarów.

– I niby co ja mam z tym wspólnego? – wrzasnęła Susie.

– Tylko mój ojciec i ja mieliśmy dostęp do tych funduszy, a teraz drenuje je Lomborg Financial.

– Dlaczego nie zapytasz ojca, zamiast oskarżać mnie?

– Nie wciskaj mi kitu, Susie, nie urodziłam się wczoraj. Wiem, że suszyłaś ojcu głowę, dopóki nie dał ci pełnomocnictwa do tego konta. To chory człowiek, a ty nadużywasz jego zaufania.

– Arnos Lomborg zarobił dla nas masę pieniędzy – denerwowała się Susie. – Jakoś nie protestujesz, kiedy wpływają na konta, prawda? Gdyby nie ja, wasza bezcenna arka w Nevadzie do dziś istniałaby tylko na planach, a o Japonii i Europie nie mogłabyś nawet marzyć.

– Ciekawe, skąd się biorą te fantastyczne zyski?

– Z inwestycji.

– Na to mnie nie nabierzesz. Nie jestem rekinem finansjery, ale nie trzeba nim być, żeby wiedzieć, że dwieście procent zysku na trzytygodniowym kontrakcie to nie może być nic legalnego.

– Po prostu przymknij się i licz kasę – wysyczała Susie. – Nie podoba ci się to tylko dlatego, że to moi ludzie nawiązali kontakty z Lomborgiem. Co mieli Wybrańcy, zanim wzięłam się do interesów? Automaty z przekąskami, ozdobne puszki i wezwania do zapłaty od elektrowni. Joel omal nie zbankrutował, próbując przemienić ten zapomniany przez Boga kawałek pustyni w jakąś żałosną imitację Disneylandu.

Rat wyszczerzył się do Laury i wzruszył ramionami, jakby chciał powiedzieć: „Nie rozumiem z tego więcej niż ty". Nie miał powodu, by podejrzewać, że Laura rozumie każde słowo: to Susie stała za współpracą Help Earth! z Wybrańcami; Joel był zbyt chory, by podejmować decyzje, a Pajęczyca nie brała udziału w procederze.

– Poza tym – ciągnęła Susie – cała ta gadka o twoim drogocennym ojcu. Kiedy ostatnio spędziłaś noc, opiekując się nim? Kiedy ostatnio go odwiedziłaś?

– Nie mogę się do niego zbliżyć, żebyś nie stała dwa metry za mną, obrzucając mnie błotem.

– Odwal się ode mnie – powiedziała Susie z irytacją w głosie. – Nie masz jakiegoś nabożeństwa do odprawienia albo kretyńskich koralików do rozdania?

– Diablica! – wrzasnęła Eleonora. – Niedobrze mi się robi, kiedy pomyślę, że mój ojciec co noc śpi w jednym łóżku z niewierzącą.

Susie zachichotała.

– No nie, znów się zaczyna. Twój papcio nie spotkał Boga, droga Eleonoro. Wymyślił Wybrańców jako sposób na zbicie kasy.

Kiedy Rat usłyszał to bluźnierstwo, na jego twarzy wykwitł złośliwy uśmiech. Laura udała wstrząśniętą.

Eleonora zaszlochała żałośnie.

– Mój ojciec jest wielkim człowiekiem. Prorokiem. Bóg ukarze cię za to, co nam zrobiłaś.

Laura wiedziała o przepychankach pomiędzy Susie i Eleonorą, ale dopiero teraz uświadomiła sobie, jak bardzo różne są opinie obu kobiet na temat Joela Regana i bycia Wybrańcem.

– Nie chce mi się nawet z tobą kłócić – oświadczyła Susie. – Zejdź mi z drogi.

Pajęczyca z wściekłości walnęła pięścią w drzwi. Obawiając się, że wejdzie do pokoju, Laura i Rat czym prędzej czmychnęli pod biurko, ale po kilku sekundach ciszy zrozumieli, że Eleonora i Susie odeszły.

Laura odetchnęła z ulgą, po czym uśmiechnęła się do Rata i wytłumaczyła, że musi pędzić, bo ma dokumenty do skopiowania. Wybiegłszy z pokoju, zanurkowała do toalety, wyrwała radio z buta i wywołała Chloe, by powiedzieć jej o podsłuchanej rozmowie.

– To, co mówisz, potwierdza obraz, jaki ASIS złożyło z innych informacji, w tym od twojego brata – powiedziała Chloe. – Ale nie mieliśmy pojęcia, że Eleonora i inni Wybrańcy nie wiedzą o układach z terrorystami.

– Czy Susie miała cokolwiek wspólnego z ruchami ekologicznymi, zanim zamieszkała w arce?

– Niewiele. Amerykanom udało się odkryć tylko tyle, że kiedy pracowała jako modelka, odmówiła noszenia futra, ale wiele modelek tak robi. Nie mamy pojęcia, czy Susie obchodzi środowisko naturalne ani czy odciąga z zysków coś dla siebie. Tak czy owak z całą pewnością wykorzystuje pieniądze Wybrańców do finansowania działalności Help Earth!

Ponieważ Laura nie widziała się z Jamesem od porannego biegu, Chloe przekazała jej najświeższe nowiny, w tym wiadomość o odnalezieniu laboratorium i najnowsze rewelacje od Dany.

– Wiesz, gdzie jest teraz twój brat? – zapytała Chloe.

– Jak wróci z poczty, pewnie pójdzie na obiad, a potem na nabożeństwo – powiedziała Laura szeptem, ponieważ za drzwiami toalety ktoś zaczął myć ręce.

– Jasne. Myślisz, że uda ci się urwać i spotkać z nim, kiedy tylko wróci?

– Chyba tak – powiedziała Laura z namysłem. – Biuro przylega do garaży, ale opiekunowie z internatu bardzo nas pilnują. Będą nas wypytywać, jeśli znikniemy na dłużej, a za nieobecność na nabożeństwie dostaje się baty.

– W porządku, o to się nie martw. ASIS wolałaby poczekać na więcej dowodów od was i z innych źródeł, ale australijski rząd już wie, że Help Earth! przygotowuje się do ataku. Jeśli opinia publiczna dowie się, że rząd wiedział o nim wcześniej i niczego nie zrobił, skutki polityczne będą nieprzewidywalne.

– Jasne. Co to oznacza dla nas?

– Dziś wieczorem o wpół do dziewiątej minister wywiadu wygłosi telewizyjne oświadczenie, ogłaszając alarm najwyższego stopnia. Wszystkie zakłady naftowe czeka ewakuacja całego personelu z wyjątkiem załóg szkieletowych.

Danę i jej kumpli terrorystów przechwyci się, kiedy spróbują wyruszyć swoją łódką. Arka zostanie zaatakowana, a wszyscy członkowie zarządu zatrzymani do przesłuchania.

– Zaatakowana? Przez kogo?

– TAG, czyli taktyczna grupa szturmowa australijskiej armii, ćwiczy szturm na arkę, od kiedy odkryto powiązania sekty z Help Earth! Obawiają się, że jeśli zaatakują na ziemi, dojdzie do oblężenia i Wybrańcy zdążą zniszczyć wszystkie dowody. Dlatego użyją małych sił powietrznych: cztery śmigłowce, sześćdziesięciu komandosów TAG-u i oddział pomocniczy tuzina agentów ASIS. Zamierzają wysadzić żołnierzy wewnątrz murów i opanować arkę, zanim Wybrańcy zdążą zrobić cokolwiek w tej sprawie.

– Nie podoba mi się to – powiedziała Laura, trąc w zamyśleniu czoło. – Oni tu mają strażników we wszystkich sześciu wieżach, Rat mówi, że w podziemiach jest arsenał nielegalnej broni, a dookoła mamy pustkowie. Nie ma mowy, żeby śmigłowce podleciały niezauważone.

– To eksperci, Lauro, musisz zaufać ich doświadczeniu. Jestem pewna, że dobrze przećwiczyli każdy wariant, ale i tak wolałabym, żeby was z Jamesem nie było w pobliżu, kiedy zrobi się gorąco. Szturm zacznie się około ósmej, tuż po zmroku. To daje wam nieco ponad dwie godziny na ucieczkę. Musisz złapać Jamesa, kiedy tylko wróci z poczty. Jeśli uznacie, że to bezpieczne, byłoby dobrze, gdybyście najpierw zajrzeli do Susie Regan i zrobili kopie wszelkich interesujących danych. Kiedy pojawią się śmigłowce, na pewno zacznie niszczyć dowody.

Laura zastanowiła się.

– Byłam w rezydencji tylko raz.

– Omów to z Jamesem. Jeśli ryzyko jest zbyt wielkie, odpuśćcie sobie. Najważniejsze, żebyście się stamtąd bezpiecznie wydostali. Ukradnijcie samochód, nałgajcie strażnikowi w baszcie czy cokolwiek, ale wynoście się stamtąd. Skontaktujcie się ze mną, zanim zwiejecie, to umówimy się gdzieś w pobliżu i odbiorę was.

– Jasne – przytaknęła Laura.

Skala wydarzeń mających nastąpić w ciągu najbliższych godzin zaczęła docierać do jej świadomości. Szturm komandosów na arkę i odkrycie powiązań sekty z Help Earth! musiały wkrótce stać się głównym tematem wszystkich wiadomości na świecie.

– Jeszcze nigdy nie próbowałam się stąd wyrwać, ale to nie powinno być trudne – powiedziała po chwili namysłu.

– W każdej baszcie jest tylko dwóch strażników. Jeśli ich zaskoczymy, powinniśmy poradzić sobie z nimi bez większych problemów.

– Super. Ale pamiętaj: bezpieczeństwo przede wszystkim.

– Tak jest – powiedziała Laura, zerkając na zegarek. – Do zobaczenia za dwie godziny.

*

Cherubin w akcji zwykle ma ze sobą zapas narzędzi hakerskich, ale obowiązujące w arce rygorystyczne przepisy dotyczące rzeczy osobistych uniemożliwiły wyposażenie w nie Laury i Jamesa. Pod koniec swojej zmiany Laura zakradła się do magazynku materiałów biurowych, zgarnęła paczkę czystych płyt CD i ruszyła do wyjścia.

– Wracasz ze mną do szkoły? – zapytał Rat, napędzając jej strachu, ponieważ nie zauważyła, kiedy wszedł.

– Nie musisz zanieść papierów do podpisu Joelowi Reganowi?

Rat pokręcił głową, wyjmując jej z dłoni pudełko z płytami, by mu się przyjrzeć.

– Podobno staruszkowi się pogorszyło. Susie uważa, że na razie nie jest w stanie czytać żadnych pism.

– Aha – powiedziała Laura niecierpliwie.

– Po co ci te płyty? – zapytał Rat.

– Och... – zająknęła się Laura zła na siebie, że nie pomyślała o wymówce wcześniej. – Mam je zanieść księgowemu.

– Któremu? Mogę je zanieść, jeśli masz tu coś jeszcze do zrobienia.

– Nie, nie – zaprotestowała Laura, wyrywając Ratowi płyty. – Zresztą on i tak już wyszedł.

Rat wyszczerzył się w szelmowskim uśmiechu.

– Kombinujesz coś, nie?

Laura cmoknęła z irytacją.

– Daj spokój, niczego nie kombinuję.

– Nie zamydlisz mi oczu – powiedział Rat. – Mówiłem ci już, że mój iloraz inteligencji wynosi sto dziewięćdziesiąt siedem?

– Hmm, niech pomyślę... – Laura przyłożyła palec do ust i zmarszczyła brwi jakby w głębokim zamyśleniu. – Wydaje mi się, że w ciągu ostatnich dwóch dni wspominałeś o tym jakieś trzydzieści sześć albo trzydzieści siedem razy.

Rat zrobił obrażoną minę.

– Dobra, ja idę wrzucić coś na ząb. Czyli widzę cię jutro po południu, tak?

– Nie, jeśli zobaczę cię pierwsza – uśmiechnęła się Laura.

Wyszła za Ratem z magazynku i odeszła w przeciwną stronę, udając, że ma ostatnie zadanie do wykonania. Było jej przykro. Lubiła towarzystwo Rata, ale prawdopodobnie widziała go ostatni raz w życiu. Skręciła w lewo za drewniane przepierzenie i odczekała kilka sekund. Kiedy Rat był już wystarczająco daleko, ruszyła z powrotem, kierując się do pokoju przesyłek.

W ścianie za maszyną było okno obsadzone tak wysoko, że Laura musiała stanąć na palcach, by wyjrzeć przez nie do garażu. James i Ernie najwyraźniej skończyli już kurs, bo właśnie szli w stronę budynków internatu. Laura wpadła w panikę. Wiedziała, że nim zdąży przebiec korytarzem do wyjścia ewakuacyjnego i metalowymi schodami w dół, brat zniknie jej z oczu. Nie było mowy, by mogła skontaktować się z nim na terenie szkoły, gdzie chłopcy i dziewczęta zawsze przebywali oddzielnie.

Laura wepchnęła płyty do przedniej kieszeni szortów. W chwili gdy odwróciła się, by wybiec, przypomniała sobie zsyp, którym zrzucano pocztę do garażu. Zgrzytnęła otwierana klapa. Laura wgramoliła się na wypolerowaną metalową rynnę przypominającą powiększoną zjeżdżalnię dla dzieci.

W zsypie było ciemno, jeżeli nie liczyć kilku smug światła sączących się między gumowymi frędzlami zamykającymi wylot. Budowniczy rynny nie zawracał sobie głowy wygładzaniem spoin, by umilić jazdę przesyłkom pocztowym, i Laura sunęła w dół, podskakując rytmicznie na krawędziach blach. Przepchnąwszy się pod ciepłymi gumowymi pasami, puściła się biegiem przez ocienioną przestrzeń pod wiatą.

– James!

Był dwieście metrów dalej; szedł wraz z Erniem wydeptaną ścieżką w stronę internatu. Kiedy obejrzał się, wyraźnie zaskoczony, Laura zamachała ręką i zatrzymała się.

James zrozumiał, że Laura ma jakieś informacje, prawdopodobnie nieprzeznaczone dla uszu Erniego. Pożegnał się pospiesznie i podbiegł do siostry.

– Hej – uśmiechnął się. – Wszystko w porządku? Co się dzieje?

34. STRZAŁY

Dana pomogła Ninie w przygotowaniu wegetariańskiego spaghetti na obiad, ale wszyscy byli tak spięci, że tylko Barry zdołał zjeść więcej niż połowę swojej porcji. Ewa z zapałem zaproponowała, że pozmywa, ale Barry tylko się uśmiechnął.

– Bohaterowie nie zmywają – oświadczył. – Zresztą i tak tu nie wracamy, więc po co zawracać sobie głowę?

Nina wyciągnęła ręce do dziewcząt siedzących po jej obu stronach.

– Myślę, że powinniśmy się pomodlić.

Ewa wyciągnęła rękę do Barry'ego i uśmiechnęła się.

– Śmiało, a drugą podaj Danie. Utwórzmy krąg, by odpędzić diabły.

Barry nie był zachwycony, ale podporządkował się. Wszyscy ścisnęli sobie dłonie i zamknęli oczy.

– Dziękujemy Ci, Panie...

Danie zakręciło się w głowie. Oderwała myśli od modlitwy Niny i skoncentrowała się na uspokojeniu skołatanych nerwów.

Jeszcze zanim usiadła do obiadu, zamknęła się w sypialni, by nawiązać kontakt z Johnem. Powiedział jej, że ASIS będzie śledziła każdy ruch terrorystów. Agentom udało się zamontować w subaru nadajnik lokalizacyjny, a w każdej większej zatoce wzdłuż trzydziestokilometrowego pasa wybrzeża czekały w pogotowiu oddziały policji. Plan zakładał, że zespół Barry'ego zostanie zatrzymany podczas przenoszenia na ponton materiałów wybuchowych i sprzętu potrzebnego do przeprowadzenia ataku. Gdyby jednak – co było mało prawdopodobne – udało im się wypłynąć, do akcji wkroczyłyby trzy okręty australijskiej straży przybrzeżnej i patrolowiec marynarki wojennej, które miałyby zatrzymać terrorystów, zanim dopłyną do terminalu SGZ.

Wszystko to brzmiało uspokajająco, a mimo to spaghetti w żołądku Dany wciąż nie chciało się zadomowić.

– Amen! – zawołały radośnie Nina i Ewa.

Dana cofnęła uwolnione dłonie i zawtórowała:

– Amen.

– No dobra – zaczął Barry, po czym wstał od stołu i głośno beknął. – Fajne żarełko, dzięki, Nina. Musimy się zbierać, więc jeśli chcecie wstąpić do toalety czy coś...

– Ja nie muszę – uśmiechnęła się Dana. – Pomóc ci zapakować sprzęt do samochodu?

Barry pokręcił głową.

– Wszystko na łodzi przygotowuje nasz zespół wsparcia. My tylko wchodzimy na pokład i w drogę.

Dana z trudem ukryła rozczarowanie. Ładowanie łodzi dałoby policji trochę więcej czasu na wkroczenie i zatrzymanie ich.

Barry spojrzał na dziewczęta.

– Potrzebuję jednej z was do pomocy przy rozwiązaniu drobnego problemu. Druga niech zostanie i pomoże Ninie w rozłożeniu ładunków zapalających w domu.

– Naprawdę myślisz, że mogą tu trafić za nami? – zapytała Ewa.

– Ostrożności nigdy za wiele. Wszędzie jest pełno naszych odcisków palców i DNA – powiedział Barry. – Ustawimy zegary na dwadzieścia minut po naszym wyjściu. Dom jest stary i ma drewniany szkielet, powinien się ładnie palić.

Ewa uśmiechnęła się do Dany.

– Pomogę Ninie, jeśli nie masz nic przeciwko temu.

Dana wzruszyła ramionami i spojrzała na Barry'ego.

– Zdaje się, że idę z tobą.

Nina i Ewa ruszyły do garażu po kanistry z benzyną, detonatory i kilka lasek przemysłowego materiału wybuchowego, a Dana wyszła za Barrym do przedpokoju. Australijczyk był tak wysoki, że bez pomocy drabiny sięgał do sufitu, i bez trudu złapał za klamkę, by odciągnąć w dół drewnianą klapę prowadzącą na poddasze. Następnie stanął na palcach, sięgnął w głąb czarnego otworu i wyciągnął pistolet automatyczny z przykręconym do lufy tłumikiem.

Dana spojrzała z przerażeniem na Barry'ego, który zwolnił magazynek i zatrzasnął z powrotem, sprawdzając, czy się nie zaciął.

– Po co ci to?

Mężczyzna uśmiechnął się szeroko.

– Mamy mały problem z paroma diabłami.

*

– Myślałam, że to ten – jęknęła Laura.

Patrzyła na szafkę na końcu podziemnego korytarza. Z sufitu kapała woda, a płytki na podłodze były nadjedzone przez wilgoć.

– Przecież pamiętam tę mapę, którą narysował mi Rat. Byłam pewna, że trzeba iść tędy.

James zaczynał tracić cierpliwość.

– Przyznaj się, zabłądziliśmy.

– Wcale nie. Wiem mniej więcej, gdzie jesteśmy, tyle że chyba źle skręciliśmy za tym pokojem z krzesłami.

James spojrzał na zegarek.

– Jest prawie wpół do siódmej. Błądzimy już od piętnastu minut, a nie możemy tkwić tu przez całą noc.

– Wiem, nie jestem głupia – zdenerwowała się Laura. – Przymknij się na chwilę i daj mi pomyśleć... Zeszłam w dół korytarzem z biura. Potem było dwa razy w lewo, po spiralnych schodach, a potem... A ty dokąd?

James obejrzał się.

– Znajdę pierwszy znak z napisem „Wyjście" i zmywam się stąd.

– James, jestem pewna, że znajdę drogę – przekonywała Laura, ruszając za bratem. – Rozpoznaję te korytarze.

– To dlatego, że wszystkie wyglądają tak samo.

Pięćdziesiąt metrów przed nimi szczęknęły drzwi i na korytarz wysunął się metalowy wózek wyładowany puszkami mieszanki owocowej. Pchał go mężczyzna w kucharskim fartuchu, który na szczęście skręcił w przeciwną stronę. James i Laura przywarli do ściany, słuchając cichnących kroków.

– Przynajmniej ominie nas podły obiad – wyszeptał James. – Nie cierpię tego koktajlu owocowego.

Dali kucharzowi pół minuty na oddalenie się, po czym ruszyli dalej, skręcając w lewo na rozwidleniu korytarza. Laura spojrzała na zegarek.

– Mamy czas, James. Daj mi ostatnią szansę, znajdę to przejście.

James cmoknął.

– Dobra, ale potem wynosimy się stąd.

Głos Rata rozległ się centymetry za ich głowami.

– Jeżeli powiecie mi, dokąd się udajecie, z pewnością będę mógł wam pomóc.

– Dżiiizas! – zachłysnął się James.

Oboje z Laurą odwrócili się gwałtownie w stanie całkowitego szoku.

– A ty skąd się tu wziąłeś? – warknął James, uświadamiając sobie jednocześnie, że Rat musiał wyjść przez drzwi, które przed chwilą minęli.

– Wiedziałem, że coś knujecie – powiedział Rat, patrząc na Laurę. – Zostawiłaś otwartą klapę zsypu w pokoju przesyłek.

James gorączkowo analizował możliwości. Mógł bez trudu obezwładnić intruza i zostawić skrępowanego w jednym z pomieszczeń, ale nie miał ochoty krzywdzić kolegi, tym bardziej że zdawał sobie sprawę z jego użyteczności.

– Jeżeli powiem ci prawdę, czy zaprowadzisz nas do gabinetu Susie Regan?

Laura wytrzeszczyła oczy na Jamesa.

– James, nie wolno ci...

Opowiedzenie komuś o istnieniu CHERUBA było oprócz zażywania narkotyków i uprawiania seksu z nieletnimi jednym z występków, za które wylatywało się z organizacji.

– Zaprowadzisz nas? – powtórzył James, zupełnie ignorując siostrę.

– Znam tu każdy tunel i każde tajne przejście – powiedział Rat. – Ale jeśli przyłapią mnie na szperaniu w gabinecie Susie Regan, stłuką mnie na miazgę i zamkną w potnicy na miesiąc. Lepiej, żebyście mieli naprawdę dobry powód.

– Nie wracamy do szkoły – oznajmił James. – Urywamy się stąd. Na zewnątrz odbierze nas samochód. Jeśli nam pomożesz, możesz iść z nami.

– Powaga?! – rozpromienił się Rat, ale zaraz zgasł ogarnięty nagłymi wątpliwościami. – Ale... Nie rozumiem, po co mamy najpierw iść do Susie?

– Nie mamy zbyt wiele czasu – powiedział James, rozpaczliwie próbując wymyślić jakieś wiarygodne kłamstwo tłumaczące ich postępowanie. – Prowadź, wytłumaczę ci wszystko po drodze.

*

Barry wyszedł tylnymi drzwiami, przeszedł przez wyschnięty trawnik i ruszył wielkimi krokami przez zarośla za ogrodem sąsiadów. By za nim nadążyć, Dana musiała co czwarty krok przedłużać dłuższym susem.

– Miej oczy otwarte – powiedział Australijczyk. – Odkąd się wprowadziliśmy, widziałem tu kilka węży.

Danie wcale nie zależało na tej informacji. Towarzystwo wielkoluda z bronią było wystarczającym zmartwieniem, nawet bez jadowitych stworzeń na dokładkę.

– Masz wrażliwy żołądek? – zapytał Barry.

– Nie bardzo. – Dana wzruszyła ramionami. – Dokąd idziemy?

– Parę miesięcy temu w Hongkongu zostałem napadnięty. Głupia sprawa, zaskoczył mnie jakiś mały wredny chłopak z kastetem. Problem jednak polegał na tym, że ocknąłem się pięknie ułożony w bezpiecznej pozycji i związany tak fachowo, że nie mógł tego zrobić żaden dzieciak. Myślę, że tajniacy siedzieli mi na ogonie i wykorzystali napad, żeby przeszukać mój pokój.

Dana pozwoliła sobie na nieznaczny uśmiech. Barry'emu, jak setkom przestępców przed nim, nawet przez myśl nie przeszło, że to nieletni napastnik mógł być owym tajniakiem.

– Zorientowałem się, że mnie śledzą, kilka dni później, po powrocie do Brisbane. Myślałem, że ich zgubiłem, ale zdaje się, że byłem w błędzie.

– Czemu tak sądzisz? – zapytała Dana, z trudem opanowując drżenie głosu.

– Wychowałem się w tej okolicy; stary kumpel ze szkoły siedzi przy radiu w miejscowej gliniarni, więc dałem mu parę dolców z prośbą, żeby dał mi znać, jeżeli zdarzy się coś podejrzanego. Wczoraj wieczorem patrol drogowy przyuważył jakąś parkę przyczajoną w niebieskim pickupie. Zatrzymali się, żeby sprawdzić, kto to taki, a tamci wyciągnęli legitymacje ASIS i kazali gliniarzom pilnować własnego nosa.

Dana udała, że nie rozumie.

– Co to jest ASIS?

– Australijski wywiad. Szczęście, że się dowiedziałem, bo całą operację diabli by wzięli.

Barry zatrzymał się i przykucnął, wyciągając szyję, by zajrzeć w lukę pomiędzy dwoma opuszczonymi domami.

– Widzisz tego czerwonego holdena?

Dana wysunęła głowę i zobaczyła masywny czerwony samochód zaparkowany na podjeździe. Miał przyciemniane szyby, ale okno po stronie pasażera było w dwóch trzecich otwarte, dzięki czemu widać było siedzących w środku kobietę i mężczyznę. Był to marny punkt obserwacyjny, ale Terytorium Północne nie należało do rejonów słynących z przestępczości i Dana podejrzewała, że w operacji na taką skalę miejscowa komórka ASIS musiała zatrudnić wszystkich dostępnych funkcjonariuszy, tych doświadczonych i tych całkiem jeszcze zielonych.

Dana uświadomiła sobie, że życie pary agentów leży w jej rękach, ale co mogła zrobić? Barry był potężnie zbudowanym mężczyzną, który dowiódł swoich zaawansowanych umiejętności w walce wręcz podczas hotelowego starcia z Bruce'em. Teraz był w stanie najwyższej gotowości, a w dłoni dzierżył odbezpieczony pistolet.

Barry wyjął telefon z kieszeni i zadzwonił do domu.

– Nina, jestem na miejscu. Wszystko gotowe?

– Wszystko spłonie za kwadrans – potwierdziła Nina. – Jesteśmy przy drzwiach.

Barry wyłączył telefon i podał go Danie.

– Weź to. Podejdź do holdena od strony kierowcy i zastukaj w okno. Udaj zdenerwowaną. Twój chłopak właśnie wyrzucił cię z domu, komórka się rozładowała i chcesz pożyczyć ich telefon, żeby zadzwonić po taksówkę. To powinno wystarczyć, żeby na parę chwil odwrócić ich uwagę. Wszystko jasne?

– Tak – kwaknęła Dana niezdolna dłużej ukrywać zdenerwowania. – Chcesz ich zabić?

– A co innego mogę zrobić?

Dana próbowała coś wymyślić, ale czuła się tak, jakby groza przemieniła jej mózg w kulę bawełny.

– Ja nie mogę, Barry – wyznała, nie musząc wkładać dużego wysiłku w wybuchnięcie udawanym szlochem.

– Nie mam czasu na zabawy – powiedział Barry nagle zmienionym głosem, kierując lufę pistoletu w pierś dziewczyny. – Zrobisz to, co ci kazałem, a jeśli coś schrzanisz, pierwsza kula pójdzie w twoje plecy. A teraz ruszaj!

Barry pchnął Danę do przodu, omal nie przewracając jej na ziemię. Gdyby to była Nina albo chociaż trochę mniejszy mężczyzna, spróbowałaby go rozbroić, ale w tej sytuacji mogła tylko nieprzytomnie powlec się między domami w stronę samochodu. Miała wrażenie, że czas zwolnił bieg. Każdy chrzęst żwiru pod stopą, każdy ruch ramienia trwał całe wieki. Plecy piekły ją nieznośnie, jakby w oczekiwaniu na pocisk, który miał ją przeszyć, jeśli wykona jakikolwiek fałszywy ruch.

„Proszę, Boże, ludzie, ktokolwiek. Proszę, wyciągnijcie mnie z tego".

Potoczyła wzrokiem po zniszczonych domach po obu stronach drogi, rozważając plan ucieczki do jednego z nich, ale wszystkie okna były zabite deskami, a drzwi zamknięte na kłódkę.

Wyszła z cienia w zalewający podjazd słoneczny żar i obeszła tył samochodu. Jej mózg pracował na najwyższych obrotach, kiedy pochyliła się, by zastukać w szybę. Musiała jakoś ich ostrzec, ale Barry zabiłby ją, gdyby cokolwiek usłyszał.

Szyba obsunęła się z elektrycznym wizgiem i Dana ujrzała dwoje agentów. Oboje patrzyli w jej stronę. Kobieta była szczupła i miała ostry makijaż. Mężczyzna – właściwie chłopiec – miał niewiele ponad dwadzieścia lat, typ kujona z głową na chudej długiej szyi.

„Za chwilę umrzecie".

– Słuchajcie... – zaczęła Dana i zamilkła na chwilę, nie mogąc zdecydować, czy opowiedzieć bajkę o kłótni z chłopakiem, czy ratować im życie, prawdopodobnie za cenę własnego.

Jednak nie zdążyła powiedzieć nic więcej. Barry dobrze wymierzył swój bieg i właśnie w tej chwili przez uchylone okno pasażera do samochodu zajrzał tłumik pistoletu. Pierwszy pocisk ugodził kobietę w pierś. Mężczyzna podskoczył wystraszony hukiem i wbił w Barry'ego przerażony wzrok. Potem eksplodowało mu serce.

Krwi było mniej, niż można się było spodziewać, a głuche odgłosy wystrzałów przypominały dźwięk, jaki wydają siedziska od kanapy uderzające o siebie podczas walki na poduszki. Barry uniósł lufę i Dana odskoczyła od samochodu, by nie patrzeć, jak morderca wykańcza swoje ofiary strzałami w głowę.

Kiedy w samochodzie zapulsowały kolejne dwa strzały, Dana doznała najpotężniejszej emocjonalnej eksplozji w swoim życiu.

„Widziałam, jak dwoje ludzi umiera".

Poczuła, że zaraz zwymiotuje, a potem wszystko zaczęło wirować. Wpadła w panikę. Oszołomiona ledwie pamiętała, gdzie jest. Przed oczami wybuchały jej purpurowe i zielone błyski.

– Weź się w garść – warknął Barry, łapiąc ją za ramię. Jego głos brzmiał, jakby dochodził ze słuchawki telefonicznej.

Szarpnął Danę do przodu i złapał za klamkę srebrnego samochodu. Nawet nie zauważyła, kiedy Nina zdążyła podjechać.

– No dalej, pospiesz się.

Barry wcisnął rozdygotaną dziewczynę na tylne siedzenie, a sam usiadł z przodu. Kiedy tylko trzasnął drzwiami,

Nina wdusiła gaz. Dana obejrzała się na czerwonego holdena, wciąż mając nadzieję, modląc się o to, by to się nigdy nie stało.

Kiedy znów spojrzała w przód, ujrzała twarz Australijczyka szczerzącą się do niej spomiędzy zagłówków foteli.

– Przepraszam, że byłem trochę nieprzyjemny, malutka, ale musieliśmy się pozbyć tych gości. Trzymałaś się bardzo dzielnie.

Danie opadła szczęka, kiedy uświadomiła sobie coś przerażającego.

– Czy to inny samochód niż ten, którym jechaliśmy poprzednio?

– No pewnie – uśmiechnął się Barry. – Kilka tygodni temu schowałem go w garażu kilka domów dalej. W tym nikt nas nie będzie szukał.

Dana wcisnęła dłonie pod pachy, by powstrzymać ich dygotanie. Wszystko poszło nie tak: agenci obserwujący dom nie żyli, a samochód z podłożonym nadajnikiem wciąż stał w garażu, czekając, aż strawi go ogień. Ale Dana wiedziała, że musi wziąć się w garść i stawić czoło sytuacji. Dwoje niewinnych ludzi straciło życie. Musiała dopilnować, by nie było już więcej ofiar.

35. KŁAMSTWA

Laura miała rację: byli na dobrej drodze. Doprowadzenie ich do pachnących wanilią korytarzy wiodących do domu Joela Regana nie zajęło Ratowi nawet trzech minut.

– To znaczy, że wasz tata jest szpiegiem? – zapytał Rat z niedowierzaniem.

– Nie, żeby od razu szpiegiem – wił się James, usiłując nadać swoim wyjaśnieniom pozory wiarygodności, nie zdradzając przy tym istnienia CHERUBA. – Nasz tata zna paru gości, którzy pracują dla australijskiego wywiadu. Kiedy mamie odbiło i wstąpiła do sekty, poprosił ich, żeby pomogli nam uciec. Zgodzili się pod warunkiem, że przed ucieczką powęszymy trochę u Susie.

– Aha – powiedział Rat przeciągle, nie mogąc się wyzbyć podejrzliwości. – A jak się z nimi kontaktujecie?

– Mamy miniaturowe radia – odparła Laura.

– A dlaczegóż to australijski wywiad interesuje się Susie Regan?

James wzruszył ramionami, udając zirytowanego całym tym przesłuchaniem w nadziei, że to powstrzyma Rata przed zadawaniem kolejnych pytań.

– Nie wiem i szczerze mówiąc, mam to gdzieś. Chcę się stąd wyrwać i mieszkać z tatą.

Na szczęście Rat musiał się zamknąć, bo właśnie dotarli do łukowatej pochylni prowadzącej w górę do rezydencji.

– Jeśli pójdziecie tędy, zatrzyma was lokaj – wyszeptał Rat. – Na szczęście znam inną drogę. Zginęlibyście tutaj beze mnie.

– Dobra już, dobra – powiedział James z irytacją. – Przestań już. Przepraszam, że ci nie zaproponowałem, żebyś poszedł z nami.

Rat zaprowadził ich do drzwi, które można było odróżnić od otaczającego je marmuru tylko dzięki płytkiemu zagłębieniu z ukrytą klamką. Troje szpiegów wkroczyło do zatęchłej garderoby z dwiema długimi szynami po obu stronach zawieszonymi mnóstwem pustych drewnianych wieszaków.

– Teraz oczy otwarte i ani słowa – zarządził Rat, kiedy znaleźli się przed drzwiami na drugim końcu pomieszczenia. – Oprócz lokaja w domu są zazwyczaj dwie sprzątaczki i pielęgniarka ojca.

– Kto mieszka na górze? – zapytał James.

– Tylko Susie i mój ojciec.

– W porządku. Dokąd teraz pójdziemy?

– Chcecie iść do gabinetu Susie, więc przeprowadzę was przez piwnicę do tylnych schodów. Kiedy wejdziecie na górę, gabinet będzie drugi po lewej stronie.

– Nie idziesz z nami? – zdziwiła się Laura.

– Mam już wystarczająco obolały tyłek, więc dziękuję bardzo. Poczekam na was na schodach.

Skradali się ostrożnie przez pomieszczenia w podziemiach rezydencji: pralnię, pralnię chemiczną oraz nieużywaną kuchnię, na tyle dużą, by obsłużyć imprezę dla setek gości. Potem skręcili w wąski korytarzyk i minęli drzwi celopodobnych pokoików lokaja i pielęgniarki. Za przejściem do klatki schodowej czekał ich wstrząs: spod schodów wystawały nogi w czarnych spodniach i wypolerowanych na lustro butach lokaja. Rat patrzył ze zgrozą, jak James przykłada dłoń do ust mężczyzny, by sprawdzić, czy oddycha.

– Nie widzę żadnych obrażeń – powiedział James po chwili – ale wątpię, żeby po prostu zemdlał. Ktoś musiał przywlec go pod te schody.

Laura skinęła głową.

– Pewnie go uśpili.

– Jak myślicie, czy długo będzie nieprzytomny? – zapytał Rat.

– Zależy, co mu dali. – Laura wzruszyła ramionami. – Może godzinę, a może dzień, jeśli użyli czegoś mocnego, jak ketamina.

James spojrzał na siostrę.

– Myślisz, że powinniśmy iść dalej?

– Cóż... – zaczęła Laura i zamyśliła się na chwilę. – Może być niebezpiecznie, ale tam na górze coś się dzieje. Uważam, że powinniśmy przynajmniej spróbować się czegoś dowiedzieć. To może być ważne dla naszej misji.

– Jakiej misji? – zbystrzał Rat.

Laura uświadomiła sobie swój błąd.

– Znaczy... dla naszej ucieczki – poprawiła się słabym głosem.

– A co to niby ma z tym wspólnego? – zirytował się Rat.

– Dlaczego po prostu nie zmyjemy się stąd i nie powiemy tym waszym szpiegom, że nie udało się nam dostać do gabinetu Susie? Przecież nie wyślą nas z powrotem, no nie?

– Obiecaliśmy tacie – oznajmił James.

– Cóż, w sumie nie powinienem się skarżyć – powiedział Rat, uśmiechając się niepewnie. – Całe życie jęczałem, że nie dzieje się tu nic ciekawego.

Kiedy James postawił stopę na pierwszym stopniu, Rat doznał przebłysku geniuszu: pochylił się i z kieszeni spodni lokaja wydobył pęk kluczy. Cała trójka wbiegła po czterech kolejnych rampach schodowych. Dwie pierwsze świeciły nagim betonem, trzecią i czwartą pokrywał gruby dywan. Rat uchylił klonowe drzwi i ostrożnie wystawił głowę na korytarz.

– Cisza i spokój – wyszeptał.

– To jak, idziesz z nami? – zapytał James.

– Muszę przyznać, że jestem zaintrygowany.

Troje szpiegów pospiesznie przemknęło korytarzem, by zatrzymać się przy drugich drzwiach po lewej stronie. James zapukał.

– Jak ktoś otworzy, zwiewamy – pouczył szeptem swoich towarzyszy.

Nikt nie otworzył, a drzwi nie były zamknięte na klucz. Weszli do obszernego, z przepychem urządzonego gabinetu. Na środku stało wielkie biurko z marmurowym blatem otoczone fotelami obitymi fioletową skórą.

Podczas gdy Laura pilnowała drzwi, James obszedł biurko dookoła i pochylił się z uwagą nad komputerem.

– Szlag by to trafił! – zaklął na widok wyrwanej bocznej ścianki obudowy i zwisającej ze środka luźnej wstęgi przewodów.

– Co się stało? – zainteresował się Rat.

– Zabrali twardy dysk. Zupełnie jak gdyby wiedzieli, że idziemy czy coś.

– A bez tego dysku nie da rady? – zapytał naiwnie Rat.

James potrząsnął głową.

– Wszystkie informacje w komputerze są zapisane na twardym dysku. To jedyna część, która się liczy.

Laura cofnęła głowę z korytarza.

– Myślisz, że Susie ma wtyczkę w ASIS? Może uprzedzili ją o nalocie.

– Jakim nalocie? – zapytał Rat.

James zignorował go.

– Dziś rano spakowałem laboratorium. Może Susie ewakuuje się razem z Brianem Evansem?

Rat gniewnie zmarszczył brwi.

– Skąd, do diabła, wiecie o Brianie Evansie?

– O co ci chodzi? – zapytał James.

– Dość tego! – zawołał rozżalony Rat. – Robicie mnie w konia. Dlaczego oczekujecie, że wam zaufam, skoro wciskacie mi kit? Dlaczego miałbym cokolwiek wam powiedzieć?

James zgrzytnął zębami.

– Rat, proszę cię. Przysięgam, że możesz nam zaufać, ale nie mamy czasu na wyjaśnianie ci wszystkich drobnych szczegółów.

– Dlaczego po prostu nie powiecie mi prawdy?

– Dobra, jak chcesz! – zawołał James z rozdrażnieniem. – Ja i Laura jesteśmy tajnymi agentami. Przysłano nas tutaj, żebyśmy odkryli związek pomiędzy Wybrańcami a organizacją terrorystyczną zwaną Help Earth! Przed ucieczką chcieliśmy dorwać dane z komputera Susie, ponieważ za niecałe półtorej godziny przyleci tu helikopterami armia komandosów, którzy zaatakują arkę.

Rat przetrawiał te informacje przez dłuższą chwilę.

– Powiedziałeś najszczerszą prawdę, nie? – powiedział wreszcie, krzywiąc twarz w hultajskim uśmiechu. – To dlatego nie daliście sobie wyprać mózgów, dlatego oboje jesteście tacy bystrzy, dlatego tak świetnie umiecie się bić, znacie się na komputerach i tak dalej. O, men! To jest niesamowite.

Laura była przerażona dekonspiracją, ale przypuszczała, że ujdzie im to na sucho. Operacja prawie się skończyła, nie podali żadnych szczegółów na temat CHERUBA, a gdyby Rat się wygadał, i tak nikt by mu nie uwierzył.

– Dobra – westchnął James. – Powiedziałem ci wszystko, a teraz ty opowiedz nam o braciach Evans.

– Nic nie wiem o braciach – powiedział Rat – ale któregoś popołudnia wszedłem do gabinetu Susie z papierami do podpisu i zobaczyłem ją, jak gzi się na biurku z tym Brianem. Dostała piany. Zaczęła się drzeć i powiedziała, że mnie zabije, jeśli pisnę choć słowo.

– No to mamy rozwiązanie – pokiwał głową James. – Susie ucieka z Brianem. Pół godziny temu, kiedy wracałem z Erniem z poczty, widziałem czekający na lotnisku drugi samolot. Uśpili lokaja i wyrwali dyski z komputerów, żeby zatrzeć ślady.

Rat skinął głową.

– To by wyjaśniało, dlaczego nie chciała, żebym przyszedł dziś z papierami. Ale nie widzę powodu, żeby Susie miała uciekać w taki sposób, chyba że knuje coś więcej. No bo przecież nikt jej tu nie trzyma pod kluczem. Lata do Sydney na zakupy, kiedy tylko chce.

– Jak myślisz, o co tu może chodzić? – zapytała Laura.

Rat wzruszył ramionami.

– Pojęcia nie mam.

– Czy któreś z was słyszało startujący samolot? – zapytał James.

– Nie – odpowiedziała Laura, a Rat potrząsnął głową.

– Skontaktuję się z Chloe i powiem, że Susie ucieka – oznajmił James.

– Ożeż... – zasyczała Laura, pospiesznie zamykając drzwi. – To Susie i Brian. Właśnie weszli na korytarz. Dźwigają wielkie walizy i idą tutaj.

*

Nina prowadziła dynamicznie, ale nie na tyle szybko, by zwracać na siebie uwagę. Dana po raz setny odtwarzała w myśli scenę śmierci agentów, zastanawiając się, co mogłaby zrobić inaczej, żeby opanować sytuację. Choć strzelanina wstrząsnęła nią, zdołała pozbierać się na tyle, by powiązać ze sobą kilka spójnych myśli.

Wyruszyli z peryferii Darwin i w ciągu kilku minut znaleźli się na pustej szosie, mknąc z prędkością stu dwudziestu kilometrów na godzinę. Z szosy skręcili w otwartą metalową bramę i wypadli na piaszczystą drogę prowadzącą do budynku opuszczonej stajni. Dana wiedziała, że są daleko od wybrzeża, i zaczęła poważnie się martwić, kiedy za stajniami ujrzała ziemny pas startowy i mały dwusilnikowy samolot.

Ewa zadała oczywiste pytanie.

– Co to ma być? Myślałam, że płyniemy łodzią.

Dana nie była pewna, czy ma dość odwagi, by znieść odpowiedź. Barry obejrzał się między zagłówkami, podczas gdy Nina zaciągnęła ręczny i wyrwała kluczyki ze stacyjki.

– Płyniemy łodzią – powiedział – ale łódź cumuje na Wyspach Wessela sześćset kilometrów stąd.

Dana nic z tego nie pojmowała. John powiedział, że najbliższy kolejny terminal SGZ w Australii jest tysiąc kilometrów dalej. Łódź potrzebowałaby wielu dni na przebycie takiej odległości. Wysiadając z samochodu, rozejrzała się po okolicy w nadziei na jakiś znak, że inny zespół ASIS podjął trop i podążał za nimi, ale słyszała tylko ćwierkanie ptaków i muchy, a widok w stronę szosy zasłaniał budynek stajni.

Barry poprowadził Danę, Ewę i Ninę do samolotu. Polecił Ninie wyjąć kliny spod kół, a sam zabrał się do ściągania z silników wodoodpornych pokrowców.

– Długo potrwa ta podróż? – zapytała Dana, siląc się na obojętny ton.

– W powietrzu będziemy około stu minut – powiedział Barry. – Potem przesiadamy się do szybkiej motorówki. Jeśli pogoda się utrzyma, powinniśmy przepłynąć Morze Arafura w ciągu czterech, może czterech i pół godziny.

– Aha – mruknęła Dana, żałując, że nie wie, gdzie jest Morze Arafura ani Wyspy Wessela.

Na szczęście Ewa miała lepsze pojęcie o geografii regionu.

– To znaczy, że terminal jest w Indonezji?

Dana zaklęła w myśli. John i jego koledzy z ASIS wzięli pod uwagę tylko porty w Australii, ale część Indonezji dzieliło od niej zaledwie kilkaset kilometrów morza.

– To nie tak, że chcieliśmy trzymać was w niewiedzy – wyjaśniła Nina, podczas gdy Barry otwierał drzwi samolotu. – Wszystkie akcje Help Earth! organizowane są na zasadzie: „Wiesz tyle, ile musisz".

– Sprytne – powiedziała Dana.

Konsekwencje nagłej zmiany sytuacji zaczęły powoli do niej docierać. Jej misja nie miała zakończyć się sprawnym aresztowaniem w przystani w Darwin. Co gorsza, zbyt duża odległość od bazy uniemożliwiała skontaktowanie się z Johnem przed startem i poinformowanie go o zmianie planu.

Nie mogła nie podziwiać połączenia wyśmienitej organizacji i bezlitosnej skuteczności terrorystów. Help Earth! konsekwentnie dowodziła, że jest najsprawniejszą organizacją terrorystyczną na świecie, i wyglądało na to, że przechytrzy stróżów prawa i tym razem.

Barry przypinał się już pasami do fotela pilota. Machnął na pozostałych, by wsiadali, i wcisnął przycisk rozrusznika. Pierwszy silnik parsknął i ożył, wypluwając kłęby białych spalin, po czym zawtórował mu drugi. Nina wsiadła ostatnia; Barry zaczął kołować, nie czekając, aż zatrzaśnie drzwi.

– Siadajcie i zapnijcie się! – wrzasnął z kabiny pilotów. – Te piaszczyste pasy startowe nie są zbyt równe.

36. GURU

– Wątpię, by Susie i Brian tu wrócili – powiedział James, myśląc intensywnie. – Przecież już rozwalili komputer.

– Nie posikajcie się przypadkiem z wrażenia – powiedział Rat, podchodząc do ściany i kładąc dłoń na dużej biblioteczce. – Dawniej to był gabinet mojej mamy. Tutaj była jej garderoba.

Biblioteczka odchyliła się do wnętrza pokoju, odsłaniając niskie drzwi. James był najwyższy i przechodząc, musiał się schylić.

– Uwielbiam takie rzeczy – wyszczerzył się. – Kiedy już będę bogaty, we wszystkich pokojach będę miał takie ukryte drzwi.

Pomieszczenie, do którego weszli, było pełne otwartych szaf. Był też barek i toaletka zastawiona kosztownymi kosmetykami. Na podłodze leżały porozrzucane wieszaki – pozostałość po pospiesznym pakowaniu się Susie – a w powietrzu unosił się zapach dymu.

Laura zajrzała do kosza na śmieci i zobaczyła, że jest pełen popiołu.

– Zdaje się, że to, czego nie mogli ze sobą zabrać, po prostu spalili.

James potrząsnął głową ze smutkiem.

– Spójrzmy prawdzie w oczy, Susie zatarła ślady. Nie znajdziemy tu niczego wartościowego. Równie dobrze możemy się zmywać.

Usiadł na toalecie, by wyjąć radio z buta. Rat gwizdnął z podziwu.

– Wyjrzę na korytarz i sprawdzę, dokąd poszli Susie i Brian – powiedziała Laura.

James skinął głową.

– Dobry pomysł. Jeśli taszczą bagaże po naszych schodach, to lepiej poczekajmy tutaj, aż sobie pójdą.

– Mogą tu jeszcze wrócić – powiedział Rat. – Susie ma fioła na punkcie ciuchów. Nie będzie chciała zostawić tu zbyt wiele.

James spojrzał na radio.

– Co powiedzieć Chloe? Kiedy ma nas odebrać?

– Może skontaktujemy się z nią później, kiedy już sobie pójdą? – zasugerowała Laura.

Na twarzy Rata wykwitł wyraz olśnienia.

– Poczekajcie. Skoro próbują wymknąć się tyłem, to my możemy śmiało wyjść frontowymi drzwiami. Lokaj jest nieprzytomny i założę się o ostatniego dolara, że Susie dopilnowała, by reszta służby miała wolne albo dostała pałką w łeb. Trzeba będzie przekraść się przez sypialnię mojego ojca, ale on na ogół śpi.

Laura uśmiechnęła się.

– A jeżeli nie, to i tak prawdopodobnie nie będzie w stanie nas ścigać.

– Słusznie – skinął głową James. – No to przez którą wieżę uciekamy?

– O tej porze otwarte są tylko dwie – powiedział Rat. – W lotniskowej możemy natknąć się na Susie, więc zostaje nam brama po stronie garaży.

– To spory kawałek drogi, ale brama właściwie nie jest pilnowana – dorzucił James. – Ernie zawsze przejeżdżał przez nią bez zatrzymywania i nikt nawet na nas nie spojrzał.

Decyzja została podjęta. James nacisnął przycisk nadawania.

– Chloe, jak mnie słyszysz?

– Głośno i wyraźnie, James.

– Z tym gabinetem to był pusty los – powiedział James.

– Brian Evans jest w arce i właśnie pomaga Susie dać nogę. Wygląda na to, że bzykali się za plecami Joela. Spalili tonę papierów i wyjęli twardy dysk z komputera.

– Szkoda – westchnęła Chloe. – Zauważyłam samolot na lotnisku. Powiem ASIS, żeby go śledzili, niech spróbują zatrzymać Susie i Briana, kiedy wylądują.

– Ruszamy w stronę tylnej wieży. Weźmiemy ciężarówkę Erniego. Proponuję spotkanie na drodze, pięć kilometrów od arki w twoją stronę, może być?

– Brzmi idealnie – powiedziała Chloe. – Ile czasu potrzebujecie, żeby tam dotrzeć?

James wzruszył ramionami.

– Dwudziestu minut, góra pół godziny. Jest tylko jeden mały problem. Jest z nami Rathbone Regan. Domyślił się, że coś knujemy, i poszedł za nami.

– To niedobrze. – Chloe cmoknęła z dezaprobatą. – No nieważne, weźcie go ze sobą. Potem wymyślimy, jak posprzątać ten bałagan.

James schował radio do kieszeni, chcąc mieć je pod ręką na wypadek nagłej zmiany sytuacji.

– Chloe będzie na nas czekać – powiedział. – Rat, ty prowadzisz.

Rat otworzył drzwi luksusowej wyłożonej marmurem łazienki. Nad olbrzymią wanną wisiały złote krany w kształcie łabędziej głowy. Obok był prysznic oraz ubikacje męska i damska za drewnianymi żaluzjowymi drzwiami.

Laura wskazała palcem ekstrawagancki pędzel i maszynkę do golenia Joela.

– Jak myślicie, ile dostałabym za to na eBayu?

Rat zrobił zdziwioną minę.

– Co to jest eBay?

– Dajcie już spokój – powiedział James, obrzucając siostrę karcącym spojrzeniem, jakby mówił: „Nie ma czasu na głupoty".

Rat był pewien, że w sypialni nie ma nikogo oprócz jego ojca, ale na wszelki wypadek najpierw ostrożnie zajrzał do środka. Kiedy na palcach obchodzili łóżko starca, nagle zatrzymał się i gwałtownie wciągnął powietrze.

– Tata?!

– Ciiiii – zasyczał James z irytacją. – Zostaw go. Co się tak wytrzeszczasz?

– Zawsze jest blady, ale nie aż tak – wyjaśnił nerwowo Rat. – I ktoś wyciągnął mu rurkę tlenową z nosa.

Laura podeszła do łóżka i położyła dłoń na czole Joela.

– Zimny jak kamień – oznajmiła, wzdrygając się na myśl o tym, że właśnie dotknęła trupa. – Nie żyje co najmniej od godziny.

– Jasna cholera – jęknął Rat słabym głosem, odsuwając się od łóżka.

James podszedł, by potwierdzić diagnozę siostry.

– Dobrze się czujesz, Rat? – zapytała miękko Laura.

– On żył tylko dzięki tlenowi. Założę się, że Susie poczekała, aż zaśnie, a potem po prostu wyciągnęła rurkę. To wyjaśnia, dlaczego tak im spieszno do wyjazdu.

– Wszystko jedno – powiedział James bagatelizująco. – Susie może tu wrócić. Wynośmy się stąd.

Laura wpadła w gniew.

– Na miłość boską, James, daj mu sekundę. Właśnie się dowiedział, że jego ojciec nie żyje.

Rat pomachał ręką przed twarzą.

– Nie, James ma rację – powiedział bliski płaczu. – Zresztą i tak miał mnie gdzieś. Zmywajmy się.

Laura współczująco objęła chłopca ramieniem i pomasowała delikatnie.

– Tak mi przykro... Chciałabym wiedzieć, jak ci pomóc.

Podczas gdy Laura pocieszała Rata, James przekazał nowiny Chloe. Koordynatorka zastanawiała się przez dłuższą chwilę, próbując zrozumieć motyw morderstwa.

– Mogę tylko zgadywać, że jest to celowe odwrócenie uwagi: ludzie skupią się na tym, że Susie zabiła męża i uciekła z milionami dolarów, zamiast powiązać brakujące pieniądze z atakiem Help Earth! Pewnie nawet dalibyśmy się na to nabrać, gdybyśmy już wcześniej nie wiedzieli, o co chodzi.

– Ruszamy do garażu – powiedział James, zerkając na zegarek. – Powinniśmy zdążyć, mamy godzinę do przylotu śmigłowców.

Trójka dzieci wyszła z sypialni Joela Regana i pobiegła korytarzem w stronę frontu rezydencji.

– Ale paskudna sprawa – denerwował się Rat. – Pajęczyca to świr. Kiedy odkryje, że tata nie żyje, a Susie dała nogę, zamknie wszystkie bramy na głucho. Nie zdziwiłbym się, gdyby całkiem jej odpaliło. Gotowa uznać, że nadszedł koniec świata, i zacząć rozdawać broń oraz amunicję.

– Taa, bardzo rozsądne – powiedział James z przekąsem, łapiąc za klamkę kolejnych klonowych drzwi. – Banda religijnych oszołomów kontra komandosi z sił specjalnych. Wiedziałbym, na kogo postawić.

Rat zbiegł po schodach do holu o szklanej ścianie w przedniej części domu, otworzył francuskie drzwi i powiódł swoich towarzyszy wokół basenu do wysokiego metalowego ogrodzenia okalającego rezydencję.

– Niełatwo się na to wspiąć, ale w ten sposób oszczędzimy kilka minut – powiedział Rat, łapiąc stalową poprzeczkę i podciągając się w górę.

Rozpoczęli wspinaczkę, Laura po jednej, a James po drugiej stronie Rata. Kiedy przerzucili nogi nad kolcami na szczycie, usłyszeli ryk odrzutowca rozpędzającego się na pasie startowym niespełna kilometr dalej.

Po zeskoczeniu na spieczoną ziemię i przedarciu przez pas niskich zarośli skręcili na asfaltową alejkę wiodącą w stronę gigantycznego kościoła w centrum arki. Było o kilka stopni chłodniej niż w południe, ale wiszące nisko słońce świeciło im prosto w oczy, a owady były bardziej dokuczliwe niż o jakiejkolwiek innej porze dnia.

Nie biegli, ale Rat prowadził ich typowym żwawym krokiem Wybrańca, który wie, dokąd zmierza. Na ścieżkach roiło się od ludzi, a młody wiek i szkolne uniformy ściągnęły na dzieci kilka zdumionych spojrzeń. Każdy wiedział, że o tej godzinie uczniowie powinni uprawiać sporty na placu ćwiczeń.

– Nie lepiej było przejść tunelami? – zapytał nerwowo James, pewien, że zaraz zostaną zatrzymani i zasypani gradem kłopotliwych pytań.

– Spokojnie – powiedział Rat, unosząc dłoń w uspokajającym geście. – W razie czego powiemy, że dostaliśmy zlecenie od Susie.

James wiedział, że będzie się musiał tłumaczyć z udziału Rata w misji, ale teraz cieszył się, że ma go w drużynie.

Po obejściu ogromnych wyłożonych kamieniem ścian kościoła weszli na ścieżkę prowadzącą do biura i garażu. Wędrówki ludów z kościoła na zajęcia rekreacyjne już się zakończyły i ta część arki była kompletnie wyludniona. Jedyni ludzie w zasięgu wzroku szli im naprzeciw: dwaj mężczyźni i rozpoznawalna z daleka trzcinowata sylwetka Pajęczycy spieszącej dokądś gniewnym krokiem. James spodziewał się bury, ale skończyło się na zejściu ze ścieżki i przepuszczeniu rozpędzonej trójki.

– No i co wy na to? – zapytał James, patrząc za odchodzącymi.

– Pajęczyca ma wszędzie swoich szpiegów – powiedział Rat. – Na pewno już wie, że Susie spakowała manatki i odleciała tym samolotem.

– Rat, pamiętasz wtedy na korytarzu? – przypomniała sobie Laura. – Kłóciły się o to konto i Susie powiedziała: „Dlaczego nie zapytasz ojca?". Założę się, że Pajęczyca właśnie do niego idzie.

– I zaraz się dowie, że Joel Regan nie żyje – wywnioskował Rat.

– Szlag! – zaklął James. – Ile czasu potrzebuje na odcięcie arki od świata, kiedy już się dowie?

– Tylko tyle, ile zajmują dwa telefony do strażników w wieżach.

James poczuł przypływ adrenaliny, uświadomiwszy sobie, że czas, jaki mają na ucieczkę z arki, prawdopodobnie skurczył się z godziny do dziesięciu, najwyżej piętnastu minut.

Spojrzeli na siebie z Laurą i jednym głosem wypowiedzieli tę samą myśl:

– Biegniemy?

– Zdecydowanie – odpowiedział Rat.

Puścili się szalonym sprintem w stronę garażu.

– Potrzebujemy kluczyków od ciężarówki! – krzyknął James. – Wiem, że Ernie wiesza je gdzieś w biurze.

Rat przytaknął kiwnięciem głowy.

– Gablotka na klucze wisi w pokoju Grzmota.

– Kogo?

– Tak nazywam tę wredną krowę, która rządzi biurem.

– Rat jej nienawidzi – zasapała Laura. – Zawsze jak przyłapie go na leserowaniu, każe mu segregować papiery w piwnicy.

Dotarcie do drzwi biura zajęło im dwie minuty. James wpadł na nie w pełnym pędzie tylko po to, by odkryć, że są zamknięte na klucz.

– No jasne! – krzyknął, wymierzając drzwiom wściekłego kopniaka.

– Zsyp na przesyłki – rzucił Rat.

Pobiegli za budynek, pod wiatę wyludnionego garażu. James pierwszy przedarł się przez gumowe pasy i wczołgał do dolnego odcinka zsypu. Od szczytu dzieliło go dziesięć metrów wyślizganej blachy. Chwycił mocno krawędzie rynny i zaczął podciągać się w górę. Po kilku krokach pośliznął się i zsunął na Laurę, trafiając ją w usta podeszwą buta.

– Uważaj, głupku – syknęła gniewnie Laura, łapiąc się za szczękę.

W ustach poczuła smak ziemi i krwi.

– Przecież nie chciałem – odwarknął James.

Podczas gdy rodzeństwo mierzyło się złym wzrokiem, Rat przecisnął się obok nich i wypróbował inną technikę: przełożył jedną nogę nad krawędzią rynny i zaczął podciągać się, łapiąc od spodu za śruby, którymi skręcone były metalowe segmenty.

– Poczekaj tutaj, na dole – powiedział James do Laury, ruszając za kolegą i kalecząc sobie palce zardzewiałymi nakrętkami.

– Znajdźcie mi jakieś chusteczki – poprosiła Laura, wycierając koszulką zakrwawiony podbródek.

Na szczycie zsypu Rat obrócił się nogami do przodu i otworzył klapę mocnym kopnięciem, od którego zadzwoniło Jamesowi w uszach.

– Świetnie, hałasuj jeszcze bardziej – denerwował się James, gramoląc się do ciemnego pokoju przesyłek i plując kurzem.

Rat otworzył drzwi i wparował do mrocznego wielostanowiskowego biura, by pomknąć między biurkami w stronę gabinetu szefowej. James biegł kilka kroków za nim. Gabinet okazał się otwarty w przeciwieństwie do gablotki z kluczami wiszącej na tylnej ścianie.

– Odsuń się – polecił ostro James, wyrywając z uchwytu gaśnicę.

Stalowy cylinder odbił się od przezroczystego plastiku. Gablota runęła na podłogę, grzechocząc kluczami, które pospadały ze swoich haczyków, ale drzwiczki wciąż były zamknięte, a uderzenie pozostawiło na szybie tylko niewielką rysę.

– Jasna... – syknął Rat, tłukąc piętą w pęknięcie, by je powiększyć.

James przyłączył się do demolki. Po pięciu uderzeniach na głowę poddały się zawiasy i Rat wściekłym ruchem zerwał drzwiczki z gabloty.

– Światło – zarządził James.

Podczas gdy świetlówki, mrugając, budziły się do życia, James przykucnął nad stosem pomieszanych kluczy i rozgarnął je dłonią, wypatrując potrójnego owalu znaczka Toyoty. Jak zawsze, kiedy działa się w panice, miał wrażenie, że trwa to całe wieki.

– Mam – oznajmił wreszcie. – Rat, weź chusteczki dla Laury.

Rat zgarnął z biurka pudełko z chusteczkami i ruszył za Jamesem. Kiedy biegli przez biuro, przez sufit korytarza za przeszklonym głównym wejściem przebiegła fala rozbłyskujących świateł. Ktoś został po godzinach albo sprzątał na dole i teraz przyszedł, by sprawdzić źródło hałasu.

Na progu pokoju przesyłek James obejrzał się, ale nikogo nie zobaczył. Biuro było wystarczająco duże, by ustalenie, co się stało i którędy uciekli intruzi, musiało zająć co najmniej kilka minut. Rat wskoczył do zsypu pierwszy. James ruszył tuż za nim, przycinając sobie szorty na złączu między blachami i nadrywając tylną kieszeń. Ściągnięty do tyłu materiał spodenek boleśnie ścisnął mu jądra.

– Laura? – stęknął James, poprawiając sobie zawartość slipek, gdy wreszcie udało mu się przedrzeć przez gumowe pasy i wstać.

Siedziała pod ścianą budynku, z wargi ciekła jej strużka krwi. Rat podał jej garść chusteczek.

– Nic ci nie jest? – zapytał James z miną winowajcy.

– Bywało gorzej – powiedziała Laura, wstając z chusteczką przyciśniętą do ust.

James skręcił między dwa dostawcze fordy i podszedł do zakurzonej ciężarówki. Podczas gdy Laura i Rat gramolili się na miejsce dla pasażera, on usiadł na fotelu kierowcy, trochę onieśmielony półmetrową kierownicą i hektarem deski rozdzielczej przed sobą. Prowadzenie ciężarówki z mnóstwem układów wspomagania i automatyczną skrzynią biegów nie różniło się od prowadzenia zwyczajnej osobówki, ale toyota była dwa razy dłuższa od każdego pojazdu, jaki zdarzyło mu się prowadzić, a z wysokości kabiny ziemia wydawała się nieprzyjemnie odległa.

Uruchomił silnik, zwolnił hamulec ręczny i musnął stopą pedał gazu, by wytoczyć się z miejsca parkingowego.

– Wolniej, James, mamy czas – zakpiła Laura, lekko sepleniąc, ponieważ usta wypchała sobie chusteczkami, by powstrzymać krwawienie.

– Lepiej uważać, niż potem żałować – stwierdził filozoficznie James, wyprowadzając ciężarówkę spod wiaty i skręcając na trzystumetrową drogę dojazdową prowadzącą do strażnicy.

Zapadał już mrok, dlatego minęło kilka sekund, nim zauważyli, że zwodzona brama na zewnątrz strażnicy wędruje w górę podciągana na grubych łańcuchach.

– Nie wierzę! – wrzasnął Rat, wymierzając desce rozdzielczej wściekłego kopniaka z obu nóg.

James pomyślał o dodaniu gazu, ale stalową bramę zbudowano, by przetrwała apokalipsę, i ciężarówka nawet by jej nie wgniotła. Spojrzał na siostrę na środkowym siedzeniu.

– To co robimy?

Laura wzruszyła ramionami.

– Bo ja wiem? Chyba zostawiamy samochód i szukamy sobie kryjówki.

37. ZASKOCZENIE

Niebo było już czarne, kiedy mały samolot rozpoczął podejście do lądowania na prowizorycznym plażowym lądowisku na Wyspach Wessela, dwustukilometrowym archipelagu wystającym ukośnie z północnego wybrzeża Australii. Dana siedziała na pojedynczym fotelu z tyłu kabiny, dwa rzędy za Ewą i Niną.

Wprawdzie istniała szansa, że ASIS śledzi samolot, a na miejscu lądowania czeka oddział specjalny gotowy do przechwycenia terrorystów, ale Dana nie liczyła na to. Najprawdopodobniej wszyscy założyli, że Barry Cox odwołał akcję i zapadł się pod ziemię, odkrywszy, że jego grupa jest śledzona.

A to znaczyło, że wszystko jest teraz w rękach Dany. Z początku ta myśl przeraziła ją. Nie wiedziała niczego o zbiornikowcach ani instalacjach skraplania gazu, ale domyślała się, że na szali jest życie co najmniej pięćdziesięciu osób. Im dłużej tak rozmyślała, siedząc z tyłu samolotu w swojej ulubionej pozycji – z rękami założonymi na piersiach i rozstawionymi nogami – tym jaśniej widziała, co powinna robić.

Agenci CHERUBA uczą się, że zaskoczenie jest wszystkim. Barry wytrącił Danę z równowagi podwójnym morderstwem i niespodziewanym oświadczeniem, że atak ma nastąpić w innym kraju, tysiąc kilometrów od miejsca, gdzie wszyscy się go spodziewali. Jednak podczas kilkugodzinnego rejsu do Indonezji czynnik zaskoczenia będzie po jej stronie.

Kiedy motorówka wyjdzie w morze, wszyscy na pokładzie opuszczą gardę; może nawet spróbują złapać trochę snu, jeżeli sytuacja nie będzie zbyt napięta. Dana nie miała broni, ale na łodzi powinno być jej mnóstwo: haki, liny, przybory kuchenne w kambuzie...

Dana miała piętnaście lat, a w kampusie CHERUBA mieszkała, odkąd skończyła siedem. Od tamtej pory była przypiekana, zamrażana, topiona i ostrzeliwana podczas ćwiczeń, przeczytała osiemset stron podręczników technik hakerskich, nauczyła się mówić po rosyjsku i pozwoliła, by sadystyczny trener wcisnął jej twarz w wymiociny. Jedyną nagrodą za całe to poświęcenie był udział w szeregu misji, które nieodmiennie okazywały się niewypałami, a w najlepszym razie kończyły tylko częściowym sukcesem. Teraz nareszcie miała szansę dowieść swojej wartości. Czuła się, jakby osiem minionych lat jej życia było przygotowaniem do tego, co miało się wydarzyć w ciągu najbliższych kilku godzin.

*

Chloe siedziała w samochodzie na poboczu drogi, patrząc na arkę jarzącą się pogodnie dwa kilometry dalej. Nic nie zapowiadało nadciągającej burzy. Atak komandosów miał się rozpocząć za dziewięć minut. Chloe przyciskała do ucha telefon satelitarny, by lepiej słyszeć mówiącego do niej mężczyznę, którego głos ledwie przebijał się przez zakłócenia. Jej rozmówca był w tym momencie w śmigłowcu oddalonym o trzydzieści kilometrów, ale zbliżającym się z wielką prędkością.

– Dlaczego mnie pan nie słucha?! – krzyczała Chloe. – W arce jest ponad dwieście dzieci. Mam tam dwoje tajnych agentów, którzy potwierdzili, że Wybrańcy mają cały arsenał ciężkiej broni.

– Liczymy się z taką ewentualnością, proszę pani – od-krzyknął protekcjonalnie dowódca jednostki TAG-u. – Nalot zaplanowano z najwyższą starannością. Ćwiczyliśmy całe dwa miesiące.

– Pan wciąż mnie nie słucha! – wrzasnęła Chloe coraz bardziej zirytowana. – Mam powody, by wierzyć, że Joel Regan nie żyje. Atakujecie w najgorszym możliwym momencie. Arkę zamknięto na głucho, ogłoszono alarm, a Wybrańcy są uzbrojeni i w stanie najwyższej gotowości.

– Cóż, nie otrzymałem takiej informacji...

– Właśnie, że otrzymałeś. Ode mnie!

– ...z wiarygodnego źródła – dokończył dowódca kwaśno. – Jesteśmy przygotowani do tej akcji. Jesteśmy elitarną jednostką. Rozumiem, że obawia się pani o swoich agentów, ale plan został zatwierdzony na szczeblu premiera.

Chloe jęknęła.

– Czy jest tam obok pana ktoś z ASIS?

Komandos skwapliwie skorzystał z okazji pozbycia się Chloe i bez słowa przekazał telefon.

– Kim pani jest? – zapytał sucho oficer ASIS.

Chloe nie zamierzała zdradzać istnienia CHERUBA całemu śmigłowcowi komandosów.

– Chloe Blake z zespołu pomocniczego brytyjskiego wywiadu – wyjaśniła. – Mam w arce dwoje agentów i wiem od nich, że Eleonora Regan rozdała broń wszystkim dorosłym Wybrańcom zdolnym do jej noszenia. Jeśli polecicie tam dzisiaj, sprowokujecie znacznie, powtarzam: znacznie bardziej agresywną reakcję, niż się spodziewacie.

– Panno Blake – powiedział oficer oschłym tonem. – Nic nie wiem o tajnej operacji wewnątrz arki i nie ma mowy, żebyśmy odwołali akcję na tym etapie. Jeżeli wciąż jest pani w kontakcie ze swoimi ludźmi, sugeruję, żeby poleciła im pani poszukać schronienia. Atak nastąpi za pięć minut. Jeżeli uważa pani, że zachowujemy się w nieodpowiedni sposób, po akcji może pani złożyć oficjalną skargę.

– Dupek! – krzyknęła w słuchawkę Chloe, tracąc panowanie nad sobą. – Módl się, żebyś pożył tak długo.

Przerwała połączenie i cisnęła telefon na fotel pasażera, krzywiąc twarz z bezradnej wściekłości. Wyładowawszy złość na kierownicy, sięgnęła po inne radio leżące na otwartej klapie schowka.

– James, słyszysz mnie?

– Głośno i wyraźnie. Co się dzieje? Jednak zaatakują?

– Na to wygląda – westchnęła Chloe. – Punkt ósma. Co u was?

– Bez zmian. Eleonora ogłosiła przez megafony, że Joel umarł, i powiedziała wszystkim, żeby szykowali się do obrony przed diabłami. Wszyscy biegają z bronią i ubrani jak Action Man. Jak usłyszą śmigłowce, pomyślą, że nadeszła pieprzona apokalipsa.

– Jaką broń widzisz?

– Głównie karabiny, AK-47 i M16 – powiedział James.

– Cięższe rzeczy mają w strażnicach: działka kalibru dwadzieścia milimetrów i granatniki przeciwpancerne.

– Gdzie teraz jesteście?

– W klasie na pierwszym piętrze centrum edukacyjnego dla dorosłych. Rat zaprowadził nas tutaj, bo budynek jest opuszczony, odkąd przestali wpuszczać gości do arki.

– Dobra. Znajdzie się tam coś, co zapewni wam lepszą osłonę? Jakiś podziemny bunkier czy coś?

– Tak – przytaknął James. – Rat mówi, że pod nami są jakieś tunele. Ale stamtąd nie będziemy widzieli, co się dzieje.

– To nasze najmniejsze zmartwienie – odparła Chloe. – Mamy tu totalne załamanie komunikacji. Dowódca sił specjalnych nie chce mnie słuchać, a oficer ASIS w śmigłowcu nie ma pojęcia o waszej misji. Tak się wściekłam, że straciłam panowanie nad sobą i ich sklęłam.

– To do ciebie niepodobne – zauważył James.

– Czysta rozpacz i trwoga – jęknęła Chloe. – Ukryjcie się gdzieś, siedźcie cicho i przypadkiem nie próbujcie niczego głupiego, dobrze?

– Coś sugerujesz? – spróbował zażartować James, choć tak naprawdę mdliło go ze strachu. – Odezwę się, kiedy tylko będę miał coś ciekawego do przekazania.

Chloe wyłączyła radio. Przez chwilę myślała, że przycisk nie zadziałał, bo wciąż słyszała szum, ale dźwięk nie dochodził z głośnika. Zrozumiała, że to odległy terkot wirników śmigłowców. Spojrzała na zegarek na tablicy wskaźników: było za trzy ósma.

*

Plażę oświetlały reflektory zasilane z dieslowskiego generatora. Barry wprawnie posadził samolot na wyrównanym przez odpływ piasku. Odpinając pas, Dana zauważyła, że do samolotu podbiega mężczyzna w mokasynach i kolorowych szortach. Nigdy przedtem nie widziała Mike'a Evansa, więc nie miała pojęcia, że to on.

Pasażerowie samochodu wyszli po kolei na ciemną plażę. Podczas gdy dziewczęta starały się rozruszać zesztywniałe nogi, Mike uścisnął dłoń Barry'emu i przemówił z silnym teksaskim akcentem.

– Hej, Barry. Wszystko w porządeczku?

– Jak dotąd w jak najlepszym – skinął głową Barry. – A co u was?

– Wasza łódka jest gotowa do startu. Pogoda dopisała, morze nie mogło być spokojniejsze. Możecie cisnąć do deski, jak będzie trzeba, tylko uważajcie na wachę, bo powyżej pięćdziesięciu węzłów wciskacie w te turbiny osiem litrów na minutę, a przy takim zużyciu za Chiny nie wrócicie do Oz.

– Co pokazuje radar? – zapytała Nina.

– Ani ptaszyny – powiedział Mike. – Elektronika na tej łajbie jest pierwsza klasa. Nic podejrzanego na ekranie, ani na wodzie, ani w powietrzu. Jestem na dziewięćdziesiąt procent pewien, że nikt was nie śledził.

Mike odwrócił się do dziewcząt.

– Nie przedstawisz mnie pięknym młodym damom?

Barry uśmiechnął się.

– To Ewa i Dana. Jestem dumny, że mam je w swoim zespole.

Mike wyszczerzył się radośnie i uścisnął dziewczętom dłonie.

– Płynie pan z nami? – zapytała Dana, niezbyt zachwycona perspektywą powiększenia listy osób do obezwładnienia.

– Jestem pewien, że twoje towarzystwo sprawiłoby mi rozkosz, ale niestety, nie mogę. Wyprawię was w drogę, a potem spakuję te lampy i odprowadzę samolot.

– Wielka szkoda – skłamała Dana zniesmaczona sposobem, w jaki Mike próbował z nią flirtować.

Mike zabrał swoich gości na przechadzkę po plaży. Po kilku minutach marszu dotarli do drewnianego mola z przycumowaną na końcu olbrzymią motorówką. Było ciemno i dopiero gdy zbliżyli się na mniej niż dwadzieścia metrów, Dana zdołała porządnie się jej przyjrzeć.

Łódź urzekała specyficznym złowrogim pięknem. Dwa czarne kadłuby skrzyły się chromowanymi knagami i relingami, a opływowy kształt pokładówki sugerował zdolność do osiągania wielkich prędkości. Na rufie przywiązany był motorowy ponton, taki sam jak ten, którym dziewczęta pływały tego ranka.

Dana i Ewa po kolei wskoczyły na pokład. Barry wspiął się po schodkach do sterówki, a Mike zajął się odwiązywaniem lin przytrzymujących łódź przy pomoście.

– Możecie odbijać! – zawołał po chwili, stając na baczność i salutując trzem kobietom na pokładzie. – Życzę powodzenia!

Katamaran dygnął majestatycznie, kiedy pędniki w kadłubach zassały wodę, by wypluć ją z rufy bulgocącym strumieniem. Podczas gdy łódź powoli odsuwała się od mola, Dana zeszła do kabiny pod sterówką. Wreszcie Barry dodał gazu i za rufą wystrzeliły w powietrze dwie pięciometrowe fontanny piany.

38. APOKALIPSA

Syreny alarmowe arki zaczęły wyć, kiedy tylko w wieżach usłyszano nadlatujące śmigłowce. Minutę później megafony wyskrzeczały krótkie oświadczenie Eleonory Regan.

– Aniołowie w południowych strażnicach zauważyli zbliżające się helikoptery. Śmierć mojego ojca ośmieliła diabły i zachęciła je do ataku. Wkrótce spróbują nas zniszczyć. Bądźcie dzielni, brońcie swoich pozycji i pamiętajcie, że nasza siła pochodzi od Boga.

Rat popatrzył na Laurę i Jamesa. Uśmiechnął się pogardliwie i rzekł:

– Założę się, że te odważne słowa wypowiedziano cztery piętra pod ziemią.

Troje zbiegów przyciskało twarze do okna centrum edukacyjnego dla dorosłych. Niebo było czarne, ale wibrująca szyba zdradzała bliskość śmigłowców.

– Zdążymy zejść do tuneli? – zapytał James.

Rat wzruszył ramionami.

– Zależy, ile mamy czasu. Musimy wyjść z budynku, przebiec jakieś trzydzieści metrów, a potem po schodach w dół.

– Nie podoba mi się to – wyseleniła Laura, która wciąż trzymała w ustach zrolowaną chusteczkę.

– Mnie też nie – powiedział James. – Ostatnia rzecz, jakiej potrzebujemy, to dać się złapać. Lepiej przyczajmy się tutaj.

Cała trójka odruchowo przykucnęła, kiedy znad budynku wychynął z rykiem śmigłowiec, prawie ocierając się o dach. Za pierwszym nadleciały trzy kolejne, by zawisnąć nad placem na tyłach Świętego Kościoła opromienione żółtym blaskiem bijącym od iglic.

Jedna z maszyn włączyła szperacz i zaczęła omiatać przestrzeń pod sobą potężnym snopem światła. Była to wielka bestia, brudnozielona, z tuzinem gotowych do walki komandosów stojących w otwartych drzwiach.

Śmigłowiec krążył powoli dziesięć metrów nad ziemią, gdy nagle z kościoła wystrzeliła pomarańczowa smuga, która pomknąwszy prosto jak strzała, przebiła zieloną burtę. W kabinie buchnął ogień, a podmuch eksplozji wyrzucił na zewnątrz trzech żołnierzy.

– Kryj się! – wrzasnął James.

Wiedząc, że jeśli śmigłowiec eksploduje, wybuch wybije wszystkie szyby, osłonił twarz rękami i zanurkował pod najbliższą ławkę. Laura i Rat zrobili to samo, ale eksplozja nie nastąpiła. James odważył się spojrzeć. Płomienie zgasły, a z otwartych drzwi maszyny biły kłęby szarego proszku. Wyglądało na to, że system gaśnic spełnił swoje zadanie, ale pilot leciał na ślepo i nie miał innego wyjścia, jak tylko uciekać w górę, pozostawiając na ziemi trzech ludzi. Dwaj z nich leżeli bez ruchu ogarnięci płomieniami, trzeci jednak miotał się w kurzu, usiłując ugasić płonący mundur.

Pozostałe trzy śmigłowce podchodziły do lądowania doskonale oświetlone i pod ciężkim ostrzałem. Z wnętrza kościoła wystrzeliła kolejna smuga – James domyślał się, że ukrył się tam ktoś z granatnikiem przeciwpancernym. Pocisk otarł się o bok zniżającego lot śmigłowca i pomknął dalej dziką spiralą, by eksplodować w pobliżu muru arki.

Następny granat trafił w śmigło ogonowe maszyny, która była najniżej nad ziemią. Śmigłowiec wykręcił szalony piruet, omal nie uderzając łopatami wirnika o ścianę kościoła. Podczas gdy jego pilot rozpaczliwie próbował odzyskać panowanie nad sterami, pozostałe dwa poderwały się w górę i odleciały, najwyraźniej otrzymawszy rozkaz wycofania się. Niestety, uczyniło to uszkodzoną maszynę jedynym celem na niebie. Dwa kolejne pociski uderzyły w nią prawie jednocześnie, kiedy próbowała umknąć ze strefy zagrożenia: jeden wystrzelony z kościoła, drugi ze strażnicy. Ostatni trafił w zbiornik paliwa. James przypadł twarzą do podłogi i w tym samym momencie owionęła go fala żaru. Pomarańczowy błysk rozświetlił niebo. Ogłuszającemu hukowi towarzyszyła fala uderzeniowa, która w jednej chwili strzaskała setki szyb w całej arce.

Ostre odłamki zasypały podłogę wokół Jamesa – gdyby nie był ukryty pod ławką, poszatkowałyby go na plasterki. Nagła zmiana ciśnienia boleśnie uraziła mu uszy. Choć oczy piekły go od dymu i oparów nafty, zmusił się do rozchylenia powiek i rozejrzał nerwowo za siostrą.

– Laura?

– Nic nam nie jest! – odkrzyknęła Laura drżącym głosem. – A ty? W porządku?

James ledwie ją słyszał przez dzwonienie w uszach.

– Tak... chyba tak.

Wstał, uważając, by nie pokaleczyć się o odłamki szkła, po czym ostrożnie podszedł do Laury i Rata, którzy z zalęknionymi minami tulili się do siebie pod ławką.

– Chyba na razie się wycofali – powiedział James.

Laura przetarła oko.

– Ten biedny człowiek palił się na ziemi... – chlipnęła żałośnie. – A w tym śmigłowcu, który wybuchł, musiało być wielu ludzi.

James podniósł do ust radio.

– Chloe?

– Gdzie jesteście? – spytała Chloe, wyraźnie wstrząśnięta.

– Czy ja naprawdę widziałam to, co myślę, że widziałam?

– Nie mieliśmy czasu, żeby zejść pod ziemię, wciąż jesteśmy w centrum edukacyjnym. I tak, widziałaś zestrzelenie śmigłowca.

– Mówiłam im! – krzyknęła Chloe. – Jasna cholera, mówiłam! Nic wam się nie stało?

– Laura jest w lekkim szoku, ale poza tym w porzo.

– Pozostałe trzy maszyny lądują na pustyni niedaleko mnie – powiedziała Chloe. – Jestem wykwalifikowaną pielęgniarką. Z pewnością mają rannych, więc pojadę im pomóc.

*

Szybki katamaran musiał powstać na zamówienie jakiegoś bardzo bogatego faceta, a przynajmniej Dana nie mogła sobie wyobrazić kobiety wydającej miliony na tak absurdalną zabawkę. Z drugiej strony trudno było jej nie podziwiać. Wszystko na pokładzie było imponujące: od nieskazitelnie lśniącej chromowanej muszli klozetowej, przez miękkie skórzane kanapy, po nieduży kambuz wyposażony w więcej gadżetów i migających światełek niż prom kosmiczny.

Ale największe wrażnie robiło poczucie izolacji. Katamaran gnał w stronę Indonezji z prędkością stu kilometrów na godzinę, wzbijając za sobą dziesięciometrową ścianę wody, ale gdy zamknęło się potrójnie szklone drzwi prowadzące na pokład rufowy, w kabinie zapadała absolutna cisza, a o tym, że łódź jest w ruchu, przypominały jedynie okazjonalne podskoki, kiedy kadłuby przebijały się przez jakąś większą falę.

Za dwadzieścia dziewiąta Dana była już pewna, że ASIS nie ma pojęcia, gdzie jej szukać. Miała nieco ponad trzy godziny na obezwładnienie swoich towarzyszy i przejęcie kontroli nad łodzią.

Przygotowała się starannie, zaglądając do szuflad, otwierając szafki w poszukiwaniu broni, notując w pamięci układ pomieszczeń, by wiedzieć, które drzwi prowadzą dokąd, i wybierając najlepsze miejsca do odizolowania współpasażerów, by móc zdejmować ich po jednym. Uznała, że z Niną i Ewą nie powinna mieć poważniejszych problemów, jeśli tylko nie straci elementu zaskoczenia, ale Barry był z wyższej ligi: wielki, silny, z całą pewnością przeszedł zaawansowane szkolenie wojskowe i dowiódł już, że potrafi używać pistoletu, który trzymał w kieszeni szortów.

– Halo, żyjesz jeszcze? – zapytała Nina.

Dana drgnęła wyrwana z zamyślenia. Spojrzała w górę z głębin skórzanego fotela i udała ziewnięcie.

– Przepraszam... jestem trochę zmęczona.

Nina kiwnęła głową ze zrozumieniem.

– To był długi dzień. Po odprawie możecie iść do jednej z kajut i trochę się przespać.

– Z chęcią – powiedziała Dana. – To co, odprawa?

– Czemu nie, miejmy to już za sobą – skinęła głową Nina.

Dana wstała i pięcioma krokami przemierzyła odległość dzielącą ją od okrągłego stolika w kambuzie. Ewa już przy nim siedziała i Dana dosiadła się do niej, podczas gdy Nina otworzyła plecak i wyjęła z niego zrolowaną mapę.

– Trzymajcie rogi – powiedziała, rozpościerając arkusz na stole.

Wykonany w skali rysunek przedstawiał tylko ogólne zarysy obiektów. Był tam poszarpany brzeg z naniesionymi kształtami zbiorników gazu i budynków stacji skraplania za nimi. W morze wrzynało się długie molo, przy którego końcu widniały dwie identyczne pękate sylwetki supertankowców.

– Mapka mówi sama za siebie – powiedziała Nina. – Rozmieszczenie ładunków i synchronizacja eksplozji mają kluczowe znaczenie dla powodzenia akcji. Podpłyniemy pontonem na odległość dwustu metrów od statków. Żeby nie robić hałasu, ostatni odcinek pokonamy, wiosłując. Kończymy tutaj, ukryte pod molem pomiędzy zbiornikowcami. Każda z was zajmie się jednym statkiem. Przyczepicie po dwa ładunki na części dziobowej, dwa metry pod lustrem wody i w odstępie osiemnastu metrów w poziomie. Ładunki skonstruowano tak, by przebiły poszycie statku i wprowadziły wybuchowy gaz w przestrzeń pomiędzy zewnętrznym a wewnętrznym kadłubem na kilka sekund przed główną eksplozją. Siła detonacji powinna być wystarczająca, by oderwać od statku cały dziób i rozerwać dziobowy zbiornik gazu. Po umocowaniu min do zbiornikowców przymocujemy dwa znacznie silniejsze ładunki do samego mola: pierwszy przy pomostach przeładunkowych prowadzących do statków, drugi na przeciwległym końcu, w pobliżu brzegu. Naszym celem jest rozmieszczenie wszystkich ładunków w ciągu kwadransa. Wybuchną jednocześnie mniej więcej piętnaście minut po naszym odpłynięciu. Terminal zaprojektowano tak, by w razie wypadku dopływ gazu do zagrożonej strefy był automatycznie odcinany. Jednakże jeśli nasze obliczenia są poprawne, jedno czesne eksplozje na statkach i wzdłuż mola powinny całkowicie obezwładnić układy zabezpieczające terminalu. Zniszczeniu ulegnie nie tylko molo i oba zbiornikowce, ale też zbiorniki gazu na lądzie i znaczna część stacji skraplania. Aby łatwiej wam było precyzyjnie rozmieścić ładunki na statkach, każda z was otrzyma naręczny odbiornik GPS z zaprogramowanymi dokładnymi współrzędnymi czterech eksplozji.

– Bułka z masłem – powiedziała Dana, rozkwitając uśmiechem Wybrańca.

– Nie przy tak nonszalanckim podejściu – powiedziała Nina ostrym tonem. – Proszę, posłuchajcie mnie. Będziemy pracować w kompletnej ciemności, kilka metrów od pracowników terminalu i marynarzy ze statków. Musimy działać cicho i ograniczyć rozmowy do absolutnego minimum. A teraz, skoro znacie już plan w zarysie, omówimy szczegółowo każdy kolejny krok. Jeżeli macie jakieś pytania, zadawajcie je teraz, nie podczas akcji. Potrzebny nam sprzęt jest już załadowany na ponton. Ten opuścimy z rufy motorówki za pomocą elektrycznej wyciągarki. Rzecz jasna, abyśmy mogły to zrobić, Barry będzie musiał wyłączyć silniki...

Dana stłumiła ziewnięcie, podczas gdy jej mózg z oporami przyswajał strumień informacji.

39. PODZIEMIA

James nie docenił zdolności Wybrańców do odparcia szturmu jednostek TAG-u. Odkąd zobaczył arsenał sekty, spodziewał się, że będzie gorąco, ale w najśmielszych fantazjach nie przypuszczał, że komandosi stracą śmigłowiec i zostaną zmuszeni do odwrotu, zanim choć jeden żołnierz postawi nogę na ziemi.

Sięgając myślą wstecz, uświadomił sobie, że Wybrańcy raczej nie mieli kłopotów ze zdobywaniem granatów, moździerzy i innej ciężkiej broni. Na ciągnącym się tysiącami kilometrów wyludnionym australijskim wybrzeżu nie brakowało miejsc, gdzie przemytnik mógł wylądować z łodzią pełną sprzętu kupionego w jednym z tuzinów targanych wojną państwek na świecie.

Dwadzieścia minut po kraksie z poskręcanych szczątków śmigłowca wciąż unosił się dym. Ocalały żołnierz, który zdołał ugasić płonące ubranie, został pochwycony i zawleczony do jednego z budynków.

Dymy bitewne rozwiały się i powietrze w pomieszczeniach centrum edukacyjnego było już zupełnie przejrzyste. Laura i Rat przewrócili jedną z ławek na bok, przemieniając ją w pług, którym odgarnęli potłuczone szkło na jedną stronę klasy. James wyjrzał przez strzaskane okno. Tuż po wybuchu plac był pełen biegających i krzyczących ludzi, ale teraz wyglądało na to, że Wybrańcy wycofali się wraz z bronią do budynków i tuneli.

– Co wy na to? – zapytał James. – Zrobiło się całkiem spokojnie. Ryzykujemy?

– Jesteś pewien, że nie lepiej byłoby zostać tutaj? Nie mamy pojęcia, co się dzieje w tunelach – zauważyła Laura.

James wzruszył ramionami.

– Widzę tylko dwa możliwe zakończenia całej tej sytuacji: albo Wybrańcy skapitulują i wszyscy wyjdziemy szczęśliwi i uśmiechnięci przez frontową bramę – co nie wydaje się prawdopodobne – albo wkurzeni komandosi, którzy stracili już dwudziestu swoich, poczekają na posiłki i trochę transporterów opancerzonych, a potem spadną na to miejsce jak tona cegieł. Czy zdarzy się to dziś, jutro, czy na końcu długiego oblężenia, wolałbym nie tkwić w tym czasie w budynku z drewna i kartonu.

Laura po chwili namysłu skinęła głową.

– Pewnie masz rację. Ale Rat, ty znasz arkę na wylot, jesteś pewien, że nie ma tu żadnego tajnego przejścia prowadzącego na zewnątrz?

Rat pokręcił głową.

– Całe to miejsce zbudowano z myślą o długim oblężeniu. Na zewnątrz można wyjść tylko przez strażnice.

– Czyli zgadzamy się – stwierdził James. – Ruszajmy.

James poszedł przodem wzdłuż krótkiego korytarza pomiędzy dwiema klasami. Ostrożnie otworzył drzwi prowadzące na podest zewnętrznych schodów i uważnie przyjrzał się cieniom, zanim ruszył po metalowych stopniach w dół.

Karabinowy magazynek w płonącym wraku śmigłowca wybrał sobie akurat ten moment, by wypalić krótką serią. Trójka uciekinierów w panice zbiegła po schodach i przypadła do ziemi. Brzmiało to dokładnie tak, jakby ktoś do nich strzelał.

– Fałszywy alarm... jak sądzę – powiedział niepewnie James.

– Nienawidzę tego – wyszeptała Laura, przyciskając spoconą dłoń do serca.

Rat znał drogę, więc ruszył pierwszy. Chrupiąc potłuczonym szkłem pod nogami, pokonali sprintem trzydziestometrowy odcinek asfaltowej ścieżki i zbiegli po schodkach prowadzących do podziemnego wejścia. Kiedy dotarli do grubych stalowych drzwi, Rat nacisnął oburącz gumowaną klamkę. Mechanizm kliknął, ale gdy Rat pociągnął drzwi, te ani drgnęły.

– Może ja spróbuję. Jestem silniejszy – zaproponował James.

Rat potrząsnął głową.

– Nic z tego. Musieli zaryglować od środka.

Laura cmoknęła z irytacją.

– Jest jakieś inna droga?

– Wątpię – powiedział Rat. – Co drugi budynek ma zejście do podziemi, ale jeśli to jest zamknięte, to pewnie wszystkie są.

– No i co teraz? – zapytała Laura, patrząc na Jamesa.

– Sprawdźmy jeszcze jakieś drzwi. Jak się nie uda, wrócimy do klasy. Może zbudujemy z ławek jakiś schron czy coś takiego.

Laura spojrzała na brata jak na kretyna.

– Świetny pomysł. Ławki są znane z odporności na kule.

– Dobra, siostra, jak masz lepszy pomysł, to chętnie posłucham – zirytował się James.

– Cicho – syknął Rat. – Ktoś jest na górze.

W tej samej chwili oślepiła ich latarka, a ze szczytu schodów dobiegł rozkazujący okrzyk.

– Odwrócić się! Ręce na głowę!

James rozpoznał głos i odetchnął z ulgą.

– Ernie! Dzięki Bogu, że to ty.

Szczęk repetowanej broni w jednej chwili starł mu uśmiech z twarzy.

– Ręce na głowę – powtórzył Ernie twardym tonem. – Nie wiem, co nawyprawialiście, ale panna Regan posłała tuzin ludzi, żeby was szukali. A teraz właźcie na górę, spokojnie i powoli. Żadnych gwałtownych ruchów.

*

Wszyscy ludzie, których mijali w skąpo oświetlonych tunelach, mieli kamizelki kuloodporne, a większość także przewieszony przez ramię karabin. *Podręcznik Wybrańca* stwierdzał, że nie istnieje coś takiego jak anioł nieprzygotowany do obrony arki wszelkimi koniecznymi środkami.

Połączenie znoszonych ciuchów obrońców arki, wysokiej średniej ich wieku i wojskowego sprzętu miało w sobie coś komicznego, jakby grupa księgowych przebrała się za żołnierzy, by odtworzyć jakąś sławną bitwę. Jednak Jamesa to nie śmieszyło. To byli najżarliwsi wyznawcy idei Joela Regana, którzy pokazali już, do czego są zdolni.

Bunkier Pajęczycy znajdował się trzy kondygnacje pod kościołem. Jej przebranie było czystą groteską: bejsbolówka w barwach maskujących, kamizelka kuloodporna, mały pistolet maszynowy przewieszony przez kościste ramię i dwa granaty dyndające u paska obciętych dżinsów.

Trójka zbiegów stanęła w ciasnym szeregu przed jej biurkiem. Kilkoro najbliższych współpracowników Pajęczycy usiadło za nimi na ogrodowych krzesłach, w tym Georgia, teraz wyposażona w karabinek szturmowy i bejsbolówkę założoną daszkiem do tyłu.

– Widziano was, jak przekradaliście się przez płot rezydencji – powiedziała Pajęczyca. – Co tam robiliście?

– Susie chciała, żebyśmy pomogli spakować rzeczy – wyjaśnił James.

– Wobec tego dlaczego przechodziliście przez płot i nie wróciliście do szkoły? Przekradają się złodzieje, uczciwe dusze wychodzą frontowymi drzwiami.

James nie wiedział, co odpowiedzieć. Na szczęście wyręczył go Rat.

– Rozerwałem jedną sukienkę, jak ściągałem ją z wieszaka – skłamał gładko. – Susie się wściekła. Strasznie się wydzierała, czy wiem, ile to kosztowało, i powiedziała, że dostaniemy baty. Rzuciła Laurze w twarz przybornikiem i wtedy zwialiśmy. Nie chcieliśmy być jej nieposłuszni, słowo, ale przestraszyliśmy się. Widzieliśmy, co się stało z lokajem, i naprawdę myśleliśmy, że ona zrobi nam coś złego.

– Ach tak – powiedziała Pajęczyca, opierając łokcie na biurku i splatając palce przed sobą. – Ale potem widziano was w ciężarówce. To może znaczyć tylko tyle, że próbowaliście uciec.

Rat przytaknął skinieniem głowy.

– No bo baliśmy się, że Susie każe nas gonić – wyjaśnił bez zająknienia. – James powiedział, że umie prowadzić. Wymyślił, że zawiezie nas do najbliższego miasta i zadzwoni do swojego taty po pomoc.

James nie mógł nie podziwiać inteligencji kolegi. Jego wymówki były dziesięć razy lepsze niż wszystko, co przychodziło mu do głowy.

– Hmmm... – Pajęczyca zamyśliła się, próbując znaleźć lukę w opowieści Rata. – Ale kiedy odleciał samolot, musieliście zdawać sobie sprawę, że Susie i Brian uciekli. Dlaczego pozostaliście w ukryciu?

– Pomyślałem, że Susie na pewno kazała Georgii ukarać nas, kiedy wrócimy do szkoły.

– Cóż... – zaczęła Eleonora, uśmiechając się niepewnie. – To chyba wyjaśnia nam wielką tajemnicę. Zapewne ucieszycie się, jeśli wam powiem, że Susie Regan raczej nie wróci już do arki.

Georgia odchrząknęła głośno, dając znać, że chciałaby coś powiedzieć. Pajęczyca przeniosła na nią wzrok.

– Tak?

– Nie chciałabym się wtrącać, Eleonoro, ale postąpiłabyś rozsądnie, nie wierząc w każde słowo, jakie pada z ust Rathbone'a. To notoryczny łgarz. Musiałam karać go więcej razy niż wszystkich pozostałych niebieskich razem wziętych.

Pajęczyca wyprostowała się na krześle z nagle stężałą twarzą.

– Georgio, nie podoba mi się twój ton. Wiem, że Rathbone potrafi sprawiać kłopoty, ale powinnaś pamiętać, że płynie w nim krew proroka. Rathbone jest i zawsze będzie synem Joela Regana i moim przyrodnim bratem.

Bulwiasta sylwetka Georgii zdawała się więdnąć pod pałającym spojrzeniem Eleonory.

– Oczywiście. Rozumiem – powiedziała cicho olbrzymka.

– Zaprowadź ich z powrotem do szkoły – rozkazała Pajęczyca. – I dopilnuj, żeby znowu się nie zgubili.

Georgia poprowadziła zbiegów tunelem wiodącym w stronę szkoły. Gdy oddalili się o kilkaset metrów od pokoju Pajęczycy, Rat nie wytrzymał i wyszczerzył się do swojego arcywroga w najpodlejszym z uśmiechów.

– Patrz przed siebie, Rathbone – warknęła Georgia. – Twoja starsza siostra ma do ciebie słabość, ale ja zawsze wiem, kiedy kłamiesz.

– Niby jakim cudem? – zapytał Rat.

– Bo każde słowo w twoich diabelskich ustach przemienia się w łgarstwo.

– Chyba powinienem porozmawiać o tobie z siostrą – powiedział Rat z udaną troską w głosie. – Wyczuwam karygodny brak szacunku dla mojej pozycji.

Dwie minuty później dotarli do tunelu pod budynkami szkoły. Z powodu alarmu wszyscy uczniowie byli zamknięci w swoich sypialniach. Laura spojrzała na Jamesa z obawą, przekonana, że zostanie oddzielona od chłopów i wysłana do jej pokoju w budynku żółtych, ale Georgia miała inne plany. Wyjęła klucz i otworzyła drzwi podziemnego pomieszczenia.

Było to małe przedszkole wyposażone w poduszki i trochę zabawek. W wilgotnym pomieszczeniu pachnącym farbą i mlekiem mieszkało pięcioro dzieci, których rodzice pracowali w arce, a które były jeszcze za małe, by chodzić do szkoły. W przedszkolu nie było innych opiekunów i Georgia po prostu zamykała dzieci na klucz, grożąc złojeniem skóry, jeżeli będą się źle zachowywać.

– Nie chcę, żebyście znowu mi uciekli – powiedziała Georgia. – Zostaniecie tutaj, gdzie mogę mieć na was oko.

Mała dziewczynka ściskająca kocyk podeszła do wielkiej kobiety i pociągnęła ją za nogawkę szortów.

– Proszę pani, a Michael zabrał mi smoczek.

Georgia obrzuciła ją złym spojrzeniem.

– Nie jestem twoją niańką, Annabel – warknęła. – Znajdź sobie inny albo chodź bez smoczka.

Dziewczynka obejrzała się na plastikowy pojemnik na najwyższej półce.

– Nie dosięgnę.

Georgia wycelowała w nią palec.

– Nie jestem w nastroju do wysłuchiwania twojego marudzenia, gówniarzu. Chcesz dostać w dupę?

Annabel wykrzywiła twarz, jakby zamierzała się rozpłakać, ale zmieniła zdanie na widok groźnie wzniesionej dłoni opiekunki.

Laura przykucnęła obok małej i uśmiechnęła się.

– Pokaż mi, gdzie macie te smoczki.

Georgia złapała Laurę za koszulkę i szarpnięciem poderwała ją na nogi.

– Jeśli masz zamiar bawić się z małymi, nie rozkręcaj ich. Jest późno, a ja dostaję szału, kiedy zaczynają biegać i wrzeszczeć.

W serii **CHERUB** ukazały się:

Nowa seria książek dla młodzieży Roberta Muchamore'a ucieszy zwłaszcza fanów bestsellerowego cyklu „Cherub", którego jest znakomitym dopełnieniem. Dla nich „Henderson's Boys", czyli Agenci Hendersona, to powrót do przeszłości, fascynująca historia początków CHERUBA, tajnej komórki brytyjskiego wywiadu szkolącej dzieci na profesjonalnych szpiegów. Ale ta nowa seria stanowi także odrębną całość, przeznaczoną nie tylko dla czytelników „Cheruba". To wciągająca, miejscami wstrząsająca, a gdzie indziej pełna humoru historia dzieci, których wojenna zawierucha cisnęła w fascynujące, ale bynajmniej nie cukierkowe życie. Przeżywając pasjonujące przygody, młodzi uchodźcy przechodzą twardą szkołę, stając przed najzupełniej dorosłymi problemami, nieraz popełniając tragiczne błędy i wpadając w kłopoty przez swoje nieodpowiedzialne wybryki, ponieważ nawet przebrane za szpiegów i dywersantów dzieci są tylko dziećmi.

Rok po wybuchu drugiej wojny światowej, po pogromie brytyjskiej siatki szpiegowskiej w Europie Zachodniej, Charles Henderson zostaje ostatnim czynnym agentem brytyjskiego wywiadu w okupowanej Francji. Los wiąże go z czworgiem osieroconych dzieci, które bierze pod swoją opiekę. Chciałby zapewnić im bezpieczeństwo i pomóc w ucieczce do Anglii; z drugiej strony małoletni uchodźcy są jego jedyną szansą na wznowienie działalności wywiadowczej i przeprowadzenie operacji, od których sukcesu zależą losy wojny.

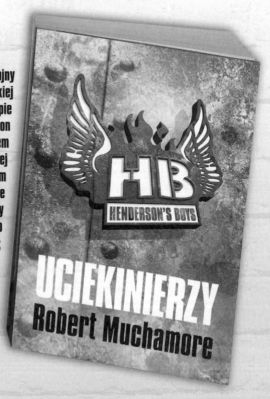